Cosas que hacen BUM

Kiko Amat

Cosas que hacen BUM

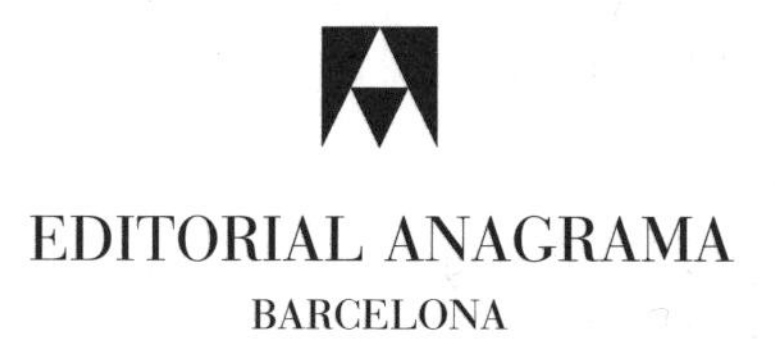

EDITORIAL ANAGRAMA
BARCELONA

Diseño de la colección: Julio Vivas y Estudio A
Ilustración: Chaco
Diseño título de portada: Uri Amat

Primera edición en «Contraseñas»: enero 2007
Primera edición en «Compactos»: enero 2009

Pedró de la Creu, 58
08034 Barcelona

ISBN: 978-84-339-7342-9
Depósito Legal: B. 50383-2008

Printed in Spain

Liberdúplex, S. L. U., ctra. BV 2249, km 7,4 - Polígono Torrentfondo
08791 Sant Llorenç d'Hortons

A Eugènia, siempre

A mis hermanos Oriol y Maria
A David Papiol y Uri Serena,
amigos a lo largo

Thick as thieves us, we'd stick together for all time,
And we meant it but it turns out just for a while,
We stole –the friendship that bound us together

We stole from the schools and their libraries,
We stole from the drugs that sent us to sleep,
We stole from the drink that made us sick,
We stole anything that we couldn't keep
But it wasn't enough –and now we've gone
and spoiled everything,
Now we're no longer as thick as thieves.

Thick as thieves, THE JAM

I si en lloc d'una certesa consegueixo una obsessió? La certesa és pròpia dels homes sensats i l'obsessió és pròpia dels homes bojos –i jo no sóc ni una cosa ni una altra.

La tardor barcelonina, FRANCESC PUJOLS

Je ne désire pas une suite d'instants mais un grand moment. Une totalité vécue, et qui ne connaît pas de durée.

Traité de savoir-vivre à l'usage des jeunes générations, RAOUL VANEIGEM

LIBRO UNO
PÀNIC

La obsesión es una fiebre. Una rabia loca, enfocada hacia un solo punto, que empieza a acelerar sin que nadie pueda detenerla. La obsesión es un deseo multiplicado, y ese deseo me ha llevado hasta aquí.

Estoy volando a 111 km por hora en dirección a un árbol del camping La Ballena Alegre, en la autovía de Castelldefels. Cuando impacte contra él, mi cuello se partirá como un barquillo mojado en champán, pero de momento estoy paralizado en el aire en la postura de volar. Soy una pieza de taxidermista, suspendida del cielo por hilos de oxígeno.

Los ingleses tienen una expresión para eso: *in mid-air.*

Espero que esta parálisis pasajera me dé el tiempo suficiente para contar lo que tengo que contar; es una historia bastante larga. Estoy volando a 111 km por hora porque hace un segundo estaba subido a una Vespa 160, conduciendo sin manos. Me subí a la Vespa porque antes intenté realizar el Último Vals Salvaje, y falló. Mi Último Vals Salvaje era la única manera que encontré para extirpar la obsesión. Ésta es una historia de obsesiones.

Supongo que, si realmente queremos ir al principio de todo esto, si queremos ganar en el socatira que lleva al presente, tenemos que hablar de mi obsesión y de los vorticistas. A veces las dos cosas son la misma. La obsesión es el gemelo maligno de la pasión; van juntos de la mano hasta que uno asesina al otro, y al final sólo queda el beso solitario y frío de la obsesión.

Supongo que, si tengo que ser honesto, sólo hay un lugar desde donde empezar a contarlo todo.

Mi tía abuela Àngels.

Conocí a mi tía abuela Àngels al poco de que mis padres murieran en el accidente de avión. El representante del consulado español me vino a buscar al colegio, en Crouch End, y me comunicó con suavidad que mis padres se habían ido a dormir. Yo tenía ocho años.

–¿A dormir? –le pregunté.

–A dormir con los ángeles –respondió el funcionario.

–¿Ángeles? –Mis padres eran ateos militantes. Nadie comentó nunca nada de ángeles. Tal vez por eso añadí–: ¿Dónde?

El funcionario levantó un dedo y señaló hacia arriba. Recuerdo haber mirado hacia su dedo, y luego hacia el techo, y no entender nada.

Los ingleses tienen una palabra para eso: *puzzled.*

Sin embargo, acompañé al señor del consulado hasta donde me dijo, y allí me esperaban unos amigos de mis padres, que me dijeron que mis padres habían ido a un lugar mejor. Luego añadieron que yo también iría a un lugar mejor.

Las primeras horas en este mundo sin mis padres están llenas de confusión. Un poco de ese caos debió de sentirse bien a mi lado, porque me acompañaría toda la vida. La confusión sabe reconocer a los recipientes mullidos, dispuestos, que la acogerán siempre. Sabe seleccionar los huecos de árbol más cálidos donde hibernar.

Aquella noche dormí en casa de los amigos de mis padres, donde por culpa de sus explicaciones pésimas no pegué ojo pensando que yo también iba a morir. A la mañana siguiente me llevaron a Heathrow y me metieron en un avión camino del Prat. Mi madre era catalana, y mi abuela también. Mi abuela había fallecido unos años atrás, así que los dos únicos supervivientes de la familia éramos su hermana y yo. El consulado español me devolvía a mis raíces magras y secas, arrancadas del suelo antes de tiempo como flores cojas.

Para dar una idea de cómo era mi tía abuela voy a transcribir la primera conversación que tuvimos, cinco minutos después de que yo bajara del avión en El Prat en 1984 y nos saludáramos inventando afectos nuevos.

–Y bien, ¿qué querrás hacer a partir de ahora? –preguntó mi tía abuela, sin pasar por el Cuánto has crecido ni Qué mayor estás. Era una mujer pequeña y rechoncha, de piernas arqueadas y mirada roedora. Era la primera vez en mi vida que la veía; supongo que mis padres no eran muy familiares.

–¿Ir al colegio? –dije. Preguntando, por lo que pudiese pasar.

–¿Estás loco? –contestó–. Los maestros son los primeros fascistas que vas a encontrarte en tu vida. Su labor principal es empezar a doblegar a las almas jóvenes para que, al hacerse mayores, acepten las órdenes sin rechistar.

Yo la miré sin hablar, intrigado.

–Hazme caso, Pànic, hijo, todo lo que le enseñaron a tu tía abuela en la escuela tuvo que desaprenderlo luego.

Asentí.

–Escucha: no irás a la escuela. No irás a ninguna cárcel del intelecto para que te allanen los clavos. Las escuelas son cementerios del pensamiento libre, mausoleos de la autosuficiencia y hornos crematorios de la insurrección.

Asentí con la cabeza otra vez, pero no entendía nada. Tenía sólo ocho años, aunque nadie pareciese comprenderlo.

–Todo lo que has de saber está en mis libros y en los de tus padres. Haz el favor de leerte todos esos libros y tu tía abuela te enseñará lo demás, números y cosas prácticas, así como trucos para que no puedan acceder nunca a tu mente. ¿De acuerdo?

–Sí –mentí.

–¿Sabes quién es Max Stirner?

–No.

–Lo sabrás.

–Vale.

Vale parecía ser el machete que iba a sacarme de la jungla de nuestra primera conversación. Decidí utilizarlo cuantas veces hiciera falta, blandiendo su hoja cegadora.

–Lo que más desea el sistema es completo control sobre ti, sobre tus actos y pensamientos; quieren llegar a un punto en que la coacción no sea necesaria. Un punto en que estés deseando hacer *motu proprio* lo que ellos quieren que hagas. Que seas feliz siendo una parte de su engranaje.

–Vale.

–Quieren aplastar el libre albedrío. La voluntad inalienable de ser uno mismo. De ser libre. Pero no les dejaremos, ¿verdad, Pànic?

–Hmmm –dudé. Al ver su cara de sorpresa rectifiqué a toda prisa–: Ni hablar. No.

–Todo lo que necesitas saber está en los libros. Léete todos esos libros y libera tu mente. Libera tu mente y tu culo la seguirá. ¿Queda claro?

–Vale; digo, sí.

–Libera tu mente y tu culo la seguirá.

Una vez hubo dicho esas palabras se calló y me dio la mano durante todo el trayecto en tren hacia su casa.

Aunque sacudido por el traqueteo del vagón, mi culo se mantuvo firme en su lugar gracias a la presión que hice en dirección al centro de la tierra. No quería que mi culo huyera persiguiendo a mi mente liberada.

Cuando media hora después me levanté del incómodo asiento de madera tenía las nalgas planas y frías como el acero de los barcos.

De mis padres recuerdo pocas cosas, y la mayoría las aprendí con el tiempo y la investigación. Mi padre era inglés, llevaba bigote cosaco y melena hippie; se llamaba Richard Malone, y era el doble de Richard Brautigan, el escritor americano.

Mi madre era catalana. Se llamaba Consol Orfila. Tenía ojos verdes y hombros de nadadora, era hermosa y flaca y morena, y llevaba el cabello corto, metido tras las orejas. Tenía un vestido de noche verde, largo, que le dejaba los hombros al descubierto. Unos hombros de ballesta tensada, huesudos y anchos, hechos para conquistar castillos.

Mi padre era sociólogo y mi madre era editora. Se fueron a vivir a Londres antes de que yo naciera, en 1975. Mi padre publicaba libros y daba conferencias, y mi madre le quería bastante. En las fotos en las que le está mirando, sus ojos verdes son mis ojos verdes.

Los amigos de mis padres, aquellos señores que me tuvieron una noche en vela imaginando mi propia muerte, también me contaron que mis padres se querían bastante. Sé que eso es bueno, pero mi memoria no lo registró. Los restos de sus vidas naufragadas que flotan sobre mí son sólo fragmentos con el recuerdo de haber pertenecido a algo coherente en el pasado; estoy seguro de que unidos significarían algo, pero para mí no son más que pedazos. Flotadores, trozos de la cubierta, mástiles quebrados, todos a la deriva después del hundimiento.

Recuerdo los discos de mi madre: Debussy, Stravinsky, Ravel y el «Segundo concierto para piano» de Rachmaninoff. Recuerdo los de mi padre: Coltrane, Wayne Shorter, Miles, Hank Mobley. También algo de soul: Otis, Jackie Wilson y Sam Cooke, sobre todo.

Recuerdo sus libros, que heredé. 900 libros. Y una foto de los dos que conservo enmarcada: en ella se les ve muy sonrientes, bigote cosaco y ojos verdes. Intento conectar los restos del naufragio, pero los bordes no encajan. Como si alguien hubiese mezclado dos puzzles distintos, uno de la sabana africana con un castillo bávaro.

Mis padres murieron en un accidente de aviación en el año 1984, mientras yo estaba en la escuela. La avioneta de un millonario inglés se estrelló contra el patio de nuestra casa de Crouch End, en Londres, y les redujo a ambos a cenizas.

Los ingleses tienen una palabra para eso: *charred*.

Tengo una pesadilla a menudo: un bigote cosaco, flotando en la inmensidad, en llamas, se consume con olor a pollo frito.

No puedo olerlo, pero así son los sueños. Sólo veo la imagen: un bigote cosaco *flambé*.

Tengo muchas otras pesadillas protagonizadas por mis padres. Mis padres son las celebridades de mi periodo REM. El Robert Redford y la Faye Dunaway de mi Hollywood onírico de los setenta. Salen en casi todos los sueños, acaparando subconsciente.

Así, como decía, mis padres murieron en 1984, incinerados en su patio por la avioneta de un ricacho idiota sin carnet de vuelo.

Una estúpida manera de morir. Sin embargo, imagino que mis padres le habrían encontrado la gracia. A mí no me hace ninguna.

Por poco se me olvida: Pànic. Me llamo Pànic.

Pànic Orfila. Llevo el apellido de mi madre porque me da la gana.

Mucho antes de que pasara el asunto de los vorticistas en el año 1996, alguien me puso nombre. Era julio del 1976, y yo acababa de nacer. Mucho antes de que hubiese rotura de corazones y cosas y miembros, estaban mis padres. Antes de ellos no hay nada, y después de ellos está mi tía abuela Àngels. Ése es el orden de las cosas.

Y a pesar de que voy a hablar de las cosas que pasaron en

1996, pensé que quizás debería explicar el orden. Desde la carbonilla hasta el volar hacia el árbol, hay piezas más importantes que otras. Deben ser explicadas.

Como en un vórtice, las cosas pasan a toda velocidad. Como en un tarot, las figuras van apareciendo en lo que aparentemente es completo azar. Un nefasto jugador de ajedrez está lanzando al tablero sus reyes, peones, alfiles y torres sin orden ni concierto.

Pero hay un orden: nací un día de julio del año 1976 en Londres. En 1984 murieron mis padres. El mismo año mi tía abuela Àngels me llevó a vivir con ella a Sant Boi, un pueblo del extrarradio barcelonés. Tenía ocho años. Mis verdaderos recuerdos empiezan allí. Y llevan a un único sitio.

Pero de momento sólo quería recordar que me llamo Pànic. Los nombres son importantes. Me llamo Pànic y soy un vorticista, o lo he sido durante bastante tiempo.

Luego lo contaré.

–¡No me interesa nada que esté por encima de mí! –gritó mi tía abuela un día en que me vió leyendo a Max Stirner. Habían pasado seis años desde que llegué a su casa.

Max Stirner era el hombre más aburrido de la galaxia. Cuando el poeta anarquista John Mackay quiso escribir su biografía, se encontró con un tipo anodino, mediocre, hecho de colores mezclados como el gris de las témperas sobreusadas y la plastilina vieja. Mackay no daba crédito. ¿Era aquel chupatintas el mismo que había escrito *El único y su propiedad*, la más fascinante obra del pensamiento anarquista-individualista?

Max Stirner nunca se doctoró, aunque trabajó como maestro en un colegio de niñas bien. Se casó para guardar las formas con una mujer a la que nunca quiso. En 1837 se unió a «Los libres», un grupo de jóvenes hegelianos que contaba entre sus filas con Marx y Engels y que se reunía para discutir de filosofía y teología. Ésta parece ser la parte más interesante de su vida, así que mejor no esperar nada extravagante a partir de aquí.

Max Stirner perdió el dinero abriendo una lechería primero y jugando a la bolsa después. Llegó hasta el extremo de pedir un préstamo público y cambiar de casa para evadir a los acreedores. Cuando su situación parecía a punto de recibir un inesperado golpe de suerte –un adelanto por la herencia de su madre enferma–, Stirner se puso enfermo también y murió. Era el 25 de junio de 1856.

Sin duda, Stirner era un gran cenizo.

Sin embargo, escribió *El único y su propiedad.* Un libro que sienta las bases del pensamiento anarquista, que se adelanta a Nietzsche en el asesinato de Dios, un libro en el que se expone que el individuo es el único ser supremo, liberado del yugo de la religión y del humanismo. Para Stirner, el hombre es El Único, El Egoísta, y sólo puede ser feliz asumiendo ese egoísmo puro, natural, primigenio. La sociedad es una asociación forzosa y represiva de seres alienados controlada por el Estado. La única organización posible ha de ser una asociación libre de individuos autónomos con fines comunes, con egoísmos comunes.

El libro de Max Stirner fue uno de los muchos que leí en aquellos años que pasé junto a mi tía abuela, pero me obsesionó de forma especial. Mucho más tarde iba a conocer a gente igualmente obsesionada con *El único y su propiedad.*

Cuando mi abuela me gritó: «¡No me interesa nada que esté por encima de mí!», parafraseando al anarquista soso, la miré sorprendido. Ella se doblaba de risa.

–Por cierto –dijo en el umbral de la puerta, volviéndose–. He decidido que el año que viene irás al instituto. No quiero que te conviertas en un monstruo solitario, aislado de tus semejantes. Ahora ya tienes suficientes conocimientos para no dejarte embaucar por los engranajes relucientes del sistema.

–¿Monstruo? –balbuceé, algo ofendido.

–El año que viene vas al instituto, y no se hable más. –Mi tía abuela cerró la puerta.

Yo me levanté, excitado de repente, y empecé a dar vueltas por la habitación; como si mi nerviosismo hubiese activado el programa de centrifugado de mi cuerpo. Di doce vueltas y cuando ya me mareé tuve que parar y sentarme.

Descubrí con el tiempo que mi tía abuela era en realidad una mujer muy sensata. Se llamaba Àngels, y había formado parte de las Joventuts Llibertàries. Le daba asco el mundo moderno, un asco que yo heredé. Era anarquista y nunca se arrepintió, al contrario quc muchos otros gallinas mojadas.

Durante aquellos años a su lado tuve tiempo para dar rienda suelta a mis primeras obsesiones. El Subbuteo estuvo bien durante una época. Las cartas de coches llegaron luego. En medio leí filosofía, política e historia de la biblioteca de 900 libros que heredé de mis padres. También leí, al azar y basándome en lo simpáticos que me parecían los nombres, libros insurreccionistas de la biblioteca de mi tía abuela.

Por ello, en la época en que tendría que haber hecho séptimo de EGB fui futurista, y me obsesioné con Marinetti, la maquinaria, el movimiento y la fuerza. Pinté cuadros con hombres ligeramente cúbicos, flechas y lanzas, mecanismos en funcionamiento, dinamismo. Fantaseé con invadir Etiopía, pero mi tía abuela me dijo que eso era ya fascismo, y que a veces la línea era muy delgada.

Desde entonces nunca perdí de vista la línea. Nunca me pilló desprevenido, creyéndome surrealista cuando ya era más bien comunista. Supe bien dónde estaba la línea en cada momento e *ismo*.

Al cabo de un tiempo me cansé de ser futurista y fui dadaísta.

–¿Cómo te llamas? –me preguntaban otros niños.

–POLU POLU EKKZA TERRRINU SAPA CADO –les gritaba yo. Invariablemente, luego me perseguían con piedras afiladas y gomas elásticas con hierros en los extremos.

También escribí manifiestos e hice exposiciones de collages que visitó mi tía abuela. Leí a Picabia y a Max Ernst. Me hubiese peleado con otros movimientos pero mi vida social era todavía un poco limitada. Eran todavía los años previos al instituto y no conocía a nadie.

En mi supuesto octavo de EGB compaginé el Risk y los juegos de estrategia de Nike & Cooper –combatía contra Àngels, un adversario vengativo e implacable– con el surrealismo. Leí *Los campos magnéticos* de André Breton, hice derivas oníricas por las calles de Sant Boi e imaginé unicornios, intestinos y martillos vivientes colgados de las ramas de las moreras. Experimenté con la poesía automática:

Mi mujer de cabellera de fuego de madera
De pensamientos de relámpagos de calor
De cintura de reloj de arena
Mi mujer de cintura de nutria entre los dientes del tigre.

–Qué bonito –me dijo Àngels después de leerlo–. ¿Es tuyo?

No lo era. Lo copié de André Breton, porque mi poesía automática era inmunda y me daba vergüenza enseñarla.

–Sí –le dije, aprendiendo a mentir.

Más tarde leí la poesía de Louis Aragon y mi tía abuela me compró libros con imágenes de las construcciones de Joseph Cornell. Eran cajas de madera con diferentes compartimentos y, en cada uno de ellos, muñecas, canicas, fotos arrugadas, pájaros disecados, cuerda y espejos. Aquellos intentos de reconstrucción física de un universo cerebral en estado de caos total me fascinaban, estaba convencido de que aquellas piezas eran la obra de una urraca humana en pleno proceso de armonización del laberinto. Eso empezó lo que llamé mi Periodo Cornell.

Pasé largas tardes de aquel mojado otoño del 1989 recogiendo objetos pulidos cerca del río Llobregat, rompiendo lápices, dando forma a bolas de barro, dejándolas al lado de fotos en blanco y negro de mis padres. Luego lo colocaba todo en una caja vertical de madera y le daba nombre al conjunto; estaba convencido de que cada una de aquellas construcciones era un mapa de vuelo a mi mente.

Los ingleses tienen una palabra para eso: *flightpaths.*

Finalmente me cansé también de aquella obsesión. Había sido futurista, dadaísta y surrealista antes de cumplir los catorce. Era agotador. Había releído *El único y su propiedad* dos veces. Estaba solo, y estaba bien. La soledad suele subestimarse.

El día de mi decimocuarto cumpleaños descubrí la masturbación mientras me duchaba. Me estaba aplicando agua a la entrepierna cuando noté unos calambres y unas durezas. Me frotaba con jabón cuando llegaron los estertores y la flaqueza de piernas. Un líquido blanquecino y resbaladizo salió por el orificio de mear, expulsado en unos cuantos golpes. Hubo un hormigueo en la columna vertebral, un calor en las mejillas, como si alguien las estuviera preparando a la brasa. Al final, mientras el agua seguía cayendo en cascada por toda la piel, quedó sólo el líquido deshilachándose en el suelo de la bañera. Lo miré desaparecer por el desagüe a la vez que notaba las durezas transformándose en blanduras.

Hum.

Esperé unos minutos y volví a probar, por si había sido un hecho aislado. La operación se repitió con las mismas etapas: calambres y durezas. Estertores y flaqueza y catapultas. Hormigueo y carrilleras a la parrilla.

Bien.

Desde entonces me dediqué a masturbarme con todas mis fuerzas. La masturbación fue mi nueva obsesión, y experimenté con todas las posibilidades al alcance de un joven solitario encerrado en un lavabo. Ése fue mi nuevo secreto de urraca, y dejé atrás el futurismo, el dadaísmo y el surrealismo para dedicarme a él, voluntarioso. Las cajas de mi Periodo Cornell se llenaron de polvo y telarañas desde aquel día de mi decimocuarto cumpleaños en que descubrí la masturbación.

No era un movimiento cultural rebelde de principios de siglo, eso es cierto, pero era muy agradable.

Una mañana, mi tía abuela estaba encajada en la puerta, intentando entrar a golpes de cadera.

–¿Me puedes ayudar con esto, por Dios? –me dijo.

Me levanté, abrí la puerta y le eché una mano con lo que llevaba. Era un parquímetro.

Le pregunté para qué necesitábamos una máquina que esencialmente servía para controlar el aparcamiento.

–Alguna utilidad le encontraremos, hijo.

Es curioso, pero aquella mañana me di cuenta de que la casa estaba llena de objetos urbanos. En el patio teníamos bancos de parque y farolas de autopista. Tirábamos la basura en papeleras de calle metálicas. La bandeja del café era una señal de STOP.

Aprendí con el tiempo que, como casi todos los antiguos combatientes de izquierdas de la guerra civil, mi tía abuela consideraba la transición a la democracia una tomadura de pelo. Careciendo de otros medios para protestar contra lo que les parecía una farsa que continuaba con la dictadura franquista de manera encubierta, mi tía abuela y sus amigas jubiladas fundaron el Instituto de Vandalismo Público. Su núcleo lo formaban siete u ocho personas mayores que habían pertenecido a la Unió de Pagesos, la FAI, las Joventuts Llibertàries y el POUM.

En lugar de reunirse para tricotar, mi tía abuela y las otras señoras salían al oscurecer para romper cristales de bancos, robar señales de tráfico y farolas, tumbar contenedores de basura y hacer pintadas anarquistas.

A veces incluso lo hacían a plena luz del día. Nadie sospechaba de un puñado de señoras de sesenta años. Era la mejor operación encubierta que he visto en la vida.

Luego llegaban a casa para tomar carajillos, armando escándalo y riendo, mientras yo trataba de imaginar formas femeninas bajo la sábana. Era un incordio para mi concentración onanista.

El Instituto de Vandalismo Público se fundó en 1978 y continuó actuando durante toda mi estancia en Sant Boi. En aquellos doce años nunca vi un semáforo que durara intacto más de dos semanas. Circular por el pueblo era una auténtica aventura. Las farolas caían como moscas. Era Beirut.

No sé si el Instituto de Vandalismo Público arrojó algo de luz en la historia, pero sí sé que hizo descender la oscuridad sobre el pueblo a bastonazos.

Al cabo de un año llegó el momento de empezar el instituto de verdad. Fue un fastidio tener que abandonar el lavabo y la Nivea, pero lo tomé como un nuevo reto para mi personalidad obsesiva.

Mi curiosidad hacia las cosas se ensombrecía a menudo al lado de mi curiosidad por la propia curiosidad. Me encontraba obsesionándome por algo, una frase, un escritor, una persona, y a veces era la intensidad de mi propia obsesión lo que me sorprendía. Nunca llegué a entender cómo funcionaba la alquimia de esa obcecación imparable.

El inicio del curso escolar fue amenizado por tres hechos de la mayor importancia, que se solaparon como el despliegue desorganizado de una baraja de cartas. En los últimos meses de mi último verano libre, y en los primeros meses del curso, fui situacionista primero y satanista después. Luego me puse a buscar a mi «mujer escarlata».

En julio leí *La sociedad del espectáculo* de Guy Debord y el *Tratado del saber vivir para uso de las jóvenes generaciones* de Raoul Vaneigem. Entendí que no sólo vivíamos en la sociedad del espectáculo, sino que además el espectáculo que daban era de pésima calidad. Entendí que la finalidad de toda vida debía ser el evitar trabajar a cualquier precio y no cesar de cuestionarlo todo. Y entendí que todo lo que nos rodeaba era cartón piedra y que uno tenía que quemar y derribar para llegar al meollo de las cosas, a la vida sin horas muertas. Sin términos medios.

No entendí mucho más; eran libros algo complejos y yo tenía tan sólo catorce años.

Pero ser situacionista me proporcionó una nueva excusa para mi obsesión. La trenka y el jersey de cuello alto negro que llevaba Debord en algunas fotos, combinados con un peinado de emperador romano que también copié de él, se convirtieron en mi uniforme para aquel septiembre que empezaba.

Por supuesto, me asé de calor. Mi entrada por las puertas del instituto, que yo había imaginado triunfal, se convirtió en el penoso arrastrarse de un guiñapo negruzco y sudoroso.

–¿No tienes calor? –me preguntó uno de los seres con los que compartía clase.

–Soy situacionista –contesté, levantando una ceja.

Su cara, sin palabras, indicaba que no había entendido. Encima de su mesa yacía una carpeta forrada con fotos de motos japonesas.

–Soy situacionista –repetí, secándome la frente con un pañuelo. Le dije que los situacionistas queríamos que la vida estuviera regida por el deseo subjetivo, lejos de los conforts mediocres de la vida moderna. Le dije que los situacionistas queríamos una participación inmediata en la apasionada abundancia de la vida.

Le dije algo más, pero estaba ya hablando con su nuca. El ser se había vuelto para discutir Yamahas con otro ser.

Fue otro indicativo de que mis pasiones no eran compartidas por el resto de los seres. Como había hecho antes en la etapa de dadaísmo perseguido con cantos rodados, decidí solemnemente mantenerlas secretas, como hacen las urracas; esconderlas por ahí, bajo la hojarasca, tras los árboles, en los cajones.

El intento de conciliar mi sistema hormonal con algún tipo de código ético me llevó a Alesteir Crowley, el satanista de principios de siglo. Su forma de vida consistía en fundar sociedades secretas, fornicar y tomar drogas. Había en medio un montón de palabrería interesante: Lucifer es el dador de luz, no Dios. Haz lo que quieras será la única ley. El niño en tu interior debe ser coronado rey y conquistarlo todo. El amor es la más poderosa de las emociones. La magia es el arte de causar cambios a voluntad.

Alesteir Crowley se unió primero a la sociedad secreta La Orden Hermética del Amanecer Dorado, y luego a la OTO, u Ordo Templi Orientis. Con los últimos desarrolló el concepto de una religión solar-fálica que adoraría durante el resto de su vida; ésta se basaba en la analogía entre el sol, la luna y la tierra por un lado con el pene, la vagina y el ano, respectivamente, por el otro. Esta religión tenía varios grados de conocimiento, de los cuales el octavo era la masturbación vista como un recargador espiritual y talismánico. El noveno grado consistía en magia a partir de relaciones heterosexuales.

En el libro *De arte magica*, Crowley recomendaba masturbarse dentro de pirámides de papel. Me pareció extraño, pero me apliqué a ello con una nueva dedicación. Debía recargarme.

Una tarde se me olvidó cerrar el pestillo del lavabo mientras practicaba el octavo grado, y mi tía abuela me descubrió sentado en el váter con una pirámide de papel en el pene. Lo que vio se parecía a un piloto de helicópteros con los ojos semicerrados, firmemente agarrado a una seta triangular.

Los ingleses tienen una frase para eso: *turning japanese.*

Los dos nos sonrojamos, y yo intenté volverme mientras ella cerraba la puerta. Su última visión antes de desaparecer fue la de mi culo adolescente, rayado por la toalla en la que había estado sentado.

Unos minutos más tarde, en la cocina, traté de disculparme.

–Estaba recargando –murmuré estúpidamente mirando al suelo.

–¿Recargando? –preguntó ella, mientras dejaba encima de la mesa un cono de tráfico. El Instituto de Vandalismo Público debía haber hecho una incursión de media tarde.

–Así nos recargamos los miembros de la Orden Hermética del Amanecer Dorado –contesté con algo de orgullo, recordando mi condición de miembro de sociedad secreta.

–Haz el favor de *recargarte* en privado, si eso es posible, Pànic.

–Haz lo que quieras será la única ley –protesté, recobrando la dignidad poco a poco.

–No. En mi casa, la única ley es que se hace lo que yo digo, hijo. Así que, hala, arreando.

Encerrado en mi habitación, releí a Crowley. Aquel hombre había vivido exclusivamente para la autoexploración y el placer. ¿Me estaban negadas aquellas nuevas fronteras? Crowley disfrutaba de las mujeres que él denominaba «mujeres escarlata»; mujeres curiosas e inteligentes, sofisticadas, que vivían al límite, diosas del amor carnal. Mi nueva obsesión no llegaría a ninguna parte si no encontraba con urgencia a una «mujer escarlata». Me puse manos a la obra sin perder un minuto, soñando con alcanzar el noveno grado cuanto antes.

Los años del instituto trajeron una novedad importante en mi vida en forma de hembra: Eleonor.

Era el año 1992. En casa de mi tía abuela no había televisión, y no me interesaban ni las motos de carreras ni el fútbol ni la música horrible. Eso me eliminaba automáticamente del noventa y nueve por ciento de las conversaciones del instituto.

Mis intereses prioritarios en aquel segundo de BUP eran aún los satanistas y los situacionistas. La primera persona con la que hablé de todo aquello fue, aparte de mi tía abuela Àngels, una chica llamada Eleonor.

Se sentaba delante de mí en clase y tenía una larga cabellera rizada, negra como las aceitunas andaluzas. Era mayor que yo, y había repetido curso dos veces. Era guapa, también; recuerdo que tenía la típica peca sexy junto al labio superior. Desgraciadamente, al ser el año 1992, la ropa que llevaba no insinuaba demasiado. Pero lo poco que se adivinaba prometía grandes cosas.

La única parte de su cuerpo que enseñaba impúdicamente eran los pies. Los sacaba de los zapatos y jugueteaba con ellos durante toda la clase, y yo observaba con ojos hambrientos. A falta de otra cosa, guardaba el recuerdo y me masturbaba después. Era el principio de los años noventa y menos daba una piedra.

Eleonor, por alguna razón incomprensible, me miraba mucho y me prestaba atención siempre.

–¿Es verdad que eres medio inglés? –me preguntó volviéndose el primer día que me habló.

Respondí que sí.

–¿Por eso vas vestido de esa manera?

–Soy situacionista –contesté, olvidando por un momento mi periodo satanista.

–La gente te llama Conde Drácula –dijo, con su candor habitual.

–La gente es imbécil –le dije, con igual sinceridad.

–Y tú no.

–No. Soy situacionista, ya te lo he dicho.

–Ah. –Eleonor se quedó pensativa un momento y luego añadió–: ¿Te gustan Aerosmith?

–¿Quién? –respondí, mientras por dentro trataba de imaginar sus pezones diminutos.

–¿No sabes quién son Aerosmith? –Se llevó las manos a la

cara con un gesto de horror irónico–. Pero ¿en qué mundo vives?

Mirando hacia otro lado, me aplasté el flequillo y sonreí microscópico, sin saber qué más añadir.

Tuve que ahorrar un poco para mi siguiente obsesión. Los discos de mi padre se me habían quedado cortos, así que finalmente dejé de desayunar durante unas semanas y reuní lo suficiente para una nueva adquisición.

Un disco.

Era *Temptin' Temptations*, de los Temptations. En la portada aparecían cinco jóvenes negros vestidos de blanco inmaculado, con chaquetas cortas de un botón y zapatos negros.

Recuerdo la primera vez que lo puse en el tocadiscos. Primero un crujido. Y luego, BAM. Una música elegante, evocadora, romántica. Chirriando, algo lejana, tomando la habitación. La canción era «Since I lost my baby».

Mirándolo, comprendí. Esa foto pintaba un mundo superior en el que los hombres eran dandis y toda la música era gloriosa, sus trajes nítidos, blancos, sus caras de ébano, sus zapatos relucientes. Donde cada minuto de vida era así: refinado y pleno, hermoso. Sin manchas. Un mundo irreal en el que nadie envejecía y había códigos de honor, y todo era puro y bello. Un mundo que no se parecía en nada a mi pueblo, a mi instituto, a los jugadores de fútbol que me perseguían para mantearme.

Mi tía abuela me ha contado muchas veces cómo entraba en mi cuarto y me encontraba dormido al lado del tocadiscos, durmiendo plácidamente en el suelo. Aquellos discos eran mi medicina y mi vaso de leche caliente, mi primer compadre, mi escondite y refugio, mis armas.

Con el tiempo llegaron las Marvelettes y los Impressions, los Temptations y Betty Harris, Bobby Womack y Al Green, Sam Dees y los Miracles. También Gloria Jones, Kim Weston, Barbara Acklin, Esther Williams, Curtis Mayfield, los 4 Tops, las Supremes, Chuck Jackson, Z.Z. Hill, Tommy Hunt, Billy Stewart, Sly & The Family Stone, Nina Simone, Billy Butler, Gene Chandler, Shirley Ellis y J.J. Jackson.

Nunca volví a escuchar otra cosa.

Supongo que con eso tenía suficiente.

Tardé muy poco en darme cuenta de que las amigas de Eleonor no dejaban de señalarme.

Igual que el resto del instituto.

Era medio inglés, me llamaba Pànic y no hablaba con nadie. Llevaba siempre libros extraños debajo del brazo, los ojos verdes de reptil abiertos como ventanas, el cabello negro punzante y poliédrico, como cortado a mordiscos. Blasfemaba por los pasillos y llevaba cuellos altos negros y trenka. No era muy discreto con mis asuntos.

–Algún día tienes que venir a mi casa a escuchar mis discos –le dije a Eleonor un día a la hora del recreo, después de hablarle durante veinte minutos de Irma Thomas. Lo dije sin ninguna esperanza. Me había conformado con recordar sus pies, sentado en el váter de tía Àngels con el culo ovalado.

–Esta tarde, si quieres –contestó, a la vez que expulsaba el humo de su cigarrillo.

Juré entre dientes. Eleonor no había titubeado ni gritado socorro. Su respuesta fue instantánea, decidida, ansiosa.

Aquélla fue la vez que me di cuenta de que Eleonor me encontraba atractivo en el plano físico. A pesar de todos los demás planos que no lo eran.

–¿Qué son todas estas pirámides de papel? –preguntó cuando le enseñaba mi habitación.

–Nada –dije, empujándolas tras la mesa de un manotazo–. Siéntate, por favor.

Eleonor se sentó y se quitó los zapatos.

Yup.

Le empezaba a hablar otra vez de Irma Thomas (de fondo sonaba su «It's rainin'», que me encantaba) cuando Eleonor puso su mano en mi entrepierna, abriéndome la bragueta. Ventajas de relacionarse con repetidores de curso experimentados, supongo. Nos besamos y, al cabo de unos minutos, Eleonor bajó su cabeza hacia mi cintura y me rodeó el sexo con los labios. El noveno grado llegó antes de lo esperado. El noveno grado se esparció sobre sus mejillas mientras una legión de ángeles caía de los cielos con las alas en llamas.

–¿Te ha gustado? –preguntó limpiándose con un Kleenex.

–Dios santo –sólo pude murmurar yo. Aún veía querubines ardiendo en las esquinas de mis ojos.

–Ahora me lo haces tú a mí –ordenó bajándose los pantalones.

Así descubrí que Eleonor era mi Mujer Escarlata.

–¿Qué son todas esas pirámides de papel? –preguntó la segunda vez que la invité a casa. Era testaruda, Eleonor.

–Nada –contesté metiéndolas en un cajón–. ¿Quieres beber algo?

–Claro. ¿Qué hay?

–Leche, sifón y zumo de naranja.

Eleonor empezó a reírse.

–¿Se puede saber qué te pasa? –pregunté sonriendo–. ¿Qué he dicho?

–Me refería a algo de alcohol, tonto –contestó cogiéndome de la mano–. Venga, vamos a ver qué encontramos.

Dicho esto empezó a abrir armarios y cajones por toda la casa, astuta como un perro de caza, hasta que se topó con el mueble bar.

–Mira –exclamó levantando las cejas y una botella de Tía María–. Ve a buscar hielo y un par de vasos, anda.

Aquel día descubrí un nuevo talento. Agitado por la calefacción interior de los primeros tragos, hablé con excitación mientras el líquido oscuro fluía hacia mi barriga. La temperatura en las orejas aumentando como si estuvieran hechas de mercurio, la lengua que rodaba abriéndose como una alfombra roja, las ideas que se amontonaban imparables en el vestíbulo de la cabeza, dispuestas a salir a pasear con sus ropas flamantes.

Puse un disco de Edwin Starr, *25 miles,* y bailé ante Eleonor. Estaba bastante orgulloso de mis torpes pasos de baile. Ahora puedo ver que no eran gran cosa, es verdad, pero al menos mis brazos y piernas se movían en orden. Eleonor me miraba, y vi horror en sus ojos; horror a lo que estaba aún en el montón por clasificar de su pequeño cerebro.

Aquel día bebí un vaso tras otro. Hablé sin parar. Ningún plan era imposible. Debía abandonar aquel pueblo, reunirme con otros heréticos.

–No te entiendo, cuando hablas así –balbuceó ella. Luego soltó un pequeño eructo–. Me estoy mareando.

–Me refiero a mí. A los que nacimos en la era incorrecta, en la parte mala de la ciudad, con la habilidad de hacerlo todo y sin encontrar nada que hacer –declamé, poniéndome en pie. El disco de Edwin Starr había terminado, y el brazo de la aguja se retiraba automáticamente camino de su lecho.

Eleonor no dijo nada. Se levantó con dificultad y vomitó durante unos minutos en el lavabo; luego se quedó dormida en mi cama, vestida aún.

Cuando un par de horas más tarde llegó mi tía abuela Àngels, yo estaba haciendo la maleta. El cerebro me ardía con el fulgor de una antorcha. Cuando me preguntó qué narices estaba haciendo y quién rayos era la chica que dormía en mi cama, levanté la mirada. Ella llevaba una señal de prohibido aparcar bajo el brazo, que dejó en el suelo lentamente, y un serrucho en la mano.

–La chica de mi cama es mi Mujer Escarlata –dije con un zapato de clown en la lengua. Me había bebido media botella de Tía María–. Y yo me marcho a buscar mi destino. He de realizar el Gran Gesto. –Cerré la maleta con un golpe–. Hala, hasta luego.

–Estás borracho. Y no te vas a ninguna parte. Vas a acabar BUP y COU como acordamos, ése es el único Gran Gesto que te espera de momento.

–Me estás reprimiendo, Àngels –farfullé, dando un traspié–. Eso es fascismo.

–Pues es fascismo. Soy el führer de la casa hasta que termines COU como tus padres hubiesen querido.

–Hum. Vale. –Empecé a deshacer la maleta. Mi tía abuela tenía la habilidad de convencerme rápidamente y, además, llevaba un serrucho gigantesco en la mano.

–Y cuando acabes COU y seas mayor de edad, te unes a los Tupamaros si te da la gana. Tomas capitales de repúblicas bananeras junto a un pequeño ejército de insurgentes. Mandas en Cuba, si te apetece.

–¿Tenemos más Tía María por ahí?

–A dormir, borrachuzo.

–Vale, vale. –Eché a un lado a Eleonor y comencé a roncar.

Por supuesto, Eleonor no era mi Mujer Escarlata. Me equivoqué. Eleonor era una adolescente medio analfabeta, y me dejó por primera vez al cabo de un año. Yo la había imaginado como una mezcla de Cleopatra, Emma Goldman, Lucrecia Borgia y Veronica Lake. A pesar de su cabello negro se parecía un poco a la última, pero lo demás... Bien, me equivoqué.

Una noche en que sus padres no estaban fui a su casa con una botella de vodka Wistoka, el más barato que encontré. Fue la noche en que me dejó por primera vez, pasando por la batidora la mitad de mi corazón. Ya habíamos pasado la primera fase de lamernos los órganos, y estábamos en la fase avanzada de ensamblarlos con movimientos pélvicos. Mi idea era bebernos la primera mitad de la botella y pasar de inmediato a las guarradas. Después, ya saciados, bebernos la otra mitad.

Eso no pasó.

Eleonor se emborrachó del todo a mitad de la botella, y hacia el final empezó a llorar y a hablarme de un antiguo novio que tenía en Salou, donde veraneaba. Lloraba desconsoladamente y los mocos descendían en slalom, esquiando veloces cerca de aquella hermosa peca que tenía en el labio. Sin darme tiempo a reaccionar, en un instante cogió la botella y se encerró en el cuarto de sus padres. Desde fuera la escuché marcar un número de teléfono.

Sentado en la mesa vacía, esperé mientras Eleonor sollozaba y le pedía perdón y le decía Te Quiero a su antiguo novio de Salou. Que Eleonor demostrara aquel afecto súbito por un chimpancé de origen incierto era una señal clara de que no era mi Mujer Escarlata.

–¿Eleonor? –le dije, dando un par de toc-tocs a la puerta–. ¿Te pasa algo?

–Déjame en paz, Conde Drácula. Déjame.

Los ingleses tienen una palabra para esto: *rejection*.

Esperé un rato allí, sin alcohol y sintiéndome como un auténtico imbécil. Esperé lo que le correspondía esperar a un antiguo maestro de la Orden Hermética del Amanecer Dorado. No perdía la esperanza de que Eleonor despidiera nuestra relación con un noveno grado final. Cuando vi que no tenía la menor intención de abrir la puerta (al contrario, seguía llorando y pidiendo perdones telefónicos), me levanté y me fui.

Pasé la semana siguiente evitando sus miradas, ahogado en dudas, dando tumbos como una ballena arponeada. Mientras ella hablaba con sus amigas, que seguían mirándome, me sobrepuse a la pérdida de Eleonor de las tres únicas maneras que había aprendido hasta entonces: masturbándome como un simio, escuchando discos de soul y leyendo. Suena pésimo y triste, pero qué le voy a hacer.

Finalmente la olvidé, como pasa con todas las cosas. Eleonor fue mi primera traición (si no contamos a mis padres, que no fueron culpables de su propia muerte) y por eso la he mencionado.

Pero ahora estoy casi seguro de que no vuelve a salir. Ya podemos archivarla.

Tercero de BUP fue un curso fácil de recordar. Incluso más que el anterior, porque en tercero de BUP fue cuando Eleonor accedió a rodearme de nuevo el sexo con los labios y yo volví a ver querubines flamígeros. Habían pasado seis meses y supongo que habían cambiado las tornas y el tipo de Salou estaba ahora hundiéndose en algún lodazal. Supongo que se habían invertido los lugares y el Conde Drácula volvía a estar en el número uno, gracias a su sofisticación transilvana.

Cualquier persona con un mínimo de dignidad hubiese mandado a Eleonor a paseo. Pero no yo. Eleonor vino a hablar conmigo una tarde y aquella misma noche me rodeó el sexo con los labios. San Rafael y San Gabriel cayeron hacia los infiernos con las plumas de volar chamuscadas, dejando detrás de ellos dos columnas de humo santo que parecían una doble elección papal.

Sé que dije que Eleonor no volvería a salir, pero veo que me equivoqué. El pasado no es algo que uno pueda cerrar como un cofre con el candado oxidado.

Al final, lo que pasa es que vas por la vida como si arrastraras una red de pesca, y la red cada vez pesa más porque está más llena de recuerdos, y no hay manera de parar en algún lado y soltar algunos de ellos. Estás condenado a arrastrar para siempre todo lo que atrapa la red de tus movimientos. ¿Qué hay dentro? De todo, como en las redes de verdad. Hay tiburones y sardinas, hay salmonetes deliciosos, pulpos, medusas venenosas y erizos punzantes. Y también hay rémoras. Sobre todo rémoras.

Tercero de BUP fue especialmente fácil de recordar porque volví a salir con Eleonor, que en mi mente volvió a transformarse en mi Mujer Escarlata.

Íbamos a un bar con reservados y nos besábamos hasta que teníamos los labios hinchados y a punto de despelleje, como tomates hervidos. Poníamos manos en sitios, e incluso alguna vez nos masturbamos el uno al otro. Creo que nunca llegué a beberme las bebidas que pedí allí. No me daba tiempo. Tenía cosas que hacer y las manos debían ponerse a prestidigitar en el escenario oscuro de su entrepierna.

Eso duró un año más, y eso, para los estándares de la edad, era un montón de tiempo; los noviazgos de un año (dos, si no contamos la primera vez que me dejó) no suelen abundar en los institutos. Durante aquel tiempo no volví a intentar hablar de Guy Debord ni de Alesteir Crowley, ni de Garland Green o Martha & The Vandellas. Quedó claro que no le interesaba a nadie. Quedó claro que, si continuaba por esos caminos, los mandriles de mi instituto iban a quemarme en una gran pira en mitad de la pista de básquet.

Así que me guardé mis reflexiones sobre el tema para mí mientras intentaba que Eleonor siguiera rodeándome el sexo con los labios. No hizo falta esperar mucho, la verdad.

Una tarde, cuando ya habíamos hecho muchas cosas, fuimos a una minimontaña que había a un lado del pueblo. Íbamos allí a menudo, porque había un límite de cosas que se podían hacer en el bar de las bebidas sin acabar, y no queríamos que nos echaran. Así que fuimos a la montaña y nos metimos manos que eran culebras reptantes y, como antes había pasado, llegó el momento en el que Eleonor me desabrochaba los pantalones y se metía mi sexo en la boca.

Y lo hizo. Y tuvo el sexo confortable en su boca y sus labios mullidos, bailando entre sus dientes, hasta que llegó el instante en que debía apartarse y dejarme descargar. Pero aquel día no lo hizo. Como había hecho el primer día, Eleonor dejó que el líquido cayera sobre sus mejillas. Mirando hacia el cielo, creí ver a Luzbel el Bello entre los ángeles, cayendo en desgracia y cayendo a mil por hora. El ángel caído. No me di cuenta de que era una premonición hasta hoy, que lo estoy recordando.

Cuando todo terminó, Eleonor se limpió con un Kleenex y me dijo:

–Tengo que hablar contigo, Pànic.

Esa frase, que nunca ha traído nada bueno a nadie, augurio de catástrofes por venir. Que es como oír tu nombre en Dachau, cuando intentas pasar desapercibido entre los otros prisioneros. Como recibir una carta con el sello del ejército cuando tienes un hijo en la guerra.

–Qué pasa –dije. Sin preguntar casi, porque sabía que tenían que pasar cosas horribles. Sin preguntar, porque alguien había pronunciado la frase fatídica.

–Tenemos que dejarlo, Pànic –dijo con un cliché.

–¿Por qué? ¿Ya no te gusta? –Tenía un pequeño sollozo atrancado en la nuez.

Eleonor se seguía limpiando las mejillas. Había un montón de líquido, porque aquella semana no nos habíamos visto y yo había decidido no practicar el octavo grado. Finalmente dijo:

–Prefiero que sigamos siendo amigos. –Otro cliché.

–No quieres estropear nuestra amistad –dije, tratando de emular sus clichés formidables–. ¿Es eso? –Eleonor pareció iluminarse. Seguramente creyó que aquello sería un hueso duro de roer, y en realidad había sido pan comido.

–Sí. Sabía que lo entenderías –murmuró, aún limpiándose con el Kleenex.

–Nuestra amistad es lo más importante –asentí yo, con cara grave. Había llegado el momento en que no podía parar de decir tonterías, como me pasa a menudo. Es un punto de no retorno, que generalmente distingo porque la gente cierra los puños y pone cara de matarme a puntapiés en la boca.

–Más adelante nos arrepentiríamos –dijo.

–Estábamos yendo demasiado rápido –dije.

–Con el tiempo verás que es lo mejor –dijo.

–Siempre serás mi mejor amiga –dije. Ahí me pasé un poco, creo, porque ella puso cara de susto.

–Tú también, Pànic –dijo levantándose. Pero no se resignaba a haber dicho un cliché menor, así que añadió–: Nunca te olvidaré.

Mierda. ¿Qué se supone que tenía que contestar a eso?

Imagino que sólo había una manera de terminar aquella conversación. Además, se me estaba congelando el culo.

–Ni yo a ti –dije, subiéndome los pantalones.

–Adiós, Pànic –dijo ella. Pensé durante unos segundos, sin apartar la mirada del Kleenex que sostenía entre los dedos. Un pañuelo de papel lleno de mi líquido, quizás la última vez que mi esperma estaba tan cerca de su piel morena.

Miré aquel Kleenex hasta que al final dije sólo dos palabras, las únicas que se podían decir en aquella situación. Las dije con una albóndiga de serrín en la tráquea.

–Bueno, adiós –dije.

Las rémoras son un pez de la familia de las Echeneidae. El nombre Rémora viene del latín *remorare*, que significa demorarse o tardar. Es un pez que se pega a otro pez más grande para protegerse y obtener alimento. Para pegarse utilizan una ventosa hecha de discos laminados, o algo así, una mutación de su antigua primera aleta dorsal. En un libro de historia natural ponía claramente: «Son comedoras oportunistas que se alimentan de los sobrantes de la presa que consume su huésped.»

La rémora es un pez indigno y asqueroso. Las rémoras, además, abandonan a su anfitrión cuando los pescadores pretenden sacarlo del agua. Eso ya es lo último. No sólo es un pez parasitario y mezquino, sino que además es cobarde. Sería más capaz de entender a las rémoras si al menos compartieran el final de su anfitrión, en un último gesto de agradecimiento y dignidad. Pero no lo hacen. Cuando te hundes, te abandonan. Gracias por el viaje y que vaya bien, pardillo.

Una vez vi una foto de otro libro de historia natural en la que salían ocho rémoras sacando la cabeza del conducto anal de un tiburón ballena. Viajando *en su culo*, comiéndose sus sobras, chupándole la sangre y esperando a que le pescaran para marcharse a otro ano. El pez más rastrero del mundo.

Y su equivalente humano es aún peor.

La semana en que Eleonor me dejó definitivamente, en tercero de BUP, no me sentí demasiado feliz. Creo que estaba enamorándome de ella, y no sé muy bien por qué, aparte del hecho de que le gustaba rodearme el sexo con los labios y se parecía un poco a Veronica Lake. Supongo que a esa edad acabas siguiendo a lo primero que se cruza en tu camino, como un pato desamparado, perdido, que se confunde de madre. No es la más romántica de las explicaciones, lo sé.

Una semana después de que Eleonor me dejara, una tarde que era triste y húmeda de esa manera que sólo es posible en el extrarradio de Barcelona, anduve solo y amargado durante varias horas por las calles de Sant Boi. Cuando llegué a casa, mi tía Àngels estaba limpiando un contenedor de basura por dentro. El Instituto de Vandalismo Público los utilizaba para hacer carreras en domingo. Hasta les ponían números a los lados. Nuestra calle era la única del pueblo en que la gente dejaba las bolsas de basura amontonadas de cualquier manera, como si fuera un suburbio de Calcuta.

–Eres un hijodeputa –dijo Àngels sacando la cabeza del contenedor. Llevaba unas gafas de bucear en la cara y un cepillo de cerdas duras en la mano.

–¿Cómo? –dije, perplejo. Mi abuela nunca decía palabrotas.

–El mensaje. Ha llamado una chica hace una hora y me ha pedido que te diera este mensaje: «Eres un hijodeputa.» No ha querido añadir nada más. Ha dicho que tú ya sabías por qué.

Recordé que durante toda aquella semana me había dedicado a fotocopiar y pegar por todas partes carteles anónimos en los que explicaba que a Eleonor le faltaba un pecho. En otros explicaba que los padres de Eleonor eran alcohólicos, y que ella era adicta a la heroína. Y un tercer ejemplo de pasquín se centraba en sus ladillas, y en cómo Eleonor las distribuía generosamente acostándose con toda la comarca. La rabia, que contuve sin saber cómo en nuestro último encuentro con las nalgas congeladas a la intemperie, brotó de mis dedos en un géiser tibio de habladurías y cotilleos amargos.

Recordé todas las barbaridades que había escrito sobre ella y no me dio ninguna satisfacción.

–¿Lloraba? –pregunté, por si acaso algo de dramatismo ajeno me alegraba un poco.

–No. Pero sí que sonaba enfadada. ¿Se puede saber qué le has hecho a esa chica?

Miré al suelo, sin saber qué decir. No sabía cómo exponer con palabras que, por mi culpa, medio instituto pensaba ahora que a Eleonor le faltaba un pecho, que se inyectaba caballo, que sus padres empinaban el codo y que tenía molestos parásitos vivos en el pubis. Decidí no hablar y mirar al suelo, que a veces es la mejor opción.

–Bueno, da igual –añadió mi tía abuela al darse cuenta de que no iba a arrancarme una confesión–. No me lo cuentes si no quieres, pero empuja.

–¿Empuja?

–Empuja el contenedor, empújalo. Quiero ver si se desliza suave. Quiero ver si tenemos un caballo ganador. –Yo empujé el contenedor por el patio, mientras mi tía abuela Àngels gritaba: «¡Más rápido! ¡Más rápido!» Durante una hora.

Mirando hacia atrás, me doy cuenta ahora de que ésa fue

una manera de castigarme por lo que le había hecho a Eleonor. Àngels no lo sabía, pero lo intuyó. En la adolescencia, las cosas más inmundas se les ocurren a los chicos.

Pero luego pienso que mi rencor contra Eleonor fue una rebelión contra la naturaleza. Sé que yo era un tiburón ballena, y que Eleonor era una rémora que se acercó a mí por el calor y el noveno grado y esas cosas, y sé que debería aceptar eso como el curso natural de la vida.

Sin embargo no lo hice. La rémora es el más indigno de los animales, y lo pienso incluso hoy.

Mi último año en Sant Boi pasó muy deprisa. Cuando hube curado la tristeza y el dolor de brazos, continué con mi vida. Me sentaba en la puerta del instituto con algún libro raro para dejar constancia de que no me interesaba ir a clase. Dejé de ir a clase durante una época. Las faltas se acumularon como una gran herida roja en el libro de asistencia de mi tutor. Había zarpazos rojos en cada asignatura, unos cortos, los otros largos, haciendo carreras hacia la expulsión. Al final, lógicamente, repetí curso también.

En aquella época solía apostarme en la puerta del instituto con libros esotéricos y a la vista de todos los profesores y alumnos. Cuando sonaba el último timbre, levantaba la cabeza del libro y observaba cómo salían todos. Miraba a las chicas y las despreciaba, aprendiendo misoginia avanzada. Cuando salía Eleonor nos mirábamos con el odio de enemigos antiguos, de jefes guerreros en clanes rivales, como si lleváramos el recuerdo cercano de carnicerías, violaciones y matanzas encima. Como si lo hubiésemos acumulado durante generaciones de tierra quemada.

Que todo el mundo me mirase con creciente asco y rabia me hizo darme cuenta de que Eleonor había contado lo que en realidad había pasado entre nosotros y la historia de los carteles.

No es que me importara mucho, porque a fin de cuentas eso significaba que también sabían que ya había practicado el noveno grado, y eso era algo vital en COU a efectos propagandísticos. Pero hubiera preferido que no supieran la parte de mis mentiras, la verdad.

A veces, me cansaba de odiar a Eleonor y me iba al barbero. Ése era el único lugar en que encontraba la paz. Me sentaba a esperar a que acabaran de arreglar al señor mayor que iba delante de mí (siempre eran señores mayores, y siempre había alguien delante de mí), y observaba al barbero fumar y cortar el cabello. También había música. Ponía cintas de Dvrořák, de Schubert, de Satie; ninguno de ellos me interesaba demasiado, pero parecían formar parte del ambiente de la barbería. Primero cortaba con una tijera el cabello más largo, luego con otra el más corto. Luego echaba agua y pasaba la navaja para igualar. Con la misma navaja recortaba patillas y cuello. Para terminar pasaba la máquina en la nuca y los lados.

Era el proceso más relajante del mundo. El olor a tabaco, las Variaciones Goldberg, la navaja en mi nuca. Aquella barbería era mi sanctasanctórum. Aparte de mis discos de soul, aquél era el único lugar de paz en una galaxia de confusión y tías putas y traidoras y bocazas.

Aquel último año bebí vodka Wistoka con naranja, ginebra con tónica, ron con coca-cola y cerveza sola. Casi siempre vomité todos los licores, pero me curtí.

Los ingleses tienen una frase para eso: *building character*.

En aquella época mi locura no era aún un Coloso de Rodas ni un Faro de Alejandría que fuera imposible de esconder, un gran monumento a la demencia que podía verse en la distancia. Mi locura era entonces un busto de mí mismo, pequeñito y cuco, que podía guardar en el trastero cuando me hartaba de verlo. Que podía incluso dejar a la vista, en la cómoda, porque de tan pequeño no molestaba a nadie.

Mi locura en aquella época era una semilla. Era un cachorro de doberman. Aún tenía que alimentarse y crecer mucho para ser fiera y peligrosa, mi locura.

Aquel último año anduve entre el mobiliario urbano que mi tía abuela traía a casa con cada vez mayor regularidad. Vallas, señales de dirección única, vados permanentes, más contenedores vacíos y nuevas farolas. Cumplí veinte años y, cuando los hube cumplido, me largué a Barcelona.

Siento haberme demorado tanto contando mi adolescencia, pero creo que habrá valido la pena. Ya se verá que, al final, todo encaja. Al contrario que en el puzzle que recuerdo de mis padres, en mi vida todo encaja al final.

LIBRO DOS
LOS VORTICISTAS

Mi otra tía estaba cocinando cuando me abrió la puerta de su piso de Gràcia. Su sonrisa salió acompañada de un suave olor a rape a la plancha.

–Qué temprano llegas, Pànic –dijo–. Perdona, estaba cocinando. Eres Pànic, ¿no? Sólo te he visto en fotos, y tenías siete años. Qué bien que hayas venido tan temprano. ¿Tienes hambre? Hay rape a la plancha.

–No, muy amable –contesté con timidez.

–Perdona, qué tonta –dijo, dándome dos besos–. Soy Lola. Supongo que ya te lo imaginabas, si no, no estarías aquí. Pero pasa, hombre, no te quedes en la puerta. ¿Seguro que no quieres comer nada? Estás en los huesos, hijo.

–No, en serio. No como mucho.

Entré en el piso, algo confuso. Era un piso espacioso y lleno de luz, con tapices en las paredes, cabezas africanas y un vago –aunque no del todo molesto– resquicio de incienso en el aire. Señalando la maleta, añadí:

–¿Dónde dejo esto?

–Te enseño la habitación donde dormirás de momento. Es un poco pequeña pero veo que tampoco llevas mucho equipaje –dijo con una sonrisa reluciente. Decidí no decirle nada por el momento de los 900 libros que llegarían en unos días, ni de los cientos de discos que iban a acompañarles–. ¿Has tenido un buen viaje? –añadió desde el umbral. Llevaba un sari indio y babuchas puntiagudas a juego con la decoración.

Decidí no decirle nada tampoco de lo que había hecho durante el trayecto. Mi idea era que debía inmortalizar el viaje, así que me llevé una pequeña grabadora a pilas. Se me había metido en la cabeza registrar mis primeras impresiones de Barcelona, el sonido de la ciudad, el ruido del aire, los coches y las personas. Sentado en los transportes grabé tren y metro, los frenos y la voz que anunciaba las paradas. Era una voz dulce de chica.

Paré la grabadora justo después de tocar el timbre de casa de mi tía. Decidí no decirle nada de esto para que no me tomara por un tío raro cuando acabábamos de conocernos. Los 900 libros (en camino), los discos que iban a su lado y la grabadora fueron las tres primeras cosas que tuve que ocultar en esa casa.

–El viaje ha ido muy bien. Hacía un día magnífico. –Ésa era mi idea de una conversación civilizada y, sobre todo, normal. Doce años con Àngels me habían dejado dolorosamente consciente de que mi educación no había sido la habitual.

Puse la maleta sobre la cama y la abrí. Saqué una foto y la senté sobre la mesa de escritorio que había contra la pared, como si fuese una bandera de conquistador. Era la foto de mi padre y mi madre en su casa de Crouch End, sentados en la mesa del patio con un par de cervezas, tomada en 1981.

–Consol era *tan* guapa. –Mi tía miraba la foto.

–Mucho –contesté. Después de dejar la fotografía me senté en la cama y la golpeé un par de veces para comprobar su mullidez. Luego asentí con la cabeza indicando aprobación.

Los ingleses tienen una palabra minúscula para eso: *nod*.

–Lo de tus padres fue una tragedia –suspiró ella acercándose, y luego dejó una mano morena y caliente en mi mejilla. La mano se quedó allí pegada, esperando, como una araña desorientada que no supiera adónde ir.

Lola era una tía de mentira. Había estado casada con el hermano de mi padre, pero se separaron por un asunto de cuernos. El hermano de mi padre se había marchado de la casa, y mi tía se había quedado, y luego el hombre había muerto en un extraño accidente de jardinería. La parca acompañaba a mi familia de manera especialmente obstinada; era un auténtico milagro que aún quedáramos algunos supervivientes. En fin, no sé por qué insisto en llamarla tía. Una vez separada del difunto cuernero, no nos unía ningún lazo sanguíneo. Supongo que es la costumbre, que se pega como Letraset en las acciones de uno.

Lola era una mujer de treinta y cinco años, guapa a la manera sioux, como Joan Baez. Larga cabellera negra de regaliz, dientes relucientes, nariz recta, piel bruñida, ojos redondos.

Lola trabajaba haciendo cortos educativos. Mi tía abuela Àngels me había contado que uno se llamaba *Operación Pantalones Secos*, para niños con síndrome de Down que se mean encima. Era un spot en el que actores inmundos hacían de profesores o padres, y niños con síndrome de Down se meaban encima, y el actor les indicaba cuáles eran los pasos adecuados para evitarlo.

A lo mejor el actor principal también tenía síndrome de Down. No lo sé, la verdad. Nunca llegué a ver *Operación Pantalones Secos.*

Àngels me dijo también que, por encargo de una clínica estética, Lola había filmado una operación de alargamiento de pene. Había ganado algún dinero extra porque luego un grupo lo había utilizado en un vídeo musical. La gente se desmayaba, me dijo Àngels; ver un pene partido en dos no es cosa apta para estómagos débiles.

Por alguna razón, Àngels y Lola se pusieron de acuerdo para que yo me instalara en casa de la segunda un tiempo mientras empezaba la carrera en Barcelona. Llegué a su piso de la calle Joan Blanques en septiembre de 1996. Ni siquiera sabía que mis tías mantenían contacto.

Había decidido estudiar Filología Románica por eliminación. Ninguna de las otras carreras me interesaba lo más mínimo, así que imaginé que, puestos a estudiar algo inútil, me salía más a cuenta estudiar la carrera más inútil de todas. Lo que más deseaba del mundo era largarme de aquel pueblo sofocante y alejarme del recuerdo de Eleonor. Filología Románica parecía la excusa perfecta para irme a vivir a Barcelona y dilapidar alegremente el dinero que había heredado de mis padres al cumplir los dieciocho. No es que necesitara ninguna excusa, siendo mayor de edad y todo eso, pero me pareció moralmente adecuado dar una explicación a mi huida.

Así que me planté en casa de mi tía de mentira en septiembre de 1996 mientras ella se cocinaba un rape a la plancha. Su mano aún estaba en mi mejilla como una tarántula de paso, y yo sólo pensaba en si en algún momento había tenido que manipular aquel pene partido en dos del cortometraje.

Mi tía sonrió con un ejército de dientes y, apartando de una vez la mano ardiendo de mi cara ardiendo, se volvió para marcharse.

–Bueno. Estás en tu casa, Pànic –añadió desde la puerta–. Avísame si necesitas algo.

Cuando me volví para mirar la foto de mis padres, los dos sonreían como si acabaran de contarse un chiste en clave. Uno que tuviera gracia.

Pasé los siguientes días en un estado de excitación constante. La anonimidad es una cosa extraña; después de mi adolescencia en aquel pueblo donde todos me conocían, en Barcelona me sentía invisible, sobrehumano.

Como las clases no empezaban hasta la semana siguiente, dediqué mi tiempo a esperar a que llegaran mis libros y a pasear por el barrio. El septiembre de aquel año fue fresco y dulce, y por las noches el viento traía en brazos a un invierno aún niño, débil, que crecía poco a poco, desnutrido. Cada mañana me levantaba con frío en los pies, abría la ventana y miraba a mi nueva calle con curiosidad. Antes que nada me bebía un café (mi tía postiza ya se había marchado), y luego me ponía mi uniforme perpetuo de aquella época: una camiseta, que podía ser de rayas o con algún logo anticuado (mi favorita era una de Disneylandia), tejanos negros rotos, estrechos de tubería, y unas bambas de baloncesto. El pelo lo llevaba despeinado y con las ondas de la almohada marcadas, ardientes como tostaduras de bikini, en los lados y la nuca. Me gustaba esa manifestación de «todo me da igual, acabo de levantarme». Luego me iba a dar vueltas con mi grabadora en la mano.

Un día bajaba por Joan Blanques hasta Travessera de Gràcia y la recorría hasta que llegaba a Escorial; allí subía hacia arriba hasta toparme con la Ronda de Dalt. Desde aquel puesto de control privilegiado escogía una calle por la que bajar, volviendo a cortar el barrio de Gràcia por la mitad. A veces era Verdi, otras Torrent de l'Olla.

Otro día empezaba en Via Augusta y cruzaba Gràcia en diagonal parándome en todas las plazas: desde la Plaça de la Llibertat hasta la Plaça de Joanic.

Cada vez que encontraba un sonido particular, una conversación, un timbre, una campanada, un insulto en catalán, sacaba la grabadora y registraba Barcelona, el ruido crujiente de sus tripas, el ronroneo de su estómago despertando. El murmullo de la ciudad me parecía único, o al menos distinto de las moreras amortiguadas, las fronteras cercanas y palpables que delimitaban el pueblo de mi adolescencia y que cruzabas casi sin querer, encontrándote de repente en medio del campo o al lado del río Llobregat.

Grabé y grabé y aquel eco era lo que quería oír. Por la noche, en mi habitación adoptiva, vacía aún, ponía la cinta tumbado en la cama y escuchaba los cláxones entre colchones, asustados bajo el ruido de fondo. Un clac y se oía la lluvia constante sobre las baldosas de una plaza. Otro clac y aparecía una charla anónima entre dos señoras en el mercado de Gràcia. Un clac y ahí estaba el chap-chap-chap acolchado de mis bambas de baloncesto, sus puntas redondas doblándose por calles nuevas como si pertenecieran a un personaje de Harvey Kurtzman.

A veces grababa el silencio nocturno desde la terraza del piso de Joan Blanques. Cuando volvía a la habitación para escucharlo, el silencio real de la ventana y el registrado en cinta se unían en un extraño efecto de silencio en estéreo y crepitar lejano. Con el doble silencio me dormía.

Aquellos primeros días no salí de Gràcia. No tenía prisa por ver la ciudad y decidí concentrarme en mi barrio hasta conocerlo bien.

En mi cuarta noche allí entré en un bar de la Plaça Revolució. Se llamaba La Costa Brava, y lo llevaban un par de gemelas fumadoras de mediana edad. Por entre las mesas paseaba siempre un perro pachón, y la clientela estaba formada por una amalgama que luego descubrí era la clásica de la tundra de Gràcia: jóvenes independentistas, clientes del cine Verdi (un par de calles más arriba), algún extranjero despistado, parejas jóvenes, trabajadores, vecinos y borrachos comunes. De fondo sonaban siempre canciones famosas de Tamla Motown, seguramente alguno de esos recopilatorios de *Lo Mejor De:* «My Girl», «I heard it through the grapevine», «You can't hurry love», «Please Mr. Postman», «Uptight». Lo interpreté como un signo de que La Costa Brava era el sitio perfecto para establecer mi base de operaciones y alquimias. Mi laboratorio de psicogeografía.

Tenía columnas de madera y mesas de mármol. Espejo tras la barra, techo alto y luego bajo en un rincón, y friso en las paredes y una de las peores acústicas de toda la ciudad; dos minutos allí, y todo el mundo estaba soltando alaridos, sin querer, aplastados por un ruido sólido que parecía fluir de las paredes. Era un sitio que parecía no haber cambiado en ochenta años, aunque es posible que antes hubiese sido un Ateneu de barrio, con dominós y cafés cortos que se alargan horas.

Aquella noche pedí una cerveza, y decidí contrastar mis cambios desde entonces con la inmovilidad eterna de La Costa Brava. Si yo comenzaba a mutar en otra cosa aquel año, crecer en algo desconocido, sólo podría saberlo mirando al espejo tras la barra.

Ése sería mi recuerdo y mi seguro.

–¿Te pongo algo más, rey? –dijo una de las dos gemelas fumadoras. Llevaba media hora mirándome en el espejo y debió de parecer que buscaba nuevas bebidas.

–No, sólo estoy mirando –le dije. Y era la verdad.

Hacia la segunda semana de acercarme regularmente a La Costa Brava, un grupo de gente que se sentaba al lado de la máquina de tabaco empezó a concentrar gran parte de mi atención. *Toda* mi atención.

Las clases habían empezado hacía unos días. En la facultad, recogí la bibliografía, fotocopié los dossiers, deambulé por los pasillos sin conocer a nadie. Los universitarios siempre me habían aburrido; escuchaba una conversación de estudiantes en el metro y me acercaba al borde de un agujero negro de banalidades informes, sufrimientos imaginados, frases que no significaban nada para mí.

Así, cada noche me acerqué a La Costa Brava a beber cerveza y mirar a mi alrededor. No quería pensar en la miseria del medio estudiantil.

En el rincón de techo bajo, al lado de la máquina de tabaco, se sentaba un grupo particular. Llegaban cada día a las ocho y media, y nunca escogían ninguna de las mesas de la sala principal con el techo alto. Los cuatro llegaban escalonadamente y se situaban en su habitáculo regular, aquella mesa medio oculta por columnas.

Por alguna razón, yo también empecé a sentarme cerca de la máquina de tabaco. Su presencia era algo habitual, rutinario, a lo que aferrarme en aquellos primeros días en la ciudad, un cinturón de seguridad que me sujetaba en las curvas de lo nuevo. Al poco tiempo de observarles diariamente empecé a reparar en sus rasgos individuales. Formaban un grupo homogéneo y dispar a la vez, como animales de la misma familia y distinta especie. Como una jauría de depredadores distintos.

Había un chico alto, muy alto y flaco, que rozaba el techo con la coronilla. Llevaba gafas de Buddy Holly, que bajaba hasta la punta de la nariz para demostrar atención; las gafas eran un saltador de trampolín acobardado, siempre a punto de lanzarse pero sin ser capaz de dar el paso definitivo. Llevaba un peinado años treinta a lo Juventudes Hitlerianas, con un flequillo moreno ladeado que bailaba sobre sus cejas y que él devolvía a su lugar con una caricia amanerada. Se movía constantemente, como una anguila eléctrica.

Los ingleses tienen una palabra para eso: *shaky*.

Cerca de él solía estar otro chico con el mismo peinado, pero cabello rubio inmaculado, ojos azules y frente amplia. Se movía menos y era menos alto, y nunca le vi hablar; tan sólo parecía tomar notas en un pequeño bloc granate, notas que luego dejaba o no ver a sus acompañantes. Miraba a menudo a su alrededor, con seguridad, y un día se cruzaron nuestros ojos. Él mantuvo la vista firme en mí hasta que yo tuve que girar la cabeza y mirar al suelo. Con todo, no pareció registrarme. Mi mirada habían sido sólo ojos que derrotar; ojos sin cuerpo en combate desigual.

También había una chica pelirroja, con el pelo largo y un flequillo recto a tres dedos de las cejas, muy pequeña y flaca. Sonriente y minúscula, lo que más se distinguía desde lejos era el calabaza de aquella crin pelirroja, como un río de nísperos cayendo por su nuca. Verla me hacía pensar en el verso de Breton que copié en mi adolescencia.

Mi mujer de cabellera de fuego de madera
De pensamientos de relámpagos de calor
De cintura de reloj de arena
Mi mujer de cintura de nutria entre los dientes del tigre.

Aquella pelirroja movía los dedos al hablar, manchados de pecas como un mapamundi de pecas, y en su cara había motas, manchas y lunares de colores. A veces miraba al suelo, con la barbilla pegada a su pecho, y su cabello se esparcía sobre la nuca y las orejas como fideos de azafrán. Tenía ojos asustados de liebre y fumaba con prisas.

Por último había un chico sensiblemente más corpulento que los demás, moreno, y que se parecía al Malcolm McDowell de *If...* Era guapo-feo, anfibio, con piernas de equitación y ojos de rana extrañamente atrayentes. Llevaba el pelo rapado muy corto y algo que parecía una raya, casi imperceptible, afeitada en un lado de su cabeza; como una brújula que señalase siempre al norte.

El grupo se sentaba cada noche al lado de la máquina de tabaco y susurraba cosas que yo no acertaba a oír.

También bebían gin tonic y cerveza como si un enviado secreto les hubiese avisado que se avecinaba una plaga de langostas, una sequía mortal o una transformación de los ríos en sangre.

Mientras bebía cerveza un día, pensé en cómo se parecían a una sociedad secreta de principios de siglo. La Liga de los Justos, o la Liga de los Forajidos, la «banda sulfurosa» (como se conocía entonces a la facción de Marx), el Club de la Agitación del radical alemán Arnold Ruge, algún grupo socialista utópico de los que existían en el Londres victoriano del siglo XIX. Así que decidí llamarles los vorticistas.

Mis 900 libros llegaron al cabo de unos días en treinta cajas. A su lado, llegaron también mis discos, que empezaba a echar de menos. El silencio está muy bien, pero en grandes cantidades puede enloquecerle a uno. Por supuesto, llegó también el pequeño tocadiscos portátil de mis padres.

Cuando los de la compañía de mudanzas lo entraron todo en mi habitación vimos que no quedaba sitio para nada más. Los libros y los discos ocupaban casi toda la superficie cúbica de la habitación. Llenaron los vacíos como una inundación, como agua. Aparte de ellos, cabía una cama, una persona, una grabadora, algo de ropa y el tocadiscos portátil. Una suerte.

–Dios mío –dijo Lola con la cabeza ladeada, peinándose con un cepillo de madera–. No sé si el suelo aguantará. –Había estado filmando un documental sobre un concurso de romper sandías con la cabeza que se celebraba anualmente en un pueblo catalán, y tenía alguna pepita pegada al pelo.

–¿Quién hay debajo? –le pregunté, ignorando el olor a sandía en el aire.

–Cinco estudiantes mexicanos que trabajan de mariachis en el restaurante mexicano de la esquina.

–Mal asunto. Si cae esto no habrá sitio para todos, con lo que ocupan esos sombreros y guitarras enormes.

Mi tía de mentira me miró con una mezcla de pena, risa y hambre, como a un cochinillo al horno. Luego, agarrando un libro al azar y mostrándome la portada, preguntó:

–¿Está bien?

Era *Lluvia de sombreros*, de Richard Brautigan. En la portada aparecía una foto del autor, como era su costumbre. Tenía bigotes largos y ojos californianos, como mi padre.

Richard Brautigan escribió varias novelas. *Un detective en Babilonia* es una. Otra se llama *El aborto*, y va de muchas cosas aparte de un aborto, sobre todo de una biblioteca donde se guardan los libros nunca publicados. Siempre pasan cosas así en los libros de Brautigan.

En *Lluvia de sombreros*, un escritor escribe una historia sobre un sombrero mexicano congelado que cae del cielo en medio de un pueblo. Después de que el escritor la tire a la papelera, la historia continúa allí.

En la papelera.

–Pinta bien –contestó–. Me lo llevo. Cuantos menos libros haya en esta habitación, menos posibilidades habrá de que vayas a parar al piso de abajo con los mariachis.

Se puso el libro bajo el brazo y en un minuto había salido de la habitación, satisfecha de haber evitado la muerte por aplastamiento de los cinco mexicanos. La suya fue una satisfacción minúscula, como la de subirse unos calcetines caídos y de golpe notarlos tiesos y firmes en la pantorrilla.

Ese tipo de satisfacción.

Las satisfacciones pequeñas son, desde luego, las mejores.

Los avistamientos vorticistas empezaron a multiplicarse fuera de La Costa Brava. Un día estaba apoyado en una pared de la calle Encarnació cuando, zigzagueando como un proyectil, pasó por delante de mí el chico anfibio, la mirada fija en algún punto indeterminado del futuro. Zapatos y pupilas brillando como nuevos.

Una mañana me topé con el rubio gélido en Rius i Taulet. Todo vestido de blanco, sentado en un banco de la plaza, boca hermética, bloc en la mano. Le observé durante diez minutos que fueron diez caracoles arrastrándose viscosos por el tiempo; en todo ese rato no movió ni un músculo, ni un cabello, nada. Como si fuese una estatua a un dios pagano del norte.

Otro día miraba libros en una tienda de segunda mano y, dos estanterías más allá, distinguí a la pelirroja. Estaba de puntillas, tratando de coger un volumen fuera de su alcance, y las manoletinas negras se despegaban de sus talones de cera moteada, cogidas al suelo, sin querer abandonarlo. Su cabello, suelto esta vez, parecía crecer sobre sus hombros en piras de San Juan, de noche de Guy Fawkes. Al cabo de unos minutos lo tiró todo al suelo con estrépito, y tuvo que venir un encargado a ayudarla.

Divertido, observé que, mientras se disculpaba y el empleado recogía el desorden, algunos libros acabaron en su bolso mediante un rápido movimiento de muñeca. Con una sonrisa mínima se despidió, el bolso gordo como un pavo navideño, y pasó por mi lado sin verme. Una antorcha olímpica y ladrona.

Al chico alto del peinado hitleriano pude verle en varias ocasiones, murmurando al oído de tipos insalubres, o andando a gran velocidad, o susurrando cerca de chicas pequeñas de hombros estrechos y miradas tristes, que asentían llenas de pena y expectación y tortícolis.

Una tarde, sin poder contenerme, le seguí durante varias calles, a distancia, cuando empezaba a oscurecer.

Andaba como un avestruz, el cuello estirado, las zancadas largas, mirando en todas direcciones. Le seguí casi hasta el Passeig de Sant Joan hasta que, de repente, no estaba. Me paré en seco, oteando en busca de todas las vías posibles. ¿Dónde se había metido? Al cabo de unos minutos desistí. Quizás había entrado en un portal.

Durante varios días les seguí viendo, confundido por sus prisas, preguntándome por sus quehaceres. Verles así, desde fuera, era como observar a alguien moviendo las piezas de un juego de mesa desconocido, de otra cultura, un pasatiempo chino o árabe. Te dabas cuenta de que esta y aquella figura iban a un lado y a otro, pero no entendías las reglas ni los motivos.

Rubia. Morena. Flaca. Gorda. Lista. Tonta. Rica. Pobre. Desgraciada. Feliz.

En el patio de la facultad, en mi primer día de clases, me entretenía clasificando a las chicas que pasaban ante mí. Chicas raras, sonrientes, desesperadas, locas, chicas de ojos llorosos que nunca iba a conocer.

Aquejado de hipotermia emocional, con el peso de la soledad de años, me enamoraba de todas, fueran como fueran. Todas eran fascinantes, a su manera. Todas tenían nidos en la cabeza, y dedos ágiles, y piernas de tijera que pasaban ante mí cortando el espacio. Sentado allí, metido en la camiseta de una compañía de mudanzas, tejanos negros y bambas de baloncesto, me enamoraba de todas.

A media mañana, el día era ya un funeral de verano; de cosas que están a punto de acabarse. Sentado allí, en el claustro de columnas, las moreras y el agosto de mi pueblo adoptivo parecían empezar a alejarse poco a poco, y Sant Boi se despedía decididamente de mí con un pañuelo de seda. Era el 25 de septiembre de 1996, un jueves. Hacía un viento frágil que empezaba a enfriarse.

Y entonces: Enfadada. Anoréxica. Fea. Punk. Borde. Chivata. Brillante. Traidora. Las chicas seguían pasando con sus carpetas, sin fijarse en mí.

No me importaba saber que su salvajismo y desparpajo estaban, en algunos casos, condenados a muerte. Que era su único tubo de escape, y estaba a punto de atascarse; como universitarios que sólo se emborrachan al terminar los exámenes, heavys a punto de cortarse el pelo y casarse con grandes gordas. Rebeldes a media jornada, nihilistas de colonia de verano que, cuando vuelven a casa, retornan a la rutina diaria. Y su insurrección pequeñita queda como un souvenir, como un burrito de paja que se trajeron de sus vacaciones en el desmadre de otros.

La desobediencia como crucero por el Caribe. El inconformismo como intermedio, como tiempo muerto, como actividad extraescolar, como apuntarse a cursos de ballet o guitarra o alemán. Como algo que hacer hasta que el verdadero deber llama. Hasta que llega la hora de madurar y hacerse adulto y *retour à la normale*, olvidarlo todo, ¿qué fue sino una locura de juventud? Esa turbulencia ociosa de temporada, que tanto me había irritado siempre, aquella mañana me parecía graciosa.

Todas esas chicas extrañas y apesadumbradas y rompibles, a punto de rendirse. Todas esas chicas a punto de empezar a barrer sus corazones y sueños desintegrados. Cerré los ojos un segundo.

Y de pronto los abrí, como si una premonición hubiese activado el resorte. A unos cinco metros en línea recta delante de mí estaban dos de los vorticistas.

Eran el chico alto con gafas y flequillo a lo *Hitlerjugend* y la chica de cabello de hilo de cobre, de cable pelado. Él llevaba una camisa amarilla perfectamente planchada, con botones en el cuello; ella camiseta negra con los hombros al descubierto, la cabellera zanahoria recogida en una cola de caballo, mallas y manoletinas negras. Discutían sin alzar la voz.

Abrí las orejas, inclinándome un poco hacia donde estaban.

–¿Cómo puedes haberlo perdido, Johnny? –decía ella mirando hacia arriba, hacia él–. Te lo dejé hace dos días, por Dios. –Tenía una voz profunda pero modulada, como una cuerda de contrabajo afinada perfectamente.

–No sé cómo puedo haberlo perdido –decía él–. No me preguntes cómo puedo haberlo perdido porque no sé cómo puedo haberlo perdido. Es una pregunta sin sentido. Si lo supiera, no lo habría perdido.

–No estoy de humor para guerras semánticas. ¿Dónde lo viste por última vez?

–Mientras te esperaba, me senté por aquí. Luego me entró sed y me levanté para ir al bar. No sé si lo llevaba en el bar. Por eso lo he perdido. Ésa es la razón: mi incapacidad para recordar paso a paso qué hice con tu libro.

–Te he dicho que no estoy de humor para tus bromas. –Sacó un cigarrillo del bolso negro y miró hacia donde yo estaba sin verme.

En ese momento, sin razón, miré a mi lado para esquivar sus ojos. Y vi que a un metro de mí había un libro abandonado. Me incliné para cogerlo, miré la portada: *El único y su propiedad*, de Max Stirner. Sonreí. Era la primera vez que veía un ejemplar que no fuera el mío; el que sostenía ahora en las manos era un pariente cercano, misma portada, igual destrozo, las puntas dobladas como las orejas de un perro salchicha, notas al margen.

Grité:

–EH. Aquí. –Pero al principio no me vieron–. EL LIBRO –exclamé levantándolo, como si fuese la prueba definitiva de mi existencia. Los dos me miraron a la vez.

Él atravesó el patio en tres zancadas metidas en pantalones azul eléctrico, y lo último que vi antes de tener sus dos metros delante fue un destello de amarillo brillante en los calcetines.

Los ingleses tienen una palabra para eso: *revelation.*

Cogió el libro con ambas manos y una sonrisa se dibujó en su cara. Cuando ella llegó a su lado, él la miró.

–¿Ves como no lo había perdido? –le dijo–. Estaba aquí.

–Déjate de tonterías y dale las gracias. –Me señaló con el dedo. Luego él me miró, y pareció reparar en mí por vez primera, como si antes de que ella hablara *El único* hubiese estado sujeto al cielo con un hilo invisible.

–Tienes razón. Gracias. Perdí mi ejemplar y he estado a punto de perder el de ella. No me llegaba la camisa al suelo. Me has salvado la vida.

–No exagera con lo de vida –dijo ella fingiendo lanzarle una mirada de odio. Como todas las pelirrojas, casi no tenía pestañas. Sus pupilas de castaña tostada brillaban sin biombos ni intermediarios.

–M-me gusta mucho el libro –dije, como un auténtico pasmarote y tartamudeando por primera vez en la vida. Los dos me miraron con sorpresa, como si hubiese aparecido una persona diferente de la que les había sostenido el libro hasta entonces.

–¿Lo conoces? –dijo ella, después de dar una calada a su Gitanes–. Qué raro. Nadie conoce a Stirner. –Una nube redonda de humo blanco se alejó lateralmente de su boca.

–Mi tía abuela me obligó a leerlo a los once años –murmuré, un poco avergonzado. Los dos se rieron un segundo, antes de ver que decía la verdad.

–No jodas –dijo ella.

–Vaya –dijo él.

Entonces pasaron un par de segundos y doce ángeles. No de los chamuscados, sino de otra división; los que se pasean tranquilos por las conversaciones paralizadas.

–Me llamo Pànic –dije, ahuyentando al último, un ángel rezagado de alas alevines–. ¿Estudiáis aquí?

Los dos rieron.

–¿Estudiar? –dijo ella, dándome dos besos secos–. No, no. Estamos de... visita. Yo me llamo Elvira, y él es Johnny Cactus.

Él me estrechó la mano.

–Pànic es un nombre inusual, la verdad. Supongo que te lo habrán dicho muchas veces.

–Soy mitad inglés.

–Es un nombre inusual para un medio inglés también –añadió Elvira.

Tenía razón. ¿Por qué dije esa estupidez?

–Ya. Mis padres eran un poco raros.

Elvira levantó una ceja.

–¿Hippies?

–No, por Dios –exclamé, casi ofendido–. Raros-raros. Raros-comportamiento-excéntrico-raros.

–Sí, claro –dijo el Cactus–. Si hubiesen sido hippies te llamarías Cielo, Libertad, Termidor, Ola, Golondrina, Woodstock...

–Supongo que les hizo gracia el nombre. A mis padres les hacían gracia muchas cosas. Murieron los dos. Quizás eso también les dio risa.

–Lo siento –dijo Johnny Cactus. Elvira lo repitió. Los doce

ángeles volvieron de la ronda y nadie dijo nada durante unos segundos más. Ella le dio un pequeño codazo, diminuto, que por su altura se estrelló en la muñeca de él; su esclava de plata se sacudió como una serpiente de cascabel a la que acabasen de disparar. Johnny Cactus la miró, y dijo de repente–: Vaya, el tiempo planea, ¿verdad? Me parece que tenemos que irnos. Muchas gracias por recuperar el libro.

Se volvían para marcharse cuando Elvira paró y, girando sobre sí misma, añadió mirándome:

–Piensa que has tenido suerte. Podrían haberte llamado cualquier cosa: Compresa. Morcilla. Abrebotellas. Reactor Nuclear. Desatascador de Váter.

Sí, supongo que aún he tenido suerte. Llamarte Desatascador de Váter no es precisamente una garantía de glamour.

–Es verdad –contesté.

–Bueno –añadió ella–. Muchas gracias, Pànic. –Los dos desaparecieron en unos segundos por una de las puertas del claustro.

Amarillo brillante. Azul eléctrico. Negro y calabaza. Humo blanco. Como dos coches deportivos que hubiesen pasado a toda velocidad.

El primer detalle que aprendí de Johnny Cactus era que hablaba raro.

–El mundo es un zapato –decía.

–Estás elegante como un tiralíneas –decía.

–Tenía el corazón en un cajón –decía.

–Tengo la cabeza como un biombo –decía.

–No voy a ir, por si las muescas –decía.

La tradición de las frases hechas le traía sin cuidado. La teoría que desarrollé, con el tiempo, era que lo hacía por miedo a lo ordinario, a cualquier tipo de rutina. Era escritura automática. Refranero surrealista.

El resto del mundo repetimos las frases hechas y los juegos de palabras sin firmarlos. Los manoseamos y guardamos bien envueltos, por eso cuando llega el momento de prestárselos a alguien tienen la misma forma aburrida de siempre.

Johnny Cactus quería que incluso sus frases hechas fuesen exclusivas. Únicas. Nuevas, estrenadas en aquel momento, como un juguete acabado de comprar.

–Es más pesado que una casa en brazos –decía.

Aquella noche decidí quedarme en casa y beber cerveza a solas mientras escuchaba discos y hojeaba libros viejos y nuevos. Estos últimos eran los que me había comprado para las asignaturas de Literatura Románica I y II. El primero que quería leerme era *El caballero de la carreta* de Chrétien de Troyes.

Me quedaba solo en casa porque Lola tenía una cena en casa de un amigo. Me había dejado un mensaje pegado con celo en la puerta de la habitación, que vi nada más llegar. Lo arranqué de la puerta y lo leí en la mano.

Pànic:

Tengo una cena en casa de un amigo, el actor cataléptico del que te hablé. Su teléfono, por si pasara algo extremadamente importante, es el 200 01 20. Extremadamente importante quiere decir hundimiento de piso y derrumbe en cabeza mexicana, no fundición de bombilla o cambio de temperatura exterior. Hay cerveza y champán en la nevera.

Lola

P.S. No me olvido de que querías conocer al actor cataléptico. La próxima vez le traigo a casa.

El actor cataléptico era un amigo de mi tía que estudiaba arte dramático y que se había especializado en hacer de muerto en series, películas y obras de teatro. Según me contó Lola, su amigo era muy conocido en esos círculos, y tenía fama de hacer de muerto espléndidamente. Decían que casi ni se le notaba respirar, ni las aletas de la nariz temblando, ni el pecho ensanchándose y, por supuesto, conseguía rigidez total en todos sus miembros. Como la estatua de un santo.

Por alguna razón me moría de ganas de conocerle. No sabía de nadie más que muriera sin morir de esa manera.

Aquella noche sonaba «Nowhere to run» de Martha & The Vandellas, con el ritmo fijo de las canciones de Motown, un trote sincopado que parece llevarte a otras partes sin esfuerzo. Yo estaba tumbado en la cama sin bambas, ponderando las primeras frases de *El caballero de la carreta* («Ya que mi señora de Champaña quiere que emprenda una narración novelesca, lo intentaré con mucho gusto») y bebiendo champán. Empezaba a pensar que aquel tipo de literatura quizás no era para mí cuando sonó el teléfono. Era Àngels.

–¿PÀNIC? –gritó sobre un estruendo aterrador de fondo–. ¿ERES TÚ, HIJO?

–SOY YO –aullé–. ¿QUÉ ES ESE RUIDO? CASI NO TE OIGO.

–¿QUÉ? NO TE OIGO.

Respiré hondo, luego grité con más fuerza:

–NO TE OIGO, ÀNGELS. ¿NO PUEDES PARAR ESE RUIDO?

–ESPERA UN MOMENTO, HIJO. NO TE OIGO NADA CON ESTE RUIDO. –Apartándome del auricular, la oí chillar más débilmente–: ¿QUERÉIS PARAR DE DAR GOLPES, POR FAVOR? ESTOY INTENTANDO HABLAR CON MI SOBRINO. –El estruendo cesó al instante–. Dime, hijo. No te oía nada con todo el ruido de fondo.

–¿Qué era esa hecatombe, Àngels? –le pregunté, ambos recobrando un tono normal–. ¿Desde dónde me llamas?

–Desde casa. Las chicas y yo estábamos intentando desmontar los restos de una grúa municipal que nos llevamos ayer del depósito. No sabes lo que pesan esas cosas, hijo. Es una pesadilla. ¿Qué tal va todo?

–Bien, bien. –Le di un sorbo al champán–. Hoy ha sido mi primer día de clase.

–Ten cuidado, Pànic. Ya te he dicho mil veces lo que intentarán hacerte. Tratarán de convertirte en una hormiga peón. En un zángano de colmena, sin voluntad propia, supeditado a los deseos de la abeja reina. No debes permitir que eso te pase.

–No te preocupes. Eso no me pasará.

–Pues dilo.

–Acabo de hacerlo.

–No. Di la frase entera, leches.

–No me convertirán en una hormiga peón –contesté, dejando el vaso sobre el mueble del teléfono–. ¿Qué tal va todo por ahí?

–Bien. Los cristales ya no están tan limpios desde que te fuiste, hijo mío. –Una de las manías de mi tía abuela Àngels era la limpieza de cristales. Si hubiese encontrado a seis ratas practicando un aquelarre caníbal en la encimera no le hubiese importado tanto como la más leve de las huellas dactilares en su cristalera. Cuando le pregunté a qué venía tanta limpieza me dijo que no hiciera tantas preguntas, que había que tener estándares éticos y morales de algún tipo y que, además, limpiar cristales fortalecía el carácter. Desde entonces yo fui el único encargado de pasarles el paño una y mil veces; mi carácter se endureció como el pan de seis días.

–Vaya, lo siento. Prometo darles una pasada cuando vaya a visitarte. –El estruendo de desguace volvió a empezar de repente al otro lado de la línea.

–AHORA TENGO QUE IRME, HIJO –exclamó Àngels entre ruido de golpes–. ACUÉRDATE DE LO QUE TE HE DICHO.

–Me acuerdo.

–¿QUÉ?

–QUE ME ACUERDO, TÍA.

–DILO.

–NO ME CONVERTIRÁN EN UNA HORMIGA PEÓN –grité

con toda la fuerza que pude. Por la otra oreja entró el ruido de alguien llamando a la puerta de mi casa con bastante insistencia. ¡R! ¡I! ¡N! ¡G!

–BIEN. CUÍDATE MUCHO –aún pudo añadir mientras yo colgaba el auricular. Recorrí la distancia hasta la puerta en tres o cuatro pasos. Cuando abrí me encontré delante a un mariachi no muy alto que agarraba una guitarra por el mástil a un lado de su cuerpo. Llevaba el uniforme completo, con luces y fanfarrias. Parecía una seta cruzada con un árbol de Navidad.

–Perdóneme las molestias –dijo con acento de mexicano mariachi–. Pero estamos intentando ensayar y no oímos nada por culpa de sus gritos.

–Oh. Lo siento mucho –balbuceé–. No volverá a suceder.

–*Grasias* –dijo, a punto de marcharse–. Y por cierto... –añadió volviéndose.

–¿Sí?

–No debe usted preocuparse, güey. No se parece usted en nada a una hormiga peón.

Me quedé en silencio, mirando su guitarra de colores.

–No tiene ni el mismo abdomen, ni las mismas seis patas –añadió satisfecho–. Y, por supuesto, no tiene usted antenas.

Por el hueco de la escalera llegaron las primeras notas de «La de la mochila azul». El sonido febril de las bandas mariachis.

–Ahora me perdonará, pero tengo que irme. Están empezando sin mí. –Y después de decirlo se esfumó escaleras abajo.

Algo más tarde, aburrido y encajonado, salí a la terraza y me puse a grabar la noche de la calle Joan Blanques. En la oscuridad, apreté el botón del aparato y dejé que se registrara un ladrido de perro, lejano. Una alarma que saltó un par de calles más arriba. La conversación de una pareja que andaba justo por delante de mi puerta. De golpe, me entró una necesidad delirante de fisgar y recordé que en un cajón de mi habitación tenía un micrófono con cable que se podía conectar a la grabadora.

Cuando volví a salir con él y lo inserté en el orificio adecuado, la pareja aún estaba parada bajo mi terraza. Su murmullo calmado sonaba a motores distantes, a barcos alejándose.

Sacando una buena parte de mi cuerpo, doblado sobre la barandilla, hice que descendieran unos cuantos metros de micrófono. Inexplicablemente, necesitaba saber de qué banalidad hablaban aquellas dos personas. Así apoyado, grabé unos minutos de su conversación hasta que el chasquido de un encendedor decapitó el silencio.

Después de varios intentos, apareció una llama diminuta que iluminó vagamente sus caras; uno de los dos encendió un cigarro, y al momento ambos miraron hacia donde yo estaba. Me lancé hacia atrás, dejando caer la grabadora al suelo. Las pilas salieron disparadas como dos píldoras intragables.

Eran la pelirroja y el alto. Elvira y Johnny Cactus. Me quedé inmóvil, paralizado por la coincidencia. Dos de los vorticistas debajo de mi terraza, sus voces espitas de gas silbando en la oscuridad. Mi estruendo les había enmudecido.

Esperé unos minutos hasta que sus voces volvieron a empezar, y el ritmo decreciente de sus pasos me confirmó que se estaban marchando.

Esperé unos minutos hasta que todo volvió a quedar en silencio. Tras confirmar que no había nadie ante la puerta, recogí la grabadora y las pilas y lo ensamblé todo en mi habitación, expectante. Cuando hube rebobinado lo que me pareció suficiente, pulsé el Play.

Su conversación era ininteligible, agua que caía a borbotones, tambores apagados por la distancia. Al cabo de unos minutos, cuando estaba a punto de abandonar, escuché algo y empalidecí, y al momento enrojecí, y al segundo volví a empalidecer, y rebobiné y volví a pulsar Play para asegurarme, y los colores, todos, blanco y rojo, se marcharon de mi cara, y me quedé sentado en medio de la habitación, translúcido, como un trozo de papel cebolla humano.

No había duda. De entre el gruñido monótono que grabé surgía con claridad una palabra formada, una palabra familiar, una palabra que nunca hubiese podido confundir.

«Pànic.»

Pasaron un par de días antes de que me decidiera a volver a La Costa Brava. El suceso de aquella noche me había dejado algo trastornado, y no estaba seguro de lo que significaba. Durante esos días mi tía de plástico entró y salió varias veces, y la oí en el teléfono planeando comidas y bailes con sus amigos. Los ratos que pasaba en casa ponía un disco, que yo oía débilmente a través de la puerta de mi habitación, y el sonido de su disco y el mío se mezclaban en un susurro dadaísta. Al final, el sábado por la tarde, saqué la cabeza y le pregunté qué era eso, ocultando mi creciente irritación. Lola estaba tumbada en el sofá en sari y babuchas, fumando un cigarrillo y mirando al techo.

–Johnnie Ray –me dijo, volviéndose.

Me acerqué en calcetines al estéreo y agarré la funda para echarle un vistazo. Era un hombre blanco de cara cansada, con orejas grandes y un pequeño tupé y traje de gala, medio arrodillado en el suelo. Me intrigó su expresión, contorsionada de dolor, y el puño cerrado que no sostenía el micrófono. Y el sonotone que llevaba en una oreja.

–¿Era sordo?

–No del todo –contestó Lola después de echar el humo–. Pero oía mal. A los diez años le estaban manteando y cayó con la oreja contra el suelo. Perdió un cincuenta por ciento de audición en ese oído. Pero lo interesante de Johnnie Ray es que, a pesar de que era un tipo bastante aburrido, él fue el que empezó todo el rollo de las fans y la histeria colectiva. Las mujeres se volvían locas en sus conciertos, no sé si por un sentimiento maternal o porque les daba pena que fuera medio sordo.

Lola se incorporó y sacó los pies de las babuchas para sentarse con las piernas cruzadas.

–Otro de sus rasgos inconfundibles era que se emocionaba tanto con sus propias canciones que a veces rompía a llorar de verdad en medio de una interpretación. Le llamaban «el Nabab del Sollozo».

–¿Nabab?

–Significa persona importante. Los nababs eran los empresarios ingleses del siglo XIX que volvían enriquecidos de sus negocios en la India. ¿Te gusta?

–¿El mote o la música?

–Las dos cosas, listo.

–El mote no está mal –contesté. El Nabab del Sollozo, el Visir de la Lágrima, el Comendador del Lamento, el Conde del Plañido... Las posibilidades eran infinitas.

De fondo se oía una balada sentimental sobre una chica que se iba, o algo así. Pensé en el pobre Johnnie Ray y su Sonotone, abandonados mil veces.

Apagando el cigarrillo, Lola hizo una pausa teatral, sonrió y luego dijo:

–¿Te importa que te haga una pregunta?

Negué con la cabeza.

–La señora de la limpieza me ha dicho que te pregunte si quieres que tire todas las pirámides de papel que tienes en el suelo de la habitación.

Me puse rojo como una cereza.

–Dile que no tire nada. Ya las recogeré yo mismo.

–¿Qué son todas esa pirámides, Pànic?

–Papiroflexia.

Lola me miró con curiosidad.

–Origami –añadí.

Silencio. El silencio vergonzoso de las mentiras increíbles, que caen como eructos en entierros. Como pedos en minutos de silencio por las víctimas del terrorismo.

Los ingleses tienen una palabra para eso: *embarrassment.*

–De hecho, voy a recogerlas ahora mismo. Hasta luego.

En mi habitación me puse las bambas de baloncesto y la camiseta de Disneylandia y me peiné hacia un lado desordenadamente. Grité SALGO camino de la puerta, y llegué a La Costa Brava al cabo de unos minutos. Empezaba a hacerse de noche y el aire se había enfriado; tenía la piel de los brazos como un muslito de pollo hervido.

Me senté en el rincón con el techo bajo y pedí una cerveza. Sobre mi cabeza, confusa entre la estática y las conversaciones, sonaba «Baby I need your loving». Cuando una de las dos gemelas fumadoras me trajo la bebida, le dije mi nombre.

–Me llamo Pànic. –Me gusta que los camareros y dueños sepan cómo me llamo en los bares a los que voy.

–Encantada, rey –dijo, y me observaba como si de pronto me hubiese salido un pene en medio de la frente. Como si alguien fumando hubiese manipulado napalm al lado de mi cara.

Me volví para examinar a la clientela y, casi instintivamente, dirigí la mirada hacia la máquina de tabaco. Los vorticistas estaban allí. El Club de la Agitación en pleno: la pelirroja diminuta y magra, Elvira, fumando Gitanes y sosteniendo su propio codo; el hermoso-anfibio riendo en voz alta; el rubio glacial observando a los demás; el alto con gafas, Johnny Cactus, declamando con seriedad. Como siempre, hablaban profundo y rápido, sin que un solo soplo de mutismo pudiera colarse tras alguna palabra entreabierta, ni un solo silencio curioso metiera la punta del pie en el resquicio de sus voces.

Esta vez, sin embargo, hubo una novedad respecto a los días anteriores.

Estaba observando cómo se interrumpían, cómo se levantaban para volver a sentarse, cómo bebían con prisas. Intentaba dilucidar, leyendo sus labios, si volvían a pronunciar mi nombre.

De golpe, después de ladear la cabeza para pensar y devolverse el largo flequillo lacio al lugar que le correspondía, los ojos de Johnny Cactus cayeron sobre los míos.

Fue un solo segundo en el que nos observamos, reconociéndonos. Entonces Johnny Cactus levantó la mano derecha con la palma extendida hacia mí, como un jefe sioux, y con la otra mano tocó suavemente el hombro de Elvira. Ella también me miró y levantó las cejas sonrientes. Unas cejas dibujadas, casi invisibles, la sombra vespertina de una mandarina solitaria.

Sacudí la cabeza como respuesta y sonreí también. Luego volví a mi cerveza. Sin embargo, por el rabillo del ojo distinguí cómo Elvira decía algo y, de repente, todos los demás se volvieron para mirarme. Fueron unos minutos incómodos. Las cuatro miradas rozaron mi espalda como si buscaran suerte en la lotería.

Las miradas se quedaron allí un rato, en mi espalda. Cómodas. Cambiando de posición, desvié la mirada hacia el espejo de detrás de la barra. Eso fue peor. A través del reflejo, las cuatro miradas se clavaron en mi cara. Elvira y Johnny Cactus aún sonreían.

Ahora sé lo que sienten las cobayas, desnudas en sus jaulas de metal, copulando y defecando a la vista de todos. Ahora sé lo que sienten los hámsters.

Bajé la cabeza y esperé, nervioso, a que alguno de ellos se acercara. Esperé unos minutos en el cadalso, mirándome las bambas, como si fuese una ocupación que iba a durarme toda la vida. Como esperando a que el verdugo apartara el taburete de debajo de mis pies.

Pero nadie hizo nada.

Cuando levanté la cabeza para beber, me atreví a mirar hacia el espejo. Los cuatro volvían a estar concentrados en su conversación, aunque ahora sonreían todos. Pedí otra cerveza a uno de los camareros que no era una de las dos gemelas fumadoras. Mientras esperaba, notaba mi propia respiración a intervalos regulares, como el tilt de un sónar submarino. Por el espejo del bar, Elvira volvía a mirarme.

–La cerveza, Miedo –dijo el camarero poniéndola en la barra.

–Pànic. Es Pànic.

–Eso, Pànic.

Por el espejo de la barra miré el cabello mal cortado, naranja como una botella de Coppertone, de la pelirroja menuda. Aquella noche no llevaba cola de caballo y un peinado de Françoise Hardy asimétrica, cortado con instrumentos romos y cartabones doblados, se tumbaba en sus hombros. Cerré los ojos, aspiré con fuerza, e imaginé que era ella la que decía mi nombre aquella noche, ante mi portal.

«Pànic.»

Dos días después, regresé al bar y me senté una vez más ante el espejo. Aquel día no estaban.

Observé mi reflejo durante unos segundos. Mi pinta no estaba mal si pertenecías al género de los octópodos terrestres, pero para un humano no era el envoltorio mejor diseñado. Ese pelo, erizado y explosivo de puerco espín carbonizado. Esos ojos verdosos de moribundo reptil mortífero. Esa piel pálida, marmórea, de mesa de morgue. Lleno de disgusto, aparté la vista y me concentré en mi cerveza.

Me acordé de los vorticistas con envidia. El brillo de nuevo, de limpieza, de pulcritud divina que emanaba de sus camisas y pantalones siempre que les había visto. Ropa que era como la demostración final de nobleza de un condenado a muerte. Ropa de vencedores para gente condenada a perder; majestuosa, llena de color, como las últimas palabras en un campo de batalla. El saludo de despedida en el palio. La mirada altiva.

Eso me hizo pensar en aquel disco de los Temptations que tanto escuché en mi infancia. *Temptin' Temptations*, con sus cinco dandis negros en trajes blancos y zapatos brillantes. El decoro, la caballerosidad que transmitía. Haber asociado a los vorticistas con aquel disco me hizo feliz, me llenó de repentina confianza.

Levanté la vista y miré hacia fuera. Volvían a estar todos allí, tras los cristales de la puerta, mirándome.

Aquello empezaba a no sorprenderme. Elvira, su coloreado de remolacha más visible que el de los demás, era la única que hablaba. El rubio celestial levantaba una ceja, como ponderando lo que ella decía.

Durante un segundo, antes de apartar la mirada, me pregunté si era el único que los veía. Quizás eran fantasmas. Quizás eran no-muertos, los espíritus de cuatro dandis catalanes que permanecían en la zona en la que vivieron un par de siglos antes.

Llamé a una de las gemelas fumadoras, que se acercó a mí envuelta en humo.

–Dime, rey.

–¿Conoces a esos cuatro de la puerta? –Y señalé hacia la cristalera. Por supuesto, como en un mal capítulo de *Embrujada*, ya no estaban. En su lugar quedaba sólo un rastro de color, una pincelada elusiva de sus brillos y camisas y calcetines fugados. Las estrellas parpadeantes que se te quedan en los ojos después de haber mirado fijamente una luz.

Era el martes de la siguiente semana cuando conseguí presentarme en la universidad.

Me había levantado de pésimo humor, los pantalones bajados, rodeado de pirámides usadas y la copia de *El caballero de la carreta* doblada debajo de una pierna. Un disco de Alice Clark dormía inmóvil en el tocadiscos, sin sonido, la aguja apoyada en su muleta como un inválido. Despeinado y reseco, sentí una oleada de remordimientos que me invadía.

El remordimiento por las cosas es, al fin y al cabo, una lupa. Un microscopio de lentes deformes que magnifica los pecados y contamina los actos, o el recuerdo de los mismos. Los remordimientos son como un biombo pintado con monstruos, como una pared con una ventana pintada en *trompe l'œil.* No puedes creerlos, porque si lo haces te darás de morros contra la pared; la ventana era falsa. Era un efecto óptico.

En total, desde que Eleonor me dejó había pasado un año y poco. ¿Es eso mucho tiempo? Desde un punto de vista estelar, no; dentro del esquema del cosmos, un año y medio era una millonésima de segundo. Nada.

Quizás por eso, desde que me dejó, seguía masturbándome con el recuerdo dulce de su boca y peca y cabello negro y pies diminutos. En mi mente no había pasado tiempo suficiente para eliminar los restos de su olor y tacto blando. A veces conseguía terminar sin desperfectos, imaginando el sexo tal y como era entonces. Otras... Otras veces me asaltaba la imagen de Eleonor con otra persona, y me inundaba la rabia como un río de lava. Rémora asquerosa, mosquito de la malaria. No debería estar masturbándome con Eleonor aún; de *ahí* venían los remordimientos.

Así, estaba sentado al sol en la puerta de la facultad, y era temprano porque me había despertado a horas intempestivas con el culo al aire y no conseguí volver a dormirme. Al final me levanté y pensé: iré a la puerta de la facultad y grabaré las primeras horas del día, cuando empiezan a llenarse las calles.

En el bolsillo llevaba una nota que Lola me había dejado. Le encantaba dejar notas, empezaba a darme cuenta. La saqué y la volví a leer. Decía:

Pànic:

Hoy llegaré tarde por la noche, porque salimos al campo a filmar cerdos. Sí, CERDOS. Es un anuncio por el que me pagan muy bien, y tienen que salir cerdos porque es un anuncio de fuets.

Personalmente, no me gustan los cerdos. Demasiado inteligentes para ser animales, o al menos eso dicen en *Rebelión en la granja* de Orwell. Napoleón, Bola de Nieve y los otros. Cerdos listos. Mantendré mi distancia con esos cerdos, porque además me acuerdo de noticias en que esos putos animales se comían a niños de granjeros. He aquí la justificación que les voy a dar a los gilipollas de mis amigos vegetarianos de por qué comemos cerdos: porque si no nos los comemos nosotros a ellos, ellos se nos comerán a nosotros. Selección natural.

Pero ya está bien de cerdos. Sólo quería decirte que llegaré tarde por la noche, pues tengo una cita con unos cuantos de ellos.

Hay cerveza en la nevera, pero no champán porque te lo bebiste todo el otro día y no compraste más. Hazlo hoy. Esta noche, después de un día entero con Porky y sus amigos, me apetecerá beber un poco.

Un beso.

Lola

P.S. Mañana vuelve la señora de la limpieza y aún me encuentro papiroflexia piramidal por los rincones. Límpialo, por Dios.

Estaba sonriendo al sol, y pensaba: hay gente que escribe buenas notas. Las mías en cambio eran ilegibles, llenas de siglas para ahorrar tiempo. Mi humor estaba mejorando. Me acordé de una vez que le dejé una nota a mi tía abuela Àngels que empezaba con la palabra Mimp. En realidad era «M. Imp», Muy Importante, pero Àngels no la leyó porque creyó que iba dirigida a otra persona. Aquel día nos cortaron el agua. No a Mimp, a nosotros.

En cualquier caso, guardé la nota de Lola y saqué un libro de Henry Thoreau, *De la desobediencia civil.* Estaba leyendo esto: «*La mayoría de los hombres sirven así al Estado no como hombres, sino como máquinas, con sus cuerpos*», cuando un alboroto en la calle me hizo apartar la vista de la página. Un pequeño grupo de personas se congregaba, ávida de información, tumultuosamente.

Fue un parpadeo, pero fue suficiente. Miraba hacia allí cuando de entre la multitud surgieron dos tipos a toda prisa. En sus manos, como si sostuvieran un ánfora romana, estaban los brazos de Elvira y el cuerpo de Elvira y la cabeza de Elvira, convulsionándose y tratando de soltarse y dando patadas al aire. Sus pies no tocaban al suelo. Era como si dos hombres trataran de transportar un gato ardiendo.

Oí los insultos inacabados de Elvira, las referencias entrecortadas a la sexualidad y la inteligencia de los dos hombres, y eché a correr hacia allí.

Cuando llegué, los dos hombres trataban de introducirla en un coche celular. Deduje que eran policías de paisano. De la puerta del coche parecían salir cien patas, tentáculos de animal marino, y Elvira gritaba Soltadme, cabron, y ellos empujaban su cuerpo hacia dentro como podían, tratando de contener a aquel pulpo hirviendo.

Me acerqué a ellos a toda prisa.

–Un momento. ¿Qué pasa aquí? –creo que dije, con voz de hilo de pescar. Hilo invisible de reparar camisas.

Cerraron la puerta del coche de un golpe y Elvira se quedó dentro, golpeando el cristal con los puños. Su boca dijo un h-i-j-o-s-d-e-p-u-t-a-a-a apagado.

–¿Qué coño quiere? –me dijo uno de los dos, volviéndose hacia mí–. ¿No ve que estamos efectuando una detención? –Llevaba ropa de los ochenta, tejanos nevados, calcetines blancos, mocasines de plástico. No era el mejor disfraz de calle de la historia policial.

Carraspeé.

–Es amiga mía –dije, como si eso fuera a solucionar algo.

–Pues está detenida, joder –dijo Calcetines levantando la voz y luego dirigiéndose hacia la puerta del volante.

El otro me miraba con repugnancia, como si fuese un plato de entrañas de pájaro.

–Decídase –dijo–. Si quiere acompañarla, hay sitio para otro. Si no quiere, mejor que se vaya antes de que nos lo llevemos a usted también.

–Yo no he hecho nada, y ella tampoco –me oí balbucear.

Parvulario de protesta. En dos minutos, patio. Para dar más vehemencia a mis pobres palabras, me dirigí a abrir la puerta de Elvira.

El que se había quedado me empujó con violencia, y el empujón me hizo perder pie y caer de culo al pavimento.

–¿No me ha oído? Nos la llevamos.

Me puse en pie. Por alguna razón, pensé en cerdos durante un segundo. Miles de cerdos. Me acordé de la nota de Lola: *si no nos los comemos nosotros a ellos, ellos se nos comerán a nosotros.*

Me acerqué al que me había empujado, respiré hondo y abrí la boca para decir:

–¿Pero qué se ha creído? Suéltenla ahora...

Pero no me dio tiempo a decir mismo.

La ambulancia llegó al cabo de veinte minutos. Un par de bomberos estaban aún intentando apagar el fuego con extintores. Yo estaba de pie, sosteniendo un pañuelo apretado contra la nariz. La hemorragia estaba disminuyendo.

–¿Has hecho tú todo esto? –me preguntó uno de los enfermeros.

A mi alrededor yacían varios cuerpos inertes. Calcetines tenía la camisa 80's rota y estaba tendido boca arriba, con un ojo horriblemente hinchado y gran cantidad de sangre alrededor de la nariz. A su lado estaba el otro, hipando como un niño; no soy médico, pero su pierna no estaba en la posición que están normalmente las piernas. Estaba doblada en un ángulo raro. Dos tipos más yacían en distintos sitios, sin sentido y sangrando también.

El coche humeaba a unos metros. El fuego había sido apagado, pero del metal y el plástico y las ruedas quedaba sólo una sombra chamuscada, un esqueleto de carbón. Los curiosos se habían multiplicado. El enfermero seguía delante de mi cara, echando alcohol en un pedazo de algodón.

–Do –contesté al cabo de unos minutos, recordando la pregunta.

–Ponte esto, te cortará la hemorragia –dijo, alcanzándome el algodón mojado.

Llegó la policía en un par de coches, y nadie sonreía. Estaba claro que no venían de una fiesta de graduación, o de un cumpleaños.

–Será mejor que alguien me cuente lo que ha pasado aquí, y rápido –dijo un policía bigotudo cuando llegó a mi lado.

Pensé en veintitrés minutos antes. Lo primero que vi, casi no lo vi. Fue la porra del segundo policía golpeando contra mi nariz, poniendo el punto final a mi frase inacabada. La porra impactó con fuerza pero sin ansia de completa destrucción, seguramente un aviso. Las aceitunas antes del plato fuerte.

El entremés de hostias.

Caí hacia atrás y me quedé de nuevo sentado en el suelo, y un cometa amarillo pasó cerca de mi oreja izquierda, esquivándome por un centímetro, y al instante otro cometa rosa pasó al lado de mi otra oreja, sin tocarme, en dirección a mis atacantes.

Lo siguiente sucedió tan rápido que casi no puedo ordenarlo: los cometas amarillos no eran cometas. Eran los calcetines de Johnny Cactus, que había saltado por encima de mí. No me miró. Sólo vi cómo un bate de béisbol que sostenía con las dos manos surcaba el aire y golpeaba la pierna del policía que me había pegado, y a la vez oí un sonido de madera y rotura. A su lado estaba el vorticista anfibio que llevaba la raya al lado afeitada en la cabeza. Reconocí su perfil mientras lanzaba un puño como un ladrillo en la nariz del conductor, que había salido del vehículo. Ése no fue un aviso. Se oyó otro crac, que significaba tabique quebrado.

Nadie dijo nada.

Lo demás fue metódico, breve, limpio como ellos eran. Raya Afeitada golpeó dos veces más al conductor con puños distintos, ambidextro de galletas. BANG. BANG y una ceja se hizo ojo y se abrió, y el tipo cayó al suelo como un montón de platos rotos. Dos de sus compañeros, debían de haber estado observando a distancia, se acercaron para socorrer a los suyos y sufrieron una suerte parecida: en un revés, Johnny Cactus eliminó la dentadura frontal de uno con el bate, Raya Afeitada le pegó una patada en la cara al otro, luego un puñetazo zurdo. En el aire quedó la estela rosa que habían dejado sus calcetines de nailon.

Cuando terminaron, Johnny Cactus se acercó a mí, me miró y me levantó la barbilla con una mano, diciendo:

–No tienes nada roto. Estás sano como una piedra. –Me dio un pañuelo azul cielo que sacó de su bolsillo, y que yo apreté contra mi nariz. Olía a lirios de agua. Luego me dejó, pasando a mi lado, y al cabo de un minuto volvió con una lata pequeña de gasolina. Le abrió la puerta a Elvira, que salió con el ceño fruncido y, agarrándole por la camisa para que se agachara, le besó en la mejilla.

Le llevó un minuto rociar el coche y encenderlo. Una llama anaranjada se expandió por el chasis y el interior. Los tres vorticistas sonreían ahora, y Raya Afeitada se llevó las manos a la cintura, observando el fuego en jarras. En un instante, se acercaron a mí. Respiraban fuerte, pero de una manera casi imperceptible, como si hubiesen acabado de trasladar una cómoda no muy pesada.

–Nos encontramos otra vez, señor –dijo Johnny Cactus dejando en el suelo la lata de gasolina vacía y poniéndose las gafas. Volvía a ser suave y escurridizo y andrógino, como si lo que había sucedido fuera obra de otra persona.

–¿Duele? –preguntó Elvira, acariciando con sus dedos puntiagudos mi muñeca.

–Un poco –le dije, feliz de verla a pesar del daño en las narices.

–Así que es éste –dijo enigmáticamente Raya Afeitada, burlón, señalándome y mirando a Johnny Cactus–. Sitio equivocado y momento erróneo, ¿eh, tío? Vaya buena suerte.

Los ingleses tienen una palabra para ese tono: *scorn.*

–Este de aquí es Arturo Grima –me dijo el Cactus. Y luego, hacia Raya Afeitada–: Nuestro amigo encontró el libro de Stirner que Elvira me había prestado y que yo había perdido. ¿Recuerdas? Se llama...

–Bàdig –interrumpí yo por debajo del pañuelo–. Engandado. –Extendí la mano derecha hacia Arturo Grima. Él la ignoró.

–Así que le perdiste un libro a Elvira –exclamó, sin mirarme, echando el brazo por encima de los hombros de Johnny Cactus–. Amigo, tus huevos reposaban en un plato. Para cosas así, este pingajo no tiene el menor sentido del humor, tío. Considérate afortunado de no ser Farinelli. –Al instante se puso a cantar, afectando voz de *castrato*–: Oh, dulce misterio de la vi-i-i-i-da. –Elvira le pegó un puñetazo en el nervio del bíceps. Perfectamente colocado para que doliese, y dolió. Arturo Grima deformó la cara en una mueca de Auch.

–Idiota –dijo ella, aguantándose la risa.

Johnny Cactus se puso a reír y yo, sin quererlo, también. Mi mano derecha había dejado de esperar encontrarse con la mano derecha de Arturo Grima, así que la bajé. No servía de nada tener cinco dedos extendidos sin propósito alguno, como una antena de saludos que no captara señal. De repente, él me miró.

–No sé de qué cojones te ríes, como-te-llames –dijo, empujándome un poco en el pecho con el dedo índice–. Tienes suerte de que todos los huesos de tu cuerpo estén enteros. ¿Te crees que esto es una broma? No lo es, te lo aseguro.

–Déjale en paz, Arturo –intervino Johnny Cactus, apartándole la mano–. Es de confianza. Y es admirador de Stirner.

–Bah. Los libros están muy bien, pero sabes de sobra que a la hora de la verdad no hay nada mejor que *esto.* –Cogió el bate del suelo y se lo enseñó. Luego añadió–: Es el único lenguaje que entienden, te lo dice uno que sabe. –Luego sonrió sarcásticamente y afectó un golpe de bate–. Primera base. O como se llame.

–Lo que tú digas, querido –dijo Elvira, recolocándose el

pelo–. No leas; léete sólo *Teo va al Zoo*. A mí qué. No seré yo la que termine siendo un mandril primario.

–Me sobreestimas, Elvira, mi amor –respondió Arturo, todos ya ignorándome por completo–. *Ya* soy un mandril primario. Ni tú ni Stirner vais a cambiar ese hecho, panocha. –Johnny Cactus y yo volvimos a sonreír.

De repente empezó a sonar una sirena de bomberos, a lo lejos. Cada vez más transeúntes empezaban a aglomerarse cerca del coche en llamas. Y los vorticistas, los vorticistas sin inmutarse. Como si fuese una representación de los *Pastorets* en la que les hubiese tocado hacer de pastorcillos extras, sin papel ni frases.

–Vámonos, señores –dijo Arturo secamente. Luego se sacudió el polvo imaginario de los pantalones y se alisó la parte delantera de la camisa verde. Se aseguró de que el cuello estuviera recto y se subió ambos calcetines.

–Sí, será lo mejor –respondió Johnny Cactus. Y, mirándome, añadió–: La próxima vez que nos veamos en La Costa Brava, ven a saludar. Te presentaremos a alguien. –Luego repitió los gestos de su compañero: pantalones, camisa, cuello, calcetines. Se subió las gafas (estaban en la punta de su nariz) y carraspeó.

–Ya está –dijo al final, hablando consigo mismo–. Limpio como una bañera.

–Y de esto ni una palabra, listo –espetó Arturo Grima señalándome.

–Do de preogubes –dije, aún con el pañuelo en la nariz.

Elvira se acercó y, poniéndose de puntillas, me dio el segundo beso desde que la había visto por primera vez.

–Gracias por defenderme –dijo, con pose de Marian, ambas manos cogidas tras la espalda.

Al momento se dieron la vuelta, rodearon el fuego y en un segundo ya no estaban.

–Me he caído por las escaleras –le dije a Lola.

Estaba sentado en mi cama, mirando al suelo, descalzo. En medio de mi cara había una patata, tan grande que podía verla bizqueando, en el sitio donde antes estaba mi nariz. Unas horas antes había contestado lo mismo cuando el policía me preguntó.

–Me he caído por las escaleras. –Él me miró con insolencia, sin hablar. En un instante, otro policía nacional llegó a su lado. Me pidió la documentación, y yo se la di; qué otra cosa podía hacer. El segundo policía se marchó a investigar mi carnet al coche celular, yo me quedé en compañía del primer policía.

–Cuando les pillemos, esta vez lo tienen claro –amenazó. Yo repetí lo de las escaleras. Mi tía abuela Àngels siempre me había dicho: Pase lo que pase, niégalo todo. Incluso si llevas un arma en la mano, o tienes los pantalones bajados, o hay tinta en tus manos y al lado un gran graffiti. Niégalo todo, decía Àngels. El ser humano es crédulo por naturaleza. Las palabras, por falsas que sean, tienden a quedarse grabadas en la mente. La duda nace de esas palabras; la duda se fertiliza con esas palabras, me decía. Cuando al fin brota una coartada, las palabras pesan más que los actos.

Tus mentiras son el abono de tu salvación.

–Di lo que quieras –dijo el policía. Era un hombre regordete y ridículo, de dedos amarillentos–. Pero esta vez hay testigos. De ésta no se escapan.

Que nadie me considerara capaz de haber provocado aquello empezaba a irritarme. Estuve a punto de autoinculparme, aunque sólo fuese para recobrar algo de amor propio. ¿Por qué se asumía que yo era un mero curioso, un damnificado por el fuego amigo? ¿Por mi pinta de araña resacosa? Esa condescendencia me sacaba de quicio.

–Lo que usted diga –murmuré.

Al cabo de unos minutos regresó el segundo policía. Me dijo gruñendo que les acompañara a la comisaría, que tenían unas cuantas preguntas que hacerme. No podían detenerme, ya que los propios testigos habían visto que mi única participación fue en el papel de puchingbol.

Me escabullí de sus preguntas con pértigas mentirosas y hombros encogidos. Al final no tuvieron más remedio que dejarme ir. Como antiguos amigos que no quieren quedar, prometieron llamarme.

–¿Cómo eran las escaleras? –preguntó Lola un par de horas después, levantando un puño cerrado–. ¿Así?

–Ja-ja –respondí con sarcasmo, sin sonreír. Ella se acercó con alcohol y algodón en rama y empezó a acariciarme la nariz, arrodillándose delante de mí. Le dije que ya me habían puesto alcohol pero ella se empeñó en hacerlo por segunda vez. Mientras me curaba pude ver, por la apertura del sari, el diapasón que dividía sus pechos. Una U invertida, bronceada. Me fijé con atención, intentando adivinar el resto.

Lola me miró de repente a los ojos y adivinó el trazado de mi mirada. Sonrió con un pasillo de dientes brillantes y se abrochó un botón del escote, levantándose.

–¿Sabes? Tu tía abuela me habló de ti antes de mandarte a vivir aquí.

–Ah. ¿Y qué te dijo?

–Que te la pelabas como un mono. Que tenías tendencia a emborracharte como una rata y vomitar. Que eras satanista, o algo así.

–Todo eso quedó atrás –dije, con firmeza pero ruborizándome al tiempo.

–Ya. Entonces, ¿qué son las pirámides?

–Son para la maqueta de una ciudad del antiguo Egipto. Planos. Como en *En busca del arca perdida*. Cuando Indiana Jones pone el báculo y la luz señala la...

–Sí, sí, ya la he visto. Da igual. Sólo te estoy diciendo que, aunque me advirtió aquello, no imaginaba que fueses del tipo de persona que se mete en peleas.

–Y no lo soy. Pero parezco atraerlas. Soy un imán de puños ajenos.

–Bueno, pues ten cuidado. Concéntrate en tocarte los genitales, si eso es lo que deseas, pero no te metas en líos. Y, aún más importante, no me metas a mí.

Cerró la puerta tras ella. Una canción de Johnnie Ray, que estaba lloriqueando en el comedor, quedó interrumpida a la mitad. *Llorar, llorar, ll...*

–¡Cada uno tiene los hobbies que tiene! –grité.

Después de poner uno de mis discos («So in love with you» de Al Green) me tumbé en la cama y miré al techo. Por la ventana abierta entraba un sol de mediodía, de octubre empezando, que me calentaba las piernas. Llegaba ruido de la calle, y el aire era ya el telegrama de despedida de los meses calurosos, pero mis piernas aún estaban calientes. Todo estaba muy quieto, como si el aire fuera gelatina y nos hubiese atrapado a todos; recogidos en ámbar, como insectos. Y de fondo, Al Green.

De repente tuve una gran sensación de impulso. Recordando aquellos calcetines que pasaron a mi lado como lanzas de colores que llevara un caballero acorazado, recordando las palabras y los gestos de unas horas antes.

Los ingleses tienen una palabra para eso: *momentum*.

Tuve esa sensación de impulso, como el vacío en el estómago que uno tiene al lanzarse de un trampolín alto. Ese aire helado que se acumula en la tripa, y que avisa de lo que se está acercando. Tuve esa sensación de impulso, tan grande y palpable, que supe que había terminado algo y algo estaba a punto de empezar. Algo importante.

Me palpé la nariz y ya no me dolía.

LIBRO TRES
SPEED

–¿Eso es una rebeca de mujer?

Había pasado una semana desde el encuentro accidentado en la calle de la facultad. La misma noche del encuentro fui a La Costa Brava, pero el rincón estaba vacío, y los camareros se rieron un rato de mi narizota hinchable. La historia se repitió un par de veces más. Finalmente me di cuenta de que por el momento no iban a volver por allí y dejé de intentarlo, dedicándome en lugar de eso a aplicar mercromina a mi perfil.

Así, me concentré en ir a clase, pero en clase no podía concentrarme. Latín, Literatura Medieval, Lingüística Románica... ¿Por qué me decidí por esta carrera? Era una estupidez. Ni me interesaba el caballero de la carreta ni su vehículo. Estaba perdiendo el tiempo; aquello había sido otra de mis estupideces impulsivas. Ahora lo veía claro. Por otra parte, ésa era la única excusa para quedarme en la ciudad, ya que no tenía la menor intención de volver a mi antiguo pueblo. No, eso no.

–EH. ¿Estás sordo?

Giré la cabeza. Era la chica que se había sentado a mi lado en... ¿Literatura Románica? ¿O era Introducción a los Estudios Literarios? Lo cierto es que no me recordaba ya a qué clase había ido a parar. Al cabo de unos días de ir a la facultad, todas las asignaturas parecían iguales.

–Digo que si eso que llevas es una rebeca de mujer. –Llevaba coletas negras, petrolíferas y relucientes, muy rizadas, casi africanas, a ambos lados de la cabeza, gafas de pasta negra y un jersey de cuello alto verde estrecho, de nailon. Ojos y boca muy grandes, a escala amazónica, selváticos, tupidos.

–¿Tanto se nota?

Los desgraciados de las mudanzas habían traído mis 900 libros sin perder ninguno, pero se habían dejado la única caja en la que estaban mis pocos jerseys. ¿Se puede ser más inútil? Esa mañana empezó a hacer un poco de frío, así que no me quedó más remedio que coger una rebeca azul cielo de Lola, con el cuello redondo y botones nacarados. Maldita sea; parecía el Principito de Exupéry.

–Hombre, estás un poco afeminado, si me lo permites.

Los ingleses tienen una palabra para eso: *limp-wristed*.

–Muy bien. Te agradezco el cumplido. –Luego le di la espalda e hice como que escuchaba al profesor de lo que fuese.

–No hagas como que escuchas al profesor. Te he estado observando y me he dado cuenta de que no estás prestando la menor atención.

–¿Ah, no? –dije volviéndome, porque no se me ocurrió nada más.

–No te mosquees –ordenó, sonriendo–. Me da igual si prestas atención o no. También me da igual esa rebeca de enorme afeminado que llevas. De hecho me gusta. Me llamo Rebeca.

Dije mi nombre entre dientes y volví a mirar al profesor. ¿De qué narices hablaba aquel señor? ¿Era ésa la primera vez que le veía o ya había estado en su clase?

–Eres un poco borde, ¿no? –Cuando me volví por tercera vez, la vi tensándose una coleta–. No pasa nada. Me caen bien los bordes, así que te ha salido el tiro por la culata, *Pànic.* ¿Es eso un mote o algo que te pones para hacerte el interesante, Señor-rebeca-de-inmenso-gay?

Sonrió exageradamente y se le cerraron los ojos planetarios

tras las gafas. Los párpados que los cubrían eran dos sábanas rosadas, exóticas, que remataban unas pestañas largas como escobas de túnel de lavado.

De repente pensé que hacía mucho tiempo que no hablaba con una chica de mi edad. Lo cierto es que era agradable, aunque la interlocutora fuera una sabihonda con coletas. Hablando con ella me di cuenta de lo desesperado que estaba por algo de conversación con una voz más aguda que la mía.

–Da igual –añadió de inmediato. La gente a nuestro alrededor se levantaba porque, aparentemente, la clase había terminado. Y yo que creía que acababa de empezar... Decididamente, ir a la facultad se estaba convirtiendo en un suplicio–. Te invito a una fiesta en casa de una amiga –continuó–, el sábado dentro de dos semanas. Habrá bastante gente. Sólo hay que llevar bebida, ella pone lo demás. Tienes que llevar puesta esa rebeca, por supuesto. Será una fiesta-rebeca.

–Pero yo... –balbuceé. Quería decir que yo hacía mucho tiempo que no iba a una fiesta. Las únicas fiestas que recuerdo son las de mi cumpleaños. Las montaba Àngels, y venían todas las integrantes del Instituto de Vandalismo Público. Luisa, una de las lugartenientes, me regaló una vez un semáforo de verdad. Lo conectabas a la luz y cambiaba de color. A la tercera vez que se puso rojo me eché a llorar. Yo quería el barco pirata de los clicks.

–¿... soy homosexual? –me interrumpió Rebeca, levantándose también–. No pasa nada. Habrá muchos homosexuales. Podrás darte besitos con todos los efebos musculosos que quieras. –Apuntó la dirección en un papel y me lo puso en la mano.

Muy irritante.

Mientras Rebeca se marchaba, tuve una nueva sensación: me medio alegré de no estar con Eleonor. Era la primera vez que eso sucedía. Había pasado por el odio, la obsesión y el amor (si eso es lo que era). El recuerdo lujurioso de su espalda morena se me acercó casi cada día desde que terminamos. Pero nunca pasé por el alivio.

Ese pensamiento me vino mientras veía a Rebeca irse. Parecía feliz. Andaba deprisa, las dos coletas balanceándose, iluminándolo todo como un sol de azabache. Me sentí bien, viéndola alejarse. Pensé en cómo debía de ser su vida, y me alegré de que me hubiese invitado a esa fiesta. Me gusta la gente feliz. ¿Soy yo feliz? No especialmente. Las habitaciones no se iluminan cuando entro. Me conozco bien. Hay habitaciones que acaban ardiendo y otras que se derrumban, pero ¿iluminarse?

No, eso no.

En fin. Con el tiempo me acordé de ese momento. Después de haber pasado dos años con Eleonor, la envidiosa y patética Eleonor, conocer a alguien como Rebeca fue toda una sorpresa. Era de ese tipo de gente que cuando te dice «No te preocupes», dejas de preocuparte. «Las cosas son mucho más sencillas de lo que la gente cree», me diría algo después. «Nada es tan complicado.»

Y de repente, aquel día, se dio la vuelta y me sacó la lengua, haciendo una mueca aumentada. Luego se agarró las gafas por las patillas e hizo que oscilaran en su cara espasmódicamente, de arriba abajo, imitando un fotograma de *Grease* que luego supe que le encantaba. Yo sacudí la cabeza, sorprendido, y en el interior de mi cráneo se oyó un ruido clonc-clonc-clonc de dibujo animado de Hannah-Barbera. Una clase volvió a empezar mientras yo miraba hacia la puerta. Una voz de fondo comenzaba a hablar a mi espalda.

Pero eso ya no importa.

Importa que la angustia en mi pecho empezó a desvanecerse como un río de fantasmas. Corriendo, corriendo.

Me pregunté: ¿La forma en la que te ve la gente es como eres realmente? Si concentras todos tus esfuerzos en parecer algo y lo consigues –y eso es lo que la gente percibe de ti–, ¿te conviertes en ello automáticamente? O incluso: ¿Te conviertes en ello con el tiempo?

Dicho de otra manera: ¿Acabas creyéndote el personaje que te inventas? ¿Acabas *convirtiéndote* en el personaje que te inventas?

Era un pensamiento esperanzador. Significaría que no estás atrapado en un destino predeterminado, en una personalidad inamovible, sino que puedes moldearte en una nueva forma. Ser otra cosa. Renacer con el perfil de otro hombre a la vez que continúas siendo tú mismo.

Recordé una frase de un libro de Amy Hempel: «*¿Y qué pasa si no te gusta la persona que eres? ¿Dónde encuentras las partes para convertirte en otro tipo de persona? ¿Puede ser algo que lees en un libro, un gesto que ves por la calle? La media sonrisa de un profesor, la manera de andar de una chica por la playa.*»

Me preguntaba todo esto desde el rincón de los vorticistas, esa misma tarde, bebiendo cerveza. Llevaban una semana y media sin aparecer, y eso era inusual; estábamos a 9 de octubre, jueves. Me pregunto por qué recuerdo la fecha exacta, y me doy cuenta de que es una pregunta estúpida. Recuerdo perfectamente qué día era.

De los altavoces diminutos surgía el armazón confuso de «Dancing in the street». Estaba levantando el brazo para pedir otra cerveza, mi brazo se erigía en medio del bar como una cucaña de dedos, cuando de repente vi que aparecían por la puerta. Me puse nervioso casi de inmediato, mientras ellos se miraban entre sí y murmuraban. Era difícil leer los labios desde donde yo estaba; podían estar diciendo «Pànic», pero también «Fàstic» o «Sàdic» o «Elàstic». En dos segundos, los cuatro estaban de pie alrededor de mí.

–La montaña se mueve hacia Buda –dijo Johnny Cactus, agarrando la silla que estaba a mi lado–. ¿Podemos sentarnos?

Asentí con la cabeza. Su brillo me hizo recordar que llevaba una rebeca de señora y unos tejanos negros, rotos. Si hubiese podido taparlos, lo habría hecho; pero había demasiado que tapar. Hubiese necesitado una canadiense.

–No necesitamos permiso para sentarnos –dijo Arturo Grima. Llevaba una camisa de cuello abotonado grande y cuadros marrones, y un jersey de pico verde claro con un pequeño laurel bordado en el pecho. Mirándome a los ojos, añadió–: Éste es nuestro rincón, joder. Y lo defenderemos con meadas territoriales, si es necesario. –Levantó la pierna como un perro orinador, luego se sentó delante de mí y yo puse cara de coche desguazado, con el morro arrugado y los faros rotos.

–Vaya modales de tejón tienes –murmuró Johnny Cactus, sentándose a mi izquierda. Entre él y Arturo se sentó el rubio congelado, de cejas rubias y ojos azules y boca cerrada. Sacó su bloc granate, que yo tantas veces había contemplado de lejos, y durante unos segundos de cine mudo garabateó algo en él. Luego me lo mostró.

Ponía: *Me llamo Marco Cara. Es un placer conocerte.*

–Yo soy Pànic –dije, aunque era obvio que ya lo sabía. Moví mucho los labios para que pudiese leerlos bien. Él volvió a garabatear, inclinado hacia la mesa mientras media luna de flequillo cítrico ocultaba uno de sus ojos azules. Llevaba una chaqueta de ante entallada y una camisa verde botella con los botones blancos.

Cuando me mostró el papel, ponía: *No hace falta que muevas así los labios. Te oigo perfectamente.*

Fruncí el ceño, indicando sorpresa e incomprensión.

–Lo siento. Pensaba que eras sordomudo –me disculpé. Marco Cara, sin mostrar irritación alguna, volvió a arañar el papel con su bolígrafo.

Decía: *No soy sordo ni mudo.*

Sonreí tenuemente, pensando que quizás era una broma de iniciación, y que en un instante escucharía su voz. Eso no sucedió. Mi sonrisa se fue secando, fragmentada, hasta que al final desapareció por completo. Los cuatro estaban dispuestos a mi alrededor como un círculo cromático. Verde, cyan, bermellón, naranja, amarillo.

Elvira estaba sentada a mi derecha. Llevaba una camiseta

negra de cuello muy abierto y un pañuelo rojo atado en la garganta a lo francés, y el pelo recogido en una cola de caballo. Las pecas jubilosas de su cara bailaban bajo el *envelat* de verbena veraniega que era su pelo butano. La miré esperando que me explicase lo que sucedía, lleno de Inocencia. Inocencia con mayúscula, ese tipo de inocencia infantil que no vuelve a repetirse, que es caduca como el pescado fresco y los copos de nieve. Elvira tampoco habló, pero sus pupilas me saludaron con alegría.

El silencio se rompió con el rasgar de la pluma de Marco Cara. La pluma recorría el papel haciendo loops y barrenas, como un avión acrobático cargado de tinta.

El mensaje decía: *Tenemos una propuesta que hacerte. ¿Te interesa escucharla?*

Leí el mensaje, les miré a todos. De golpe pensé que la comparación adecuada tal vez no era una sociedad secreta de principios de siglo. En realidad, pensé, se parecen más a Los 4 Fantásticos; el cuarteto de superhéroes de la Marvel.

Los 4 Fantásticos fueron la primera familia de superhéroes de la tierra. Su líder era Reed Richards, un científico empeñado en demostrar que el viaje interestelar era posible. Cuando lo realizó, rayos cósmicos bombardearon el caparazón de la nave, afectando a sus pasajeros: la novia de Richards, Susan Storm; el hermano de ésta, Johnny Storm; y un amigo de Richards, Benjamin Grimm. Como consecuencia, los cuatro regresaron a la tierra transformados en superhombres.

Reed Richards se convirtió en el Hombre Elástico. El líder sensato y juicioso, con la habilidad para malear y estirar su propio cuerpo. Ése era Marco Cara, imaginé.

Susan Storm se transformó en la Chica Invisible, la mujer de Richards, transparente a voluntad, llena de trucos. Ésa era Elvira.

Johnny Storm se convirtió en la Antorcha Humana. Joven,

alegre, despreocupado, hermoso y en llamas puntuales; ése era Johnny Cactus.

Ben Grimm se transformó en la Cosa, una masa de epidermis rocosa con mucho mal humor. Ése era Arturo Grima, básicamente porque al principio me caía pésimo.

Mi teoría hacía aguas por todas partes: Elvira y Johnny Cactus no eran hermanos; Elvira no estaba casada con Marco Cara. Pero no se me ocurrían otras familias de superhéroes con cuatro miembros. Tendrían que ser Los 4 Fantásticos, caramba.

Sentado en su mesa, escuchándoles hablar, pensé otra vez: ¿La forma en la que te ve la gente es como eres realmente? Si concentras todos tus esfuerzos en parecer algo y lo consigues, ¿te conviertes en ello con el tiempo? Recordé lo que pensé el primer día que entré en este bar: Si algún día muto en otra cosa, la inmovilidad del espejo de la barra me recordará los cambios que he hecho. Miré al espejo y vi mi cabello mal cortado, mi camiseta retorcida, mi palidez, mi flacura, mi rebeca inmunda.

Sin mover demasiado los labios, contesté:

–Sí, claro que me interesa. ¿Qué es?

El bloc de Marco Cara: *Más tarde. Primero, a beber.*

El camarero se nos acercó, les saludó a todos y Marco Cara le dijo cinco con las manos. Un sentimiento de inclusión me recorrió el cuerpo al ver aquellos cinco dedos. Esa sensación deliciosa y confortante de pertenecer a algo, aunque fuera un algo naciente y pequeño, aunque fuera un embrión de amistades futuras; sentí la salpicadura de la inclusión, lo recuerdo bien. Uno de esos cinco dedos era yo.

Yo era uno de aquellos dedos gráciles y flacos.

La acción sucede en el bar La Costa Brava de Gràcia, tres horas después. En el centro del escenario está la mesa. A la izquierda de Pànic, en sentido contrario a las agujas del reloj, se sientan Johnny Cactus, Marco Cara y Arturo Grima. A la derecha de Pà-

nic está Elvira. Un círculo perfecto. Por la puerta, a la izquierda del escenario, puede verse que ha anochecido. El bullicio en el exterior indica que hay gente en las calles, yendo y viniendo; son las once y media de la noche. Dentro del bar se distingue el ritmo de «The tracks of my tears» de Smokey Robinson & The Miracles.

El atrezzo son varios vasos de gin tonic en la mesa. Ropa inmaculada para Los 4 Fantásticos. Ropa negra y resquebrajada para Pànic. Un bar parcialmente modernista. Un espejo en la barra. Un manojo de extras indistinguibles con ropa similar y, en el centro, los protagonistas de la obra.

JOHNNY CACTUS *(secándose los labios con su pañuelo):* Creo que, ahora que ya hemos tomado algo de lubricante social, podemos hacerte la propuesta. *(A Marco Cara:)* Hemos decidido que sería yo el que te la expondría. *(Pànic juguetea con una servilleta de papel, que va mirando intermitentemente durante toda la escena. Marco Cara vuelve a mirarle.)* No puedo darte todos los detalles, ni puedo especificar demasiado algunos de los planes; tendrás que conformarte con lo que puedo decirte, por el momento, y confiar en nosotros.

ARTURO GRIMA: Te salvamos el culo una vez, así que no te queda más remedio. Tus nalgas nos pertenecen.

JOHNNY CACTUS: Cierra la boca, Arturo, por Dios.

Arturo Grima bebe un trago largo de gin tonic.

ARTURO GRIMA *(sarcástico):* Sí, señor.

JOHNNY CACTUS: Lo que puedo decirte es esto. Somos un grupo con unos objetivos determinados. Quizás suena anticuado o banal, me es imposible juzgarlo; en cualquier caso, eso es lo que somos. No puedo decirte para qué trabajamos, ni cuál es nuestro fin. Tampoco puedo decirte quiénes son nuestros aliados. Sé que imaginabas que determinados grupos ya no existían. Te equivocabas. Múltiples hechos que la gente atribuye al azar tienen un origen y unos perpetradores. Disculpa lo enigmático de mis palabras, pero de momento tendrás que acostumbrarte a ellas.

PÀNIC *(mirando a Johnny Cactus, sin dejar de doblar la servilleta):* Creo que no entiendo.

JOHNNY CACTUS: Nos encontramos en un momento concreto en que necesitamos tu ayuda. Tampoco puedo decirte por qué nos encontramos así; basta con decir que sufrimos algunos percances inesperados. Lo cierto es que andamos cortos de personal y necesitamos una quinta persona para determinadas tareas. *(Bebe un trago.)* Con el tiempo y nuestra ayuda, aprenderás cosas, y descubrirás otras que jamás hubieses sospechado sobre el mundo y los que nos rigen. Eso, en cierta manera, será tu sueldo. El conocimiento. Atravesar esa gruesa capa de epidermis que la mayoría de humanos no llega ni a rozar. No puedo mentirte: será peligroso. Tampoco puedo mentirte en otra cosa: vale la pena.

PÀNIC *(a todos):* Pero ¿quién me ha escogido a mí? ¿Por qué yo?

Marco Cara mira hacia Elvira y asiente con la cabeza, indicándole que es su turno.

ELVIRA: En parte porque tienes asimilada una buena sección de una de las múltiples bases ideológicas. En parte porque no tienes miedo, como demostraste en la calle de la facultad al intentar *(sonríe)* defenderme. En parte por tu pasado y tu soledad, que implican discreción. En parte por una recomendación. Y en una parte muy pequeña porque recuperaste el libro de Stirner que me había perdido este desastre humano con gafas *(señala con el pulgar a Johnny Cactus.)*

JOHNNY CACTUS *(sonriendo, le agarra la mano y simula romperle el dedo):* Sin acusar, lista. Y no señales, que es de horrible educación.

PÀNIC *(doblando la servilleta y mirándola concentrado):* No os lo toméis mal, pero sigo sin entender nada. No estoy muy acostumbrado a que la gente me diga que me necesita; no he sido nunca muy popular, a no ser que hablemos de la popularidad de las brujas de Salem o los hugonotes. ¿Qué es esto? ¿Para qué me necesitáis? *(Se interrumpe un instante y levanta la cabeza para mirar a Elvira.)* Eh. Espera un momento. ¿Qué has dicho de una recomendación?

ELVIRA *(desvía los ojos y mira al techo, enigmática):* Alguien te recomendó para esto, pero aún no puedo decirte quién.

JOHNNY CACTUS: Recuerda lo que te he dicho. No podemos contarte nada aún; tu contrato se basa en pura confianza. Puedes confiar en lo que te estoy proponiendo o no; tú decides. Pero recuerda, lo único que puedes perder es el aburrimiento.

PÀNIC Antes has dicho que era peligroso. No creas que no te he oído. No soy Johnnie Ray *(se señala la oreja).*

ELVIRA: ¿Quién?

PÀNIC *(sacudiendo la cabeza, la mirada baja):* Nada, da igual.

JOHNNY CACTUS: Es cierto, es peligroso, pero también es increíblemente divertido. No lo haríamos si no lo fuera.

PÀNIC: Si se trata de combate cuerpo a cuerpo con la policía, no me interesa. No soy un hombre de acción, y tengo la salud un poco delicada.

Todos se quedan en silencio durante una fracción de minuto, mirándose entre ellos, como dudando qué decir. Marco Cara mira a Johnny Cactus.

JOHNNY CACTUS *(respira hondo y luego habla):* Lo que viste el otro día no era la lucha real. Lo que viste era una incidencia puntual de algo mucho mayor. Como si cavaras un enorme túnel transoceánico y al llegar al subsuelo empezaran a salir ratas. Lo que viste en la facultad era una simple tarea de desratización.

ARTURO GRIMA *(mirándose las uñas, como si la conversación no fuera con él):* Pura limpieza. Higiene.

JOHNNY CACTUS: Sería pecar de extrema ceguera política el no darse cuenta de que la represión policial no es el problema. Es sólo una inconveniencia. Una inconveniencia fea, maleducada, que vocea mucho y puede llegar *(señala la ceja de Pànic)* a ser dolorosa, como sabes. Es útil porque, como sucede con la ultraderecha, sus actividades represivas son espléndido material de primera plana, reúnen todos los clichés sociales y proporcionan una espléndida cortina de humo tras la que ocultar los verdaderos desmanes del sistema; los desmanes diarios, los que, de tan cotidianos, han quedado aceptados como «ley de vida». Esto es muy irónico. No existe ninguna «ley de vida» que diga que alguna gente ha de ser fabulosamente rica y otra no.

PÀNIC *(concentrado, confuso):* Ya veo.

JOHNNY CACTUS: Algunos enemigos son muy obvios. Es muy fácil señalarlos. Pero el enemigo real, o la razón por la que el enemigo triunfa, es más difícil de ver. El enemigo superficial está en clara desventaja numérica. Somos millones más que ellos. ¿Como se explica, entonces, que tengan la raqueta por el mango?

PÀNIC: Tengo la sensación de que estás a punto de decírmelo.

Marco Cara se lleva un dedo a la boca indicando silencio y luego señala a la televisión. Un hombre sentado en una mesa, dentro de la pantalla, mueve los labios produciendo un sonido cacofónico. Marco Cara observa a su alrededor y efectúa un movimiento circular señalando a las mesas circundantes. Muchos de los clientes miran embelesados, con ojos zombis, al televisor.

JOHNNY CACTUS *(su mano presenta la escena, como si se tratase de un truco de magia):* Eso, exactamente *eso*, es la raíz de todos nuestros problemas. La estupidez crónica, el nivel de tapiado de cerebro al que se ha llegado, un tapiado perfecto, limpio, que no deja huella, y que es el más meticuloso avance del sistema. ¿Tú crees que todas esas personas que defienden el libre mercado y se quejan de las huelgas son terratenientes, hijos de grandes industriales? No lo son. Sus padres son carteros, tenderos, oficinistas. *Algo* ha eliminado toda conciencia de clase, todo asomo de rebelión, y ya no queda nada. *Algo* les ha transformado en obstinados defensores de una organización que les hizo mecánicos, animales, prescindibles.

ELVIRA *(da una pequeña palmada a la mesa):* Ese *algo* es lo que hay que eliminar. Como primer paso, como primer ecualizador.

PÀNIC: Lo entiendo. *(Duda y mira al techo un segundo.)* ¿Y... Y si digo que sí y luego os dejo plantados? Podría suceder. No soy demasiado consistente en mis obsesiones. No sé quién ha sido el que me ha recomendado, pero se equivocó de ficha personal. A lo mejor tenéis el currículum de otro.

JOHNNY CACTUS *(poniendo la mano en el hombro de Pànic):* No nos dejarás plantados, amigo. Los mismos resortes en los que te verás implicado anularán en ti cualquier deseo de abandonar.

ARTURO GRIMA *(levantando la mano irónicamente):* ¿Se puede votar en contra de este tremendo error? Echad, por favor, un nuevo vistazo a este despojo humano.

Marco Cara le mira, amonestador. Arturo baja la cabeza.

Marco Cara bebe un último trago y anota algo en su bloc. Cuando termina, lo deja en el centro de la mesa para que todos alcancen a leerlo.

La nota dice: «Creo que ha llegado el momento de dejar que nuestro amigo reflexione.»

(Empiezan a levantarse todos.)

JOHNNY CACTUS: Hasta pronto, Pànic.

PÀNIC *(mirándoles):* Hasta pronto. Ha sido un placer. *(Distraídamente deja encima de la mesa la servilleta que ha estado doblando. Es una pirámide perfecta.)*

ELVIRA *(señalando la servilleta papirofléxica):* Hey. ¿Qué simboliza eso?

PÀNIC *(aplasta la pirámide con la mano y la mira, enrojeciendo):* Nada, hombre. Un acto reflejo.

Todos salen del bar. Johnny Cactus espera en la barra para pagar. Pànic, aún sentado en la mesa, les observa salir.

TELÓN

–Hoy ha sido un día muy raro –le dije a Johnny Cactus. Luego le pasé la cerveza.

Debajo de nosotros, la manifestación de luciérnagas más grande de la historia. Estábamos sentados en un mirador desierto del Tibidabo, y toda Barcelona era una estera de bombillas a nuestros pies. Llegamos allí en la moto de Johnny Cactus, una Vespa Primavera amarilla, pequeña como un secador de pelo con ruedas. Eran las tres de la mañana y los demás se habían ido hacía horas. Johnny Cactus había vuelto al bar y me había encontrado allí, en el mismo rincón, pensando aún. Se acercó de inmediato a mi mesa y me invitó a acompañarle. A su escondite, dijo.

–Días aún más raros te esperan.

Dio un trago. Estaba medio tumbado encima de la moto, con los pies colgando sobre el manillar. Llevaba una tejana blanca entallada, un polo verde de nailon y cuello redondo, tejanos blancos con la raya hecha y calcetines verdes a juego. Los zapatos eran mocasines beige trenzados.

–Oye. Me sería de gran ayuda si dejarais todos de comportaros como si esto fuera una película de espías de la guerra fría. Me siento como un personaje de Graham Greene.

Johnny Cactus no dijo nada. Sólo se quedó quieto mirando a la ciudad, desperdigada allí abajo como si alguien la hubiera desenrollado, como si hubiese caído de una hormigonera.

–Es imposible que decida nada si no sé lo que tengo que decidir –insistí–. Es absurdo. –Empezó a soplar un viento pequeño, algo frío, que me despeinó aún más.

–Es un poco temprano para que te contemos los detalles. Pero puedes estar seguro de que es algo bueno –soltó, sin mirarme aún.

–Esto es una locura. Debería saber a qué me he unido y quiénes sois. Quiero decir, no os conozco. Os he visto en un bar durante unas semanas, luego me habéis salvado los dientes, de acuerdo, y ahora me pedís... –Dudé un momento–. ¿Qué me pedís?

–¿A qué viene tanta prisa por saberlo? Además, nosotros tampoco sabemos mucho de ti. –Luego me alcanzó la botella, incorporándose.

–Créeme si te digo que no hay mucho que saber.

–Estás siendo modesto, claro. Yo creo que estás lleno de historias fascinantes, Pànic. Que tu vida no lo sea en este momento es algo que tiene fácil solución.

Limpiándome la boca después de beber, dije:

–¿Qué significa eso? ¿Qué sabrás tú de mi vida?

–Sé que te mueres de aburrimiento, que estás estudiando porque no se te ocurre nada mejor que hacer, que estás malgastando los minutos más importantes de tu vida. Lo sé porque yo los malgastaba también.

Pensé de nuevo en mis actividades diarias. La verdad es que no eran el colmo de la excitación, y masturbarme con el recuerdo de Eleonor tampoco podía definirse como un deporte de riesgo. Moralmente tal vez sí. Como rappel emocional, o parapente en los puentes del remordimiento.

Johnny Cactus estaba justo delante de mí, ahora. Muy cerca, y detrás de él estaba toda esa cama de luces que era Barcelona. Como si el Jinete Eléctrico se hubiese tumbado a dormir la siesta. Miré a sus zapatos, en silencio. La cabeza me rotaba sobre su propio eje. Pequeños satélites de luz parpadeaban ante mí.

–Tienes que darte cuenta de que si accedes a ayudarnos quizás darás un puntapié que no permite retrocesos.

Un nuevo silencio se instaló entre los dos cuerpos. A nuestro alrededor, todos los grillos del Tibidabo golpeaban las congas de una vieja sintonía de Pérez Prado.

Al cabo de un rato dejé la botella en el suelo y le miré.

–Creo que os echaré una mano, pues. Signifique lo que signifique eso.

Johnny Cactus se rió.

–¿No quieres ser un cangrejo, como todos los de ahí abajo? –Hizo un movimiento de presentación de la ciudad con la mano abierta–. No es vida, claro, es otra cosa; pero es mucho más cómoda. Es más cómodo dejarse llevar que nadar contracorriente, igual que es mucho más satisfactorio ser tonto que listo: ser listo sólo trae problemas y sufrimiento. Es más confortable disimularse entre la multitud, sin duda, que tenerles señalándote, riéndose de ti o insultándote; pero una de las dos cosas te hace mejor hombre y la otra no. Por una de las dos cosas merece la pena estar vivo, mientras que la otra... La otra es un desperdicio. Es haber vivido como un animal. El ser humano no está en este mundo para obedecer órdenes o conformarse.

Sus palabras se quedaron colgando entre los dos, como farolillos chinos de una fiesta que acabase de empezar.

–Pero sé un cangrejo, si quieres. Estás en tu derecho. Sé una oveja cuyo único derecho es comer y defecar y fornicar, si quieres. Es tu vida, después de todo.

No me gustó la idea de ser un cangrejo. Y menos una oveja. Pensé: Vaya asco de opciones. No era precisamente Esopo.

–No quiero ser ninguno de los dos animales. Si no tienes algún otro animal más glamouroso no, no quiero ser ninguno de esos dos. –Johnny Cactus soltó una carcajada y me echó la mano al hombro.

–Buena decisión.

–Sólo una pregunta: ¿no dormís nunca?

–Para eso también tenemos soluciones –dijo, sacando un chicle del bolsillo y metiéndoselo en la boca–. Pero no puedo contártelo aún. ¿Chicle?

Hug Ferrer andaba bien. Sus padres le habían encaminado hacia un futuro brillante, exitoso, lucrativo. Sin embargo, una ley darwiniana dice que, cuanto más tratas de convertir a tus hijos en algo parecido a ti, más distintos crecerán.

Hug Ferrer se salió del camino. Un pijo loco, con todo que perder y sin importarle nada perderlo. Cuando los niños ricos se ponen así, son peor que el *lumpen proletariat.* Auténticas granadas de mano con Sebagos.

En segundo de BUP, Hug abandonó el colegio. Sus padres aún creían que Hug se había sacado el BUP y el COU, y que iba por segundo de carrera en pos de su título de arquitecto.

Pero nunca volvió a ir a clase. Pasó cada mañana robando en supermercados, buscando pelea, como una mina antipersona con Lacostes, una mina andante que alguien hubiera dejado suelta por Barcelona.

Si se parecía al personaje que interpreta James Dean en *Rebelde sin causa,* si se parecía a aquel pijo resentido y confuso de la película, Hug le cambió el final.

Aquí no iba a haber reconciliación. Aquí no iba a haber abrazo con el padre.

El falso arquitecto conoció a Marco Cara en su segundo de carrera imaginario, y pasó de inmediato a ser uno de los vorticistas. Al poco tiempo, Hug Ferrer se cambió el nombre y pasó a llamarse Johnny Cactus.

Johnny Cactus es un gran nombre para empezar cosas. Quizás debería haber comenzado este libro con él, y no conmigo. Pero ahora es demasiado tarde, para cambiarlo y para muchas otras cosas.

–Los cactus son cabrones resistentes –me contó un día cuando le pregunté la razón–. Viven con poco, rodeados de desierto, de nada, de arena estéril y llanuras estáticas. Pero aun así viven y están llenos de jugo. No atacan sin motivo, pero si te acercas sin invitación te pinchan o te envenenan. Y, a pesar de sus púas, algunos llegan a producir flores hermosas y frutos deliciosos.

Cuando Hug Ferrer desapareció, sus padres pusieron un

anuncio en el periódico. Un anuncio inútil, porque Hug Ferrer ya no existía.

Era Johnny Cactus.

Tres días después de subir al Tibidabo con Johnny Cactus estaba sentado con mi tía en su terraza. Desde donde estábamos se oían las notas amortiguadas de un disco de las Supremes que yo había puesto. Era un domingo al mediodía y hacía mucho sol, un sol vertical que se sostenía plomizo justo en lína recta sobre nuestras cabezas, y los dos llevábamos camiseta; ella una de tirantes y yo la de Disneylandia. Desde donde estaba me veía reflejado en los cristales del comedor y, la verdad, no era algo bonito de ver. Volví a pensar que tenía que comprarme ropa lo antes posible. Y ese pelo. Me pregunté: ¿Me quedaría bien un flequillo como el de Johnny Cactus? Tengo un pelo bastante lacio. Podría quedarme bien.

Estaba peinándome hacia un lado, tratando de imaginar el efecto de un flequillo lacio sobre mi ceja, cuando oí la voz de Lola.

–¿Qué? –le dije volviéndome, la mano aún pegada al flequillo. Ella estaba sentada con ambos pies encima de la silla de mimbre y bebía de un quinto de cerveza. Llevaba pantalones cortos.

–Te decía que si conservas muchos recuerdos de tus padres. ¿Qué recuerdas de ellos? Tengo curiosidad.

–La mayor parte de las veces son flashes de vacaciones. El parque de Hampstead Heath. Mi madre acompañándome a la puerta del colegio. No tengo casi ninguna secuencia larga, con conversación, grabada en la memoria.

Lola cogió una aceituna del plato con dos dedos. En el espacio libre que dejaron mis palabras flotaban unas notas más del disco que puse. La canción era «He's my sunny boy».

–Has dicho «casi».

–Sí. De hecho, sí que tengo un recuerdo largo. Estamos viendo la televisión en la casa de Crouch End. En la pantalla hay un joven corriendo y una imagen de trofeos deportivos. El joven corredor es Tom Courtenay. Hay un hombre serio con gabardina y bigote que grita: «¡Vamos, Smith!» Hay también un cura gritando.

–Eso me suena.

–Es *La soledad del corredor de fondo* –le contesté–. Una película de 1962 de Tony Richardson, adaptada de una historia corta de Allan Sillitoe. El protagonista, Smith, que interpreta Tom Courtenay, es un delincuente juvenil que ha pasado toda su vida corriendo delante de la policía. En el reformatorio acepta formar parte del equipo de corredores de fondo de la institución.

Bebí un trago de cerveza, y luego continué. Todo estaba muy tranquilo en aquella terraza y me entraron ganas de hablar, algo que no sucede muy a menudo. Imagino que las mariposas que flotaban en mi estómago se habían excitado con el recuerdo y habían decidido fugarse por mi boca. Una nube de mariposas verbales, todas revoloteando en dirección a las orejas de Lola.

–Smith corre cada día, solo, por los campos que rodean la cárcel, y se siente bastante libre y piensa en lo que ha sido su vida hasta entonces. Smith sabe que no mucho, y sabe que nació en el equipo malo, el que siempre pierde. Vemos al joven llegando a un montículo que domina toda la recta final; obviamente, es una carrera. En el televisor, Smith se para poco a poco, dando los últimos pasos arrastrados. Mis padres están junto a mí viendo la televisión.

Lola puso cara de atención. Por encima de nosotros pasó una gaviota, desgarrando vocales con el pico como si fuesen crustáceos pequeños.

–Veo a Tom Courtenay, y está parado, con los brazos en jarras, sin respiración, mirando a la multitud. En la televisión el hombre con gabardina tuerce la boca en una mueca de horror, porque acaba de darse cuenta de lo que está pasando. Smith sonríe, inmóvil, mientras todos le gritan que corra. Ésta es mi parte favorita. Lo que queda sucede muy rápido. El hombre con gabardina se marcha, humillado. El segundo de la carrera adelanta incrédulo a Smith, que sigue sonriendo y afecta un ademán de reverencia burlona. El segundo de la carrera se transforma en el primero y gana. Smith sonríe aún. Y ahí es donde me acuerdo de mis padres.

Lola levantó las cejas, curiosa.

–En mi recuerdo mi madre se subió al sofá y aplaudió cuando Smith dejó de correr y se negó a ganar. Creo que mis padres habían bebido bastante vino y mi padre se reía y aplaudía también. Mientras aplaudían llegó el fundido en negro, y después de él llegó la siguiente escena. En ella, Smith seguía en el reformatorio y se le veía fabricando bolsas de piel en un taller junto a otros reclusos. La última escena antes de que la película terminara de verdad mostraba a Smith recogiendo una bolsa del suelo, inclinándose por orden del alcaide (que era el hombre de la gabardina). Recuerdo cómo me confundió esa escena.

Volví a pensar durante medio minuto. Luego continué:

–Me acuerdo que le dije a mi madre: «Pero no ha servido de nada. ¿Por qué ha perdido la carrera, si ahora está peor que antes? Si hubiera ganado hubiese sido mejor.» Mi madre me contestó: «A veces, cuando pierdes, en realidad ganas.»

El recuerdo me hizo sonreír, y a Lola también.

–Yo le dije: «Pero si no ha ganado.» Y mi madre, me acuerdo de esto perfectamente, me acarició la nuca de una manera muy placentera y me dijo: «Estos gestos son la única manera de ganar que tenemos a veces, Pànic. Si hubiese aceptado ganar, habría vendido su dignidad, y eso hubiese sido peor que perder. Smith prefiere perder y ser puro que ganar y ser impuro.»

De repente empezó a sonar el teléfono en el comedor. Lola se levantó.

Me quedé pensando y mirando al vacío, sin ver el cielo ni la terraza. Quizás mi madre tenía razón. A veces, cuando pierdes ganas. Pero se le olvidó añadir que, a veces, cuando pierdes, pierdes. O que, a veces, cuando pierdes, luego parece que has ganado, pero vuelves a perder.

Y esa última vez es la de verdad.

Esa última vez es la última vez. Desde ahí, no ganas.

En ese momento Lola sacó la cabeza por la puerta.

–Es tu tía abuela, Pànic.

–Voy. –Y fui y dejé de pensar en lo que estaba pensando.

Rebeca me miró y empezó a carcajearse.

–Tienes las manos azules. ¿Por qué tienes las manos azules?

Me puse un dedo en la boca y dije: «Shhhht», con cara de ¿Quieres dejar de gritar, maldita loca? Pero el dedo de la mano era azul.

–No me lo digas –dijo, sin parar de reírse–. Te estás convirtiendo en un pitufo, y la mutación ha empezado por las manos.

–Baja la voz, joder –susurré. Estábamos en clase de Latín, o de Lingüística Románica. Había dejado de importarme completamente. Hasta luego, Tristán e Isolda. Era martes de la siguiente semana.

–O el primo del Increíble Hulk. Te estás enfadando, y por eso las manos se te están poniendo azules. –Volvió a reírse con gran volumen.

Aquella misma mañana, Lola me había dejado una de sus notas. La leí directamente de la puerta de la nevera, sin quitarla. Decía esto:

Pànic:

¿Te acuerdas de *La soledad del corredor de fondo?*

Pues bien, tengo que pedirte que esta noche desaparezcas para que yo pueda experimentarla en mi piel. O, traducido al idioma común: esta noche he invitado a un amigo a cenar, y necesito que te vayas de la casa por unas horas, que serán mejores cuantas más sean. Si fueras más joven te daría dinero para el cine o para Disneylandia (perdón, olvidaba que ya has estado; qué gran camiseta), pero teniendo en cuenta que ya tienes veinte años no voy a insultar tu inteligencia.

Esfúmate de mi *domum* esta noche, vuelve para dormir a una hora decente, y mi corazón exultará de alegrías.

Y algo más: debe de haberse estropeado la cisterna del WC, porque no para de salir agua. Esa súbita crecida de las aguas está provocando que nuestra factura de las mismas esté aumentando proporcionalmente y de manera dramática. Por consiguiente, te suplico que la arregles. Recuerda que eres el hombre de la casa.

Aunque no esta noche, querido. No esta noche.

Besos,

Lola

En la cisterna, claro, había una de esas pastillas desinfectantes azules, que yo manoseé sin darme cuenta cuando intentaba arreglar el mecanismo. Ese tinte es uno de los más resistentes de la galaxia; me había lavado las manos diez veces y el azul cielo seguía ahí, en mis manos. En cada una de mis huellas dactilares estaba impregnada toda la bóveda celeste.

Juré de forma horrible bastantes veces, pensando en Lola. Si algo no necesitaba eran manos azules. No me ayudaba en nada, tener manos de ese color.

–¿Se puede saber qué pasa ahí al fondo?

Mierda. Era el profesor de... Era el profesor.

–A ver, ustedes dos –dijo, señalándonos–. Pónganse en pie. –Rebeca y yo obedecimos. Ella era un globo pinchado que no paraba de hacer pffffft, tratando de sofocar la risa, rebotando sin peso por las paredes del claustro–. ¿Se puede saber qué les pasa? Si no les interesa mi asignatura, pueden marcharse. Pero dejen de armar escándalo, por favor.

Bajé la cabeza, pero entonces Rebeca me cogió una mano, la agitó como si fuera la de un títere y con voz vagamente ventrílocua (se tapó la nariz con dos dedos) dijo:

–¿Do bitufará usted donde buedo bitufar algo de bitufa pod aquí, señod?

Toda la clase se echó a reír, menos el profesor de Asignaturas Desconocidas, que gritó FUERA.

Quince minutos después estábamos en el bar de la facultad los dos, sentados en la barra. Rebeca llevaba Lois negros de pana y unas bambas Puma rojas, camiseta de rayas y una sudadera roja con capucha y la cremallera abierta. Las rayas se desviaban hacia ambos lados de su pecho como un mapa cartográfico, montes y valles circulares, accidentes del terreno, estratigrafía pectoral. Rebeca tenía los pechos grandes. Nunca me han obsesionado especialmente los pechos grandes, como a otros hombres; quizás porque Eleonor tenía los pechos muy pequeños.

Yo estaba en silencio, tratando de discernir la clase de chica que era Rebeca. Decidir si era rica o pobre, hippie o moderna, intelectual o no, afectada o natural, me parecía imposible. Quizás si me dijera cómo empezar, si selláramos algún trato...

–¿Qué trato?

Mierda. Estaba reflexionando en voz alta otra vez.

–Hum. Un trato... Un trato con mis manos azules. Tú no vuelves a hablar de ellas y yo no te aplasto con mi fuerza sobrehumana de Hulk. Si dejas de tocarme las narices, volveré a ser Bruce Banner y podremos tener la mañana en paz.

Ella sonrió con boca de croissant gigante.

–Ahora es imposible. Una vez has vuelto a mencionar las manos, hay que decir algo sobre ellas. O sea, tienes manos cyan. No es como tener los pies pequeños o los ojos muy juntos.

–Cambiemos de tema completamente. Es la única manera. Stirner. Hablemos de Stirner.

–¿Quién es ese señor? –Rebeca apoyó la cabeza en las palmas de las manos, mirándome. Su cara se sostenía en ellas como una bola mágica de cristal, y dentro de ella imaginé labios futuros, besos por venir.

–Te diré sólo que Marx abandonó un proyecto de crítica de la economía política para refutar palabra por palabra su libro, *El único y su propiedad*. Imagina. Para él, Stirner, con su defensa del yo egoísta, es el producto de una sociedad burguesa en decadencia. El yo stirneriano es una proyección del egoísmo burgués que debe superarse mediante la reconciliación entre el yo y las relaciones sociales.

–Suena a rollazo inmenso.

–No lo es. Escucha: el yo trascendental de Kierkegaard, preso en un estado constante de angustia metafísica, se transforma en Stirner en un yo deseoso de afirmarse en el mundo con todas sus fuerzas, pasándose por la rabadilla las relaciones sociales. Al fin y al cabo, las relaciones sociales son las que te persiguen en los institutos con piedras y te mantean en los pasillos.

–¿Me estás mirando las tetas? –dijo de repente. Mierda. Desvié la mirada hacia la esquina más alejada de sus pechos que había en todo el bar.

–¿Estás loca? Claro que no –dije, casi de espaldas a ella.

–Era broma, Pànic. Relájate. Eres el chico con el nerviosismo perpetuo.

–Perdón. –Levanté la mirada y volví a encontrarme con sus pechos, y para evitarlo hice un gesto brusco, intentaba apoyarme en la barra con el codo y mirar a nuevas esquinas, pero en la barra había un servilletero que hice volar por los aires. Las servilletas se desperdigaron por el suelo como confeti de Brobdingnag.

Las cosas no podían ir peor.

–Calma. No ha pasado nada –dijo ayudándome a recoger el desbarajuste de papeles. Luego se puso en pie, y me miró desde allí arriba–. Eres un tío raro, Pànic. ¿Se puede saber en qué mundo vives?

Esa pregunta ya me la habían hecho antes. Eleonor, en segundo de BUP. Se me encogió un poco el corazón, retorciéndose sobre sí mismo como un escarabajo amenazado, hurgado por sorpresa.

Los ingleses tienen una frase para eso: *my heart sunk.*

–Déjalo –dije, mirando al suelo–. Da igual. Todo es muy complicado.

–¿Qué te pasa? –dijo ella bruscamente, pero su voz era almíbar del que se pone en las tartas. Bien dulce, como sirope inglés de arce.

–He tenido una infancia y una juventud muy raras –le dije, aún arrodillado, con las manos todavía rebozadas de serrín y servilletas–. No te preocupes. Algún día te lo contaré. –Es curioso. Me paso el día diciendo eso y nunca cuento nada.

Me levanté al fin.

–¿Pànic Orfila? –Era un policía nacional con patillas de hacha. Iba de paisano, pero sólo los policías hablan así. Olía a sudor de cebollas, como si alguien hubiese plantado puerros en sus axilas.

–Soy yo.

El policía me dijo, bruscamente, que los testigos habían declarado a mi favor, así que los cargos contra mí se habían desestimado. Sin embargo, los mismos testigos bocazas declararon que mantuve una conversación con los acusados, por lo que la ley me obligaba a pasar de nuevo por comisaría para ayudar en la identificación. Luego me dio una tarjeta con un teléfono y se quedó un segundo observando cómo ésta flotaba como una balsa a la deriva sobre las palmas de mis manos azules.

–¿Qué le pasa en las manos? –dijo, sin esperar respuesta. Luego se fue medio riéndose.

Cuando el policía se hubo marchado, Rebeca me miraba con estupor. Se llevó las manos a las mejillas, simulando inmenso shock, la boca abierta en círculo perfecto como un muñeco de feria de los que tragan bolas y dan premios.

–Madre mía. No sabes en qué mundo vives, te gusta llevar

rebeca de mujer, tienes las manos azules y has estado involucrado en actividades delictivas. ¿Sabes que cada día eres más interesante? Cuéntamelo todo, venga.

–Algún día te lo contaré –repetí por milésima vez–. Es muy complicado.

Rebeca se me quedó mirando un segundo, y luego se puso a estirarse las coletas, y luego se desperezó y luego volví a ver las rayas de su camiseta haciendo dunas en su pecho, dianas de tórax para tiro al arco. Siempre había tiempo, me dije mentalmente, para revisar mi política sobre los pechos grandes.

–No me cuentes nada si no quieres –dijo–. Pero al menos ven a la fiesta del sábado.

La fiesta. Se me había olvidado por completo.

Mi conversación telefónica con Àngels del domingo pasado, el día en que estaba en la terraza de casa de Lola escuchando a las Supremes, había empezado así:

–Pànic, hijo. ¿Cómo te va todo?

Y había continuado así:

–Bien, Àngels. Todo va de perlas.

–¿Has hecho amigos? –preguntó, con preocupación en la voz–. Ya sabes que siempre has tenido problemas para hacer amigos.

–Tengo amigos –la tranquilicé–. Puedes estar tranquila. Tengo millones de amigos.

–Siempre has sido un niño solitario. En eso saliste a tu padre.

–Era un niño solitario porque no me dejaste ir a la escuela, Àngels –dije, sin resentimiento. Sólo quería aclarar las cosas.

–Es verdad. No te dejé ir a la escuela, y mírate ahora. Eres un verdadero individuo que controla sus acciones. Acuérdate de Stirner: «Mi poder es mi propiedad. Mi poder me da propiedad. Mi poder soy yo mismo y, a través de él, soy mi propiedad.»

–Ya me acuerdo. *Siempre* me acuerdo de Stirner. Tengo al pesado de Stirner metido en la cabeza todo el día. Estoy harto.

–Allá tú. Pero cuando te quedes solo, y te hayas olvidado de Stirner, vendrás a tu tía –profetizó.

–No me quedo solo, ya te lo he dicho. Tengo una burrada de amigos. Y además, no te vas a creer esto, también han leído a Stirner. He conocido a los únicos seres humanos aparte de nosotros dos (y los miembros del Instituto de Vandalismo Público) que se han leído al cenizo de Stirner. ¿No te parece una coincidencia inmensa?

Nadie dijo nada al otro lado del teléfono. Le pegué al aparato un par de golpes con la palma de la mano y luego dije:

–¿Tía?

–Sí, hijo. Perdona, había dejado de oírte. Sí, me parece una coincidencia inmensa. ¿Te trata bien Lola?

Miré hacia fuera y Lola había estirado las piernas encima de mi silla y cerraba los ojos al sol. Era como Joan Baez, de vacaciones y sin guitarra. Le dije a Àngels que sí.

–Me alegro. Ahora tengo que irme, hijo. Ten mucho cuidado con lo que haces.

Nos dijimos adiós y colgué. Cogí la cerveza, le di el último trago y en mi cabeza apareció la pregunta «¿Por qué debería tener cuidado?» Mientras volvía a la terraza, la pregunta aún estaba ahí.

En mi cabeza.

Llegué al Hospital Clínic a las tres de la tarde, después de dejar a Rebeca e irme a casa. Cuando entré en la sala de ensayos médicos, Arturo Grima estaba tumbado en una camilla. Llevaba una camisa a cuadros grandes de colores vivos, un chaleco burdeos de punto, tejanos con la vuelta cosida al revés, zapatos ingleses también burdeos. La raya de su cabeza estaba ahora en vertical, y señalaba al techo.

Una enfermera le estaba colocando a Arturo Grima un catéter. Él levantó una ceja mientras la enfermera buscaba la vena adecuada.

Fui allí porque Johnny Cactus me había llamado a casa una hora antes. Estaba a punto de sentarme a comer, cuando sonó el teléfono. Era Johnny Cactus, y tenía un recado de Marco Cara para mí: debía ir al hospital a ayudar a Arturo Grima.

Así, estaba en el hospital viendo cómo le colocaban al imbécil de Arturo Grima un catéter en la vena. No me dio asco. No tengo ningún problema con la sangre.

–Hola. ¿Puedo ayudarte? –preguntó la enfermera cuando reparó en mí. Era pequeña, con marcado acento catalán y pelo rizado de peluquería.

–Éste es Pànic, un amigo mío que quiere inscribirse para los ensayos médicos –contestó Arturo. Le miré tratando de detectar ironía en la frase.

–¿Por qué tiene las manos azules? –le preguntó la enfermera a Arturo Grima, como si yo no estuviese presente.

Los dos observaron mis manos durante unos segundos. Estaban azules aún, a pesar de que las había dejado bajo el grifo durante mucho rato. Con un movimiento brusco me las metí en los bolsillos, como si fueran conejos asustados.

–No sabría decirte, la verdad –le contestó Arturo Grima, ignorándome también.

–Da lo mismo –dijo la enfermera al fin, acercando una probeta al grifo y extrayendo un poco de sangre de Arturo. Y a mí, por fin–: Siéntate aquí, que ahora te haré unas cuantas preguntas. –Me senté, interesado en la sangre que salía de aquel brazo. Toda esa sangre morada y densa, manando como zumo de frambuesas. Blop, blop, blop.

Al cabo de un rato de manosear el catéter, la enfermera salió de la sala a buscar unos cuestionarios. Cuando hubo cruzado el umbral de la puerta, Arturo se levantó de la camilla.

–Espabila, Pànic. –Llevaba el catéter aún clavado en la muñeca, como si le hubiese brotado un estigma automático–. Vigila la puerta –añadió, y me mostró una llave. Yo vigilé la puerta. Con la llave abrió otra puerta mientras yo miraba al pasillo, por si volvía la enfermera. Luego se sacó del bolsillo una tira de bolsas de basura, que se desenrollaron hacia el suelo como una larga lengua negra de dragón.

–Arranca algunas y ayúdame.

Yo le seguí, cogiendo unas cuantas bolsas con una de mis manos de alienígena. Al otro lado de la puerta estaba el almacén del hospital. Miles de cajas de medicamentos se acumulaban por las estanterías hasta el techo. La Arcadia del hipocondríaco. Todas las cajitas blancas y misteriosas, con sus códigos secretos y nombres raros, sus cápsulas de colores vivos, como golosinas o piezas de juegos extraños.

–Están por orden alfabético. Te digo las que hay que coger: Apsedon, Lipociden, Minilip, Hispanofredina, Heptaminol, HCG, Grasmin, Finedal, Epanutin, Diemil, Dexedrina Spansule, Dicel, Delgamer, Clinail Compositum, Centramina y Bustaid.

Le miré como si estuviera loco y estuviese enseñándome el culo por el ventanuco de su celda acolchada.

–Mira, coge sólo las de la D: Dexedrina, Delgamer, Dicel y Diemil –añadió con resignación.

Encaramados en escaleras, empezamos a llenar las bolsas de basura con medicamentos. Yo pensaba: ¿Qué narices...?

Los ingleses tienen una palabra para eso: *baffled.*

La situación era un poco embarazosa. Estábamos los dos ocupados llenando las bolsas y nadie dijo nada durante un rato largo. Arturo Grima empezó a cantar, aunque no de nervios; creo que le importaba poco que yo estuviera allí. Empezó a cantar y entonces se produjo una coincidencia de lo más curiosa.

Las notas empezaron a formar alianzas, al principio cacofónicas y abruptas, luego melodiosas, que al poco tomaron forma: *«Bernadette, people are looking for the kind of love that we possess.»* No había duda. Era «Bernadette» de los Four Tops, una de mis canciones favoritas. Cuando estaba con Eleonor, y creía que ella era mi Mujer Escarlata, siempre le cantaba esa estrofa. *Bernadette, la gente busca el amor que nosotros ya tenemos.* También canté «Bernadette» las dos ocasiones en que Eleonor me dejó: la historia de un hombre enamorado que nota la envidia, la falsa amistad de los que le rodean. Porque aquéllos sólo tienen una cosa en su mente y ojos: Bernadette. Y él sabe que Bernadette acabará yéndose, que el reloj de Bernadette está tic-taqueando y es sólo cuestión de tiempo que Bernadette agarre los portantes y se marche con otro, empujada por su temporizador afectivo defectuoso, apremiante.

Lo cierto es que la letra de «Bernadette» no tiene un toque tan apocalíptico como el que le daba yo. En la letra original, nada hace pensar que Bernadette vaya a hacer las maletas cuando termine la canción. Bernadette no tiene la culpa de toda esa angustia.

Para mí, sin embargo, «Bernadette» era la gran canción de premonición de traiciones. El himno de los que oyeron la sirena, el aviso, el canto de los que leyeron el cartel donde decía puñaladas inminentes, infidelidades mañana.

Me puse a cantar con Arturo Grima, acoplándome a su ritmo.

Y cuando hablo de ti, veo envidia en los ojos de los demás.

Arturo Grima me miró con estupor. En una décima de segundo, en ese fragmento dejó de cantar. Luego continuó, buscando más cajas. Yo también lo hice. Fingiendo que lo que estaba pasando no era importante, aunque lo fuera.

Y soy consciente de lo que hay en sus ojos. Afirman ser mis amigos, y todo el rato intentan convencerte para que te alejes de mí.

Hay una pausa hacia el final de «Bernadette» que hiela las venas. Todos los instrumentos dejan de sonar y parece que termina la canción. Pero no. De la nada aparece una voz, la del cantante Levi Stubbs, y de algún modo sabes que esa voz lleva lágrimas, cargadas como mochilas en sus omoplatos. Cuando

Stubbs rompe el silencio casi puedes ver sus ojos empantanados y rojizos, con embalses en los lados.

Ambos sonreímos en el silencio imaginario que precede el final de «Bernadette».

Entonces vi que de su muñeca brotaba de vez en cuando alguna gota de sangre, y las gotas se iban acumulando cerca de sus zapatos burdeos en un charco de fresas. Cuando, siguiendo mi mirada, las descubrió, se echó a reír con carcajadas enormes y cerró más fuerte el grifo de sus venas.

–*Bernadette* –cantamos a la vez mientras lo hacía.

Primero: Se me dobló una pierna sola y medio caí a un lado cuando la puerta de casa se abrió al fin.

Segundo: Me golpeé el hombro al entrar. No dolió, porque estaba borracho como una rata. Eran las doce de la noche del mismo martes, y volvía a casa después de un día muy largo.

–Arriba, Pànic, arriba –me di ánimos en voz alta al empezar a subir las escaleras. ¡Oh, Pànic, mírate ahora! Directo a la posteridad, yendo al ojo del huracán, al filo de la cuchilla, un revolucionario de verdad, sin importarte el riesgo, gran Pànic Orfila, sublime Pànic, de cabeza al peligro, todo por la historia, el poema, la revolución. Todos pensaron que eras un inútil. ¿Y qué dicen ahora? Ahora callan, anonadados ante lo imparable de tus progresos, lo valeroso de tus decisiones, lo implacable de tus actos. ¡Ah, Pànic! Las mujeres más bellas azuzan el infierno de sus úteros al contemplarte. Las cimas más altas esperan resignadas la firme pisada de tus... no, cuidado con el escalón, no, la barandilla, te estás cayendo por las escaleras Gran Pànic Orfila, sí, lo hiciste, ese golpe bien parado con la frente en el suelo. Eres grande.

Tercero: Me levanté del suelo y me toqué la ceja. Estaba sangrando.

Siete horas antes de caerme por las escaleras, salíamos Arturo Grima y yo del Hospital Clínic con muchas bolsas de basura llenas de medicamentos. Había tantas bolsas que tuvimos que hacer varios viajes. Al final de los viajes había un Ford Fiesta blanco, y sentados en él estaban Johnny Cactus y Elvira, fumando como siempre.

Salíamos por una puerta de servicio y ambos llevábamos batas blancas. El primero en llegar al coche fui yo.

–¿Pesa? –me dijo Elvira cuando hubo abierto la ventanilla. Era pequeña, pensé, tan pequeña que el Ford Fiesta parecía mucho mayor. La miré, negra y naranja como una bombona de butano delgada e invertida. Llevaba el pelo suelto, Mireille Mathieu poliédrica, el peinado roto de las *chanteuses* irregulares.

Tan menuda, en el interior del Ford Fiesta inmenso, Elvira era el asterisco con la letra pequeña de los anuncios de coches.

(* *Promoción válida sólo hasta el 30 de marzo).*

Flotando en un lago de skai, exigua en la inmensidad de aquel Ford Fiesta gigante, Elvira se escondía tímida como los avisos reducidos al pie de las vallas publicitarias.

(* *No incluye aire acondicionado).*

–No, nada –contesté–. En un momento terminamos.

–Hola, pingajo –le dijo punzante Arturo Grima cuando llegó al lado del coche.

–Retrasado mental –contestó Elvira. Las pelirrojas enfadadas son como tigres desquiciados, son como ballestas mal ajustadas, como cañones poco engrasados. Cualquiera puede recibir, la culpa ni se considera. No es una opción. Se trata tan sólo de cercanía y pólvora y presión. Física pura.

Fui a buscar más bolsas.

Al cabo de un rato entrábamos en la Diagonal, y ya nos habíamos quitado las batas. Conducía Johnny Cactus. Todos llevábamos bolsas de basura inmensas en el regazo y en los pies y en el maletero y en la baca. Desde fuera lo que debía de verse era cómo cuatro bolsas de basura industriales, los desechos de la sociedad contemporánea, se tomaban unos días libres para ir a la costa. El interior del coche estaba completamente negro, como si lo hubiesen llenado a rebosar de alquitrán.

Johnny Cactus abrió un poco la ventanilla y algo de aire fresco entró en el vehículo. Elvira se encendió un segundo Gitanes y Arturo Grima empezó a darle vueltas al dial de la radio. Todo lo que sonaba era horrible, estúpido, una pérdida de tiempo. Finalmente se decidió por una emisora de *oldies* en la que estaban programando a los Sirex y su «San Carlos Club».

Desde donde yo estaba veía con claridad la raya afeitada en la cabeza de Arturo, como círculos en las cosechas, como huellas de un aterrizaje marciano.

–Elvira, saca la botella, por favor –dijo Johnny Cactus sin dejar de mirar al frente.

Elvira se dobló un poco, rebuscó debajo del asiento y al instante surgió una botella de cerveza fría, que ella se ocupó de abrir y pasarle a Johnny. Éste bebió, se la devolvió a Elvira, que hizo lo mismo, y al poco la botella estaba en mis manos. Elvira me miraba con curiosidad por encima de las bolsas repletas. Se puso un mechón de cabello zanahoria detrás de una oreja, y tenía unas orejas bastante grandes. Hay algo en las mujeres con orejas grandes que me intriga. No sé si es por la apariencia élfica que les dan; no sé si es porque parecen ratoncillos curiosos y autosuficientes.

Durante unos minutos, la botella de cerveza en la mano, estuve buscando la manera de preguntar qué era lo que habíamos robado; porque era obvio que lo habíamos robado. Ahora bien, ¿qué eran todos aquellos medicamentos? De eso no tenía la menor idea. Bebí un trago largo, sorteando la bolsa que me oprimía el pecho, y esperé inútilmente a que alguien me lo contara. La cerveza de litro, por otra parte, me estaba congelando los dedos, así que se la pasé a Arturo Grima.

Sentí que debía decir algo. Sentí que debía tratar de comprender los temporales que me rodeaban y preguntar de una vez qué era lo que acabábamos de robar.

Pero miré a Elvira con la boca abierta y por la laringe no me salió nada. Mis pulmones estaban desiertos de letras, y todo mi cuerpo era uno de esos contenedores estériles vacíos que utilizan en los hospitales para los análisis.

«Contenedor estéril (sin cucharilla): Capacidad 100 ml.

Orina. Heces. Esputos. Pus. Saliva. Esperma.»

Todos los líquidos y fluidos biológicos allí dentro, pero ni una palabra que decir dentro del contenedor estéril de mi cuerpo.

«Mantener cerrado este contenedor con su tapón a rosca hasta el momento de tomar la muestra clínica: orina, heces, esputos, etc...»

El contenedor bien cerrado y ni un solo adverbio de tiempo o lugar que sacar de él. Sin palabras, como un chiste mudo, el chiste malo de mi cabello disparado por el viento de la ventanilla y mi rebeca de mujer y mi nombre.

Elvira me observaba curiosa con aquella mirada animal de pajarería antigua, triste y silenciosa como un teléfono olvidado, mientras yo me rascaba la cabeza.

Aún sin palabras.

Y sin embargo, allí, dentro de ese coche, sentí nostalgia por la amistad que empezaba. Como si junto a Elvira, Johnny Cactus y Arturo Grima recordara una amistad lejana y cálida, como si supiera por la experiencia de años que aquélla era mi gente, la gente en la que podía apoyarme, caerme y ser levantado, los que iban a bromear, llorar, perder el control, reír, correr conmigo para siempre.

Hasta que les conocí, nunca había echado de menos la amistad. Nunca había pensado en ella, no sabía que iba a formar una parte tan importante de mi vida. Pero al unirme a aquel Club de la Agitación, abrumado por una incipiente sensación de pertenecer, no pude comprender mi vida de otra manera. Me pregunté: ¿Qué hacía antes de conocer a los vorticistas? ¿Cómo era mi vida sin ellos? ¿Cómo pude vivir sin el poderoso impulso de formar parte de algo?

Los ingleses tienen una frase para eso: *a sense of belonging.*

El poderoso impulso de formar parte de algo. Pulsante, vivo, tierno, naciente.

Nadie volvió a hablar hasta que llegamos; no había necesidad. Yo sabía que éramos lo mismo.

Aparcamos el coche y subimos todas las bolsas a una casa de la calle Verdi. No me dejaron entrar en la casa aún.

Es demasiado pronto, me dijeron otra vez, y es por tu bien. Otra vez les creí. Cuando terminamos de descargarlo todo, se decidió que debíamos ir al bar y esperar a Marco Cara, que llegaría enseguida. Aunque no había comido nada en todo el día, les seguí. ¿Qué otra cosa podía hacer?

Mientras nos sentábamos en el rincón de La Costa Brava atrapé un vistazo fugaz de mi cuerpo en el espejo de la barra. Hice una nota mental: debía comprarme ropa de inmediato, y cortarme el pelo ya. Debía proyectar un halo de dignidad como el de ellos. No podía continuar paseando esa pinta de trapo de cocina chamuscado.

Marco Cara llegó entonces, interrumpiendo mis pensamientos. Llevaba un jersey de cuello alto blanco y pantalones blancos y botines negros. Con él iba otro tipo que en lugar de sentarse con nosotros se aposentó en la barra, a cierta distancia. Me sorprendió ver que existía otra gente a su alrededor además de ellos cuatro, y al momento me sorprendió mi sorpresa. Me recordé a mí mismo que lo normal era conocer gente. Hice un segundo Post-It mental y me lo pegué en la frente.

Mientras nos servían los cinco orujos que había pedido Johnny Cactus, miré al hombre de la barra. Un tipo bajito, ratesco, con orejas retorcidas y cazadora de cuero con remaches en las solapas. Llevaba el cabello largo por detrás. Completamente no-vorticista en todos sus atributos.

Me interrumpió Marco Cara, que dejó su bloc granate

abierto en línea recta de mi campo visual. Luego escribió: *Tienes las manos azules.*

Bajé ambos brazos y los puse entre mis rodillas.

–Es desinfectante de lavabos –le dije, como si eso lo explicara. Elvira se rió.

–¿Puedo preguntar una cosa? –le dije a Marco Cara, a botepronto. Él asintió–. ¿Qué eran esas cajas de medicamentos que acabamos de coger prestadas?

Marco Cara escribió en su bloc: *Elvira.*

–Lo que nos hemos llevado hoy –dijo ella casi de inmediato– eran las mejores marcas de anfetamina al alcance del hombre. Casi todas ellas se recetaban como complementos para dietas, pero hace unas semanas el gobierno ha prohibido su uso y las ha retirado del mercado. Todas esas cajas estaban en el almacén esperando a ser destruidas. Hemos evitado una catástrofe cultural y emocional histórica.

Dudé unos segundos, intentando decidir si hablaba en serio o no, antes de volver a preguntar.

–¿Todo eso eran anfetaminas? ¿Todas esas marcas distintas para una misma cosa?

–Es que no eran la misma cosa –respondió, buscando en sus bolsillos. Abriendo el puño, dejó caer sobre el mármol de la mesa unas cuantas pastillas. Parecían habichuelas pintadas, como si se hubiesen caído de un proyecto de Plástica de EGB.

–¿Ves ésta? –preguntó, señalando una cápsula rosa–. Es Finedal, una imitación débil de anfetamina, de las peores. Esta de aquí, sin embargo –dijo, señalando ahora una cápsula transparente con bolitas diminutas en el interior, como una maraca de estupefacientes–, es Dexedrina. La reina de las anfetaminas. Pura, limpia, potente, efectiva, incluso bonita, como ves.

Seguidamente levantó una pastilla blanca diminuta y de apariencia inofensiva.

–La otra reina es esta insignificante, aunque poderosa, pastillita: Centramina. Cien por cien puro sulfato de anfetamina.

Mi recomendación personal. –Acto seguido, la puso ante mis narices. Negué con la cabeza, azorado, y bebí un sorbo de mi vaso de orujo.

Elvira no insistió; se encogió de hombros y se tragó una pastilla detrás de otra, ignorando lo que había dicho sobre la pastilla rosa. Con discreción, sacó unas cuantas más y las repartió por la mesa. Todos cogieron.

Luego, Marco Cara apuntó algo en su bloc y lo hizo llegar hasta donde se sentaba el Cactus, sin que yo pudiese distinguir lo que había escrito. El Cactus me miró.

–Ahora, Pànic –susurró–, he de pedirte que abandones la mesa durante un rato. Hay algo que tenemos que discutir y aún es un poco pronto para ti.

–Ah –respondí, pálido como una seta–. Muy bien. Me voy a la barra, entonces. –Me levanté, sacudí la cabeza a modo de despedida, y tomé asiento junto al hombre-rata.

–¿Qué tal? –le dije, forzando una sonrisa con pinzas de tender la ropa en los pómulos. Él me miró, sin abrir la boca, y volvió a su bebida.

Desde la barra, les observé un rato. Al cabo de poco, Grima se llevó al Cactus al lavabo, y luego fue Elvira, y la operación se repitió un par de veces, y todos volvieron a hablar con ganas. Como aún no conocía los efectos de la anfetamina me hizo gracia aquel súbito desembarco de verborrea. Veinte minutos se transformaron en una hora, y el orujo en cuatro. Fue un acto estúpido, pero me aburría, y los vorticistas parecían haberse olvidado de mí. Me tragué los sapos con orujo, sazonándolos con un poco de mi orgullo malherido. Sabían a tierra, a veneno y a desastres.

Elvira se acercó a mí cuando habían pasado casi dos horas. Me costaba enfocar la vista. Una de las dos cerillas de Fanta me preguntó si estaba bien, si necesitaba algo. La otra se disculpó, pero dijo que había temas urgentes que discutir. Su cabello se ruborizó ante mis ojos borrosos.

–Estoy bien –contesté con la boca pastosa, muy poco convincente. Las Elviras se marcharon.

Habían pasado tres horas cuando empezó a llover en la calle. Creo que se lo dije al tipo-rata, y él me miró con ojos múltiples de mosca. Me di cuenta de que estaba completamente borracho. Miré el reloj de pared del bar, entrecerrando los ojos para situarlo en el hemisferio correcto. Eran las once y cuarenta minutos. Llevaba cuatro horas y doce orujos en La Costa Brava. Cuatro horas ignorado por los miembros de mi propio gang, como un niño hiperactivo al que nadie puede aguantar.

Un segundo después estaba haciendo eses por la calle Bruniquer. No recuerdo haberme despedido. A mitad de camino me di cuenta de que seguía lloviendo, pero con mucha más fuerza. Estaba empapado. A pesar de que una neblina amarillenta y dulzona llenaba de vaho mis ojos, como una cortina alcohólica, conseguí orientarme lo suficiente para llegar a la puerta del edificio de Lola.

No sé cómo lo hice. Debí de coger el tranvía de borrachos que tiene parada allí.

Fue entonces cuando me caí por las escaleras.

Al incorporarme me sangraba la ceja, y la sangre caía, alarmante, sobre la rebeca de mi tía, resbalando sobre mis mejillas como si éstas fuesen toboganes acuáticos. De rodillas, pensé: Me he hecho daño. Aunque no doliese, aunque la anestesia de licor aún surtiese efecto, supe que me había hecho daño.

Subí las escaleras, me costaba ver, hasta que llegué al piso de Lola. Milagrosamente, metí la llave a la primera, y me sentí vagamente orgulloso de aquella puntería de borracho. Abrí muy lentamente, todo estaba oscuro y la sangre de la ceja se metía en uno de mis ojos.

El silencio era total, y sólo se oía el ruido de la lluvia en el techo. Me dije que Lola debía de estar durmiendo, o por ahí.

Estaba empezando a temblar, así que me quité la ropa mojada de inmediato y, completamente desnudo y aún tiritando, fui hacia el lavabo para secarme y ponerme algo en la ceja.

Pero cuando pasaba por la puerta del comedor, que estaba entreabierta, oí un pequeño ruido, como el quejido lejano de gente con chaleco salvavidas extraviada en el mar. Me acerqué y saqué la cabeza todo lo silenciosamente que pude.

–¡AAAAAAAAAAAH! ¡AAAAAAAAAAAAH! –grité.

En el sofá había un hombre, inmóvil, con los ojos abiertos, muerto, sin respirar y sin ropa, pero con el pene erecto.

–¡AAAAAAAAAAAAH! ¡AAAAAAAAAAAAAH!

La luz se encendió de repente, dándome otro susto de muerte.

–¡AAAAAAAAAAAAH! ¡AAAAAAAAAAAAAH!

Delante de mí estaba Lola, medio desnuda con una camisa holgada abierta y sin pantalones, cogiéndome de los hombros.

Y entonces el muerto se incorporó.

–¡AAAAAAAAAAAAH! ¡AAAAAAAAAAAAAH!

–Dios mío, Pànic –dijo Lola, sacudiéndome–. ¿Qué te pasa, hijo? Estás sangrando, por el amor de Dios. ¿Qué te ha pasado? Deja de chillar, joder.

–El muerto... –balbuceé, mirándola por un solo ojo y olvidando mi completa desnudez–. El muerto... –repetí.

–No es ningún muerto. Es mi amigo, el actor cataléptico. Me estaba haciendo una demostración.

¿El actor cataléptico? Intenté recordar. Su amigo me puso la mano en el hombro. Miré su entrepierna y estaba a media erección, como si acabara de eyacular, límpida de culebra atropellada.

–¿Estás bien? –me preguntó vigorosamente, y su pene mustio se balanceó de un lado a otro como diciendo No. Contestando por mí.

–Te dije que tenía una cena, Pànic –me dijo Lola, con disgusto–. ¿Se puede saber qué haces desnudo? Mira toda esta sangre, por Dios. Y tienes las manos azules, además. –Me cogió del brazo y me llevó al lavabo para curarme. Yo la seguí, como un Polifemo abatido a pedradas, mirándome las manos cyan con una sola retina.

Con el tiempo he rememorado muchas veces aquella noche. He rememorado muchas veces aquel instante y he encontrado el símil perfecto.

Desnudo, mojado, con la ceja hinchada, sangrando y chillando de aquella forma debí de parecer un recién nacido, recién salido del útero, recién salido al mundo real.

Pasaron cuatro días y llegó el sábado de la fiesta de Rebeca. Era el 18 de octubre. No recuerdo los días previos con demasiada tristeza, pese a que Lola me estaba haciendo el vacío, o basaba su comunicación en frases exclusivamente logísticas. Por supuesto, eso es mucho peor que no hablar; no hablar tiene ese pequeño punto de infantilidad que divierte, esa parte esencial de berrinche momentáneo.

Cuando alguien empieza a hablarte inmediatamente después de que le hayas dado un disgusto mortal, ya puedes irte preparando. La guerra ha empezado y las trincheras están cavadas. El mensaje es: Podemos aguantar el sitio mucho más que vosotros. Así me sentí yo durante los días en que Lola me ignoró. Sitiado. Aislado. Los *55 días en Pekín*. *Amanecer zulú*, sólo que sin llegar al amanecer de la matanza. Un eterno esperar tras la primera línea de fuego junto a Michael Caine.

Me di cuenta de la situación a la mañana siguiente del martes del actor cataléptico. Me levanté con resaca y dolor de ceja y vergüenza, y lo primero que hice fue ir a la nevera en busca de la nota tranquilizadora de Lola. Pero no había nota. Ni amable ni brusca ni nada. Platanitos con imán y teléfonos de pizzerías sí, pero nota no.

Me sentí muy mal al no encontrar una. Los remordimientos me inundaron, y no eran masturbatorios. Qué cosa tan inútil, los remordimientos estériles. Deberíamos tener el botón de borrar en alguna parte. El botón rojo de *Rec*. Me la pegué una vez, voy a ir con ojo, no necesito arrastrar fotos, restos de escayola, imágenes amplificadas, lágrimas ajenas del día en que me estrellé encima.

Lágrimas ajenas, que parece que no pesan nada, pero que están hechas de plomo. Y ese plomo lo llevamos en los bolsillos el resto de nuestra vida.

En casa, delante de la puerta de la nevera, le pedí al cielo que Lola no hubiese llorado por el susto. No sé si puedo cargar con muchas más lágrimas ajenas.

Aquella mañana de miércoles me levanté tan arrepentido que no creía que pudiese sentirme peor, pero lo hice. Los remordimientos añadidos que trajo la falta de nota me hundieron del todo, y no podía dejar de pensar en la noche anterior. Y lo peor era que no recordaba la mitad.

Sí recordaba, sin embargo, que al ver el estado de mi ceja decidieron llevarme al ambulatorio para que me dieran un par de puntos. Ésa fue mi personal guinda en el pastel; los muñequitos en forma de novios que coloqué en la tarta de mi ridículo.

Me dije que lo hecho, hecho estaba, y me dispuse a congraciarme con Lola. Compré flores para el piso y, durante los días que siguieron, hice la cena todas las noches. Intenté sacar el tema para pedir más disculpas, pero no quiso escucharme. Así, pasé los cuatro días hasta la fiesta del sábado en una semisoledad que no experimentaba desde que había llegado a Barcelona. No vi a los vorticistas tampoco, aunque sí me llamaron, por segunda vez. Yo nunca les había dado mi teléfono.

Elvira me llamó y me dijo que se iban al monte a buscar algo y que volverían en unos días. No hice preguntas. No servían para nada. Lo acepté como una muestra de la normalidad de nuestra relación y colgué el teléfono deseándoles suerte en sus negocios, o lo que fueran. Todavía estaba resentido por el vacío de la noche anterior.

El jueves, cuando la resaca había desaparecido por completo, decidí ir a comprarme ropa. Empezaba a hacer frío, y además habían llegado lluvias persistentes, y estaba harto del pitorreo con la rebeca de Lola. El problema era que no sabía dónde encontrar camisas o chaquetas como las que llevaban los vorticistas. Al final, dando una vuelta por Gràcia, acabé encontrando una tienda de ropa para gente mayor en la que vendían jerseys de cuello alto estrechos. Entré, me probé uno y me compré cinco: verde botella, granate-burdeos, azul marino, azul eléctrico y negro.

–Tiene gracia –dijo con acento catalán el viejecito que me atendió, para añadir seguidamente–: Hace poco les vendí unos jerseys de ésos a unos chavales de tu edad. Un *paio* muy alto con gafas y uno rubio...

–¿Y una chica pelirroja, bajita y flaca? –exclamé con el corazón de hula-hop.

–Y una chica pelirroja, es verdad. ¿Son amigos tuyos? –preguntó.

–Son *muy* amigos míos, señor –dije con alegría, olvidando el resentimiento. Luego pregunté si podía ponerme uno en la tienda, a lo que el anciano dijo que sí.

Dejé el local con un jersey azul eléctrico brillante y galáctico, un jersey que casi parecía repeler las ocasionales gotas de lluvia, como un campo de fuerza de *Star Trek*. Miré al cielo nublado. Me miré en cada escaparate y me recordé con aquel otro jersey negro que llevé al instituto muerto de calor y me inundó una sensación que creo que era felicidad por ser yo. Hacía siglos que no la sentía, aunque la había experimentado algunas veces en Sant Boi. Luego la pobre se hizo picadillo de hamburguesas, con todo lo que pasó, y hasta aquel jueves del jersey azul no la había sentido regresar.

Antes de que llegara el sábado hice un par de cosas más. Me compré una trenka gris que encontré en una tienda de segunda mano. Tomé la decisión de vender mis libros de Filología Románica y abandonar la carrera. Había sido una idea estúpida e impulsiva; realmente, aquello no podía importarme menos. Los vendería o se los daría a Rebeca. Me sentía libre de hacer lo que me viniera en gana.

Me di cuenta también de que hacía días que no me masturbaba, y eso me hizo alegrarme aún más. Me conozco; sabía que mi dejar de masturbarme era un efecto secundario de haber conocido a un par de chicas interesantes. Rebeca y Elvira me rondaban por la cabeza a menudo, venían con curiosidades y frases y miradas nuevas, y de esa manera no podía concentrarme en el octavo grado.

Así, durante esos días del final de octubre tiré las pirámides, amontoné los libros para regalar, cambié mi vestuario y compré flores para Lola, que ella despreció hasta que murieron de sequía y desamor. Pero, incluso así, me sentía feliz y casi se me había olvidado el incidente del martes.

Aún hice una cosa más: me corté el pelo. El viernes fui a un barbero en la calle Alzina y pedí que me hicieran un corte a lo años treinta. Me acordé de mi sanctasanctórum de Sant Boi, aquella otra barbería adonde fui a ocultarme del mundo y rasurar mis penas: la navaja en el cogote, las cintas de Dvořák, el olor a tabaco y loción Floïd. Éste se le parecía bastante, sólo que escuchaba zarzuelas. No se puede tener todo.

En el momento en que me estaba terminando de repasar la nuca y parecía que se acercaba el final, le dije:

–Nada de colonia, por favor.

El barbero me miró, con el cigarro en la comisura de los labios y tres centímetros de ceniza aguantándose en él milagrosamente, y contestó:

–¿Entonces qué le pongo? –Realmente era de la vieja escuela; no concebía un peinado sin potingues.

–Nada –le contesté–. Tal cual.

Me miró y luego me echó la colonia igualmente por todo el

cabello, de manera que cuando salí de allí parecía Fred Astaire. Un Fred Astaire sin pareja de baile, solitario, que buscara ansioso por la pista alguien a quien agarrar suavemente por la cintura y danzar un tango.

El sábado llegó al fin.

El sonido de expectativas haciéndose polvo contra el suelo, a mi lado, como caídas de pisos altos, me ha hecho darme cuenta de que dije que ya era el día de la fiesta de Rebeca, y luego me dediqué a ignorar esta afirmación hablando de los días inmediatamente anteriores.

Lo siento.

Supongo que quería regodearme en aquella felicidad primera, como hace todo el mundo. Revivirla como si aún estuviera allí. Tratar de atrapar el recuerdo y dejarlo aquí, en mi regazo, como si fuera un gato, calentito y reconfortante, ronroneando.

La fiesta era a las diez de la noche en una casa de La Bonanova; la amiga de Rebeca debía ser de buena familia. Pasé el día nervioso y sin poder concentrarme en nada. Comí poco, y a media tarde me fui a pasear y acabé sentado en un banco de la Plaça Revolució. Para que pasaran más rápido las horas me puse a leer *Loot*, de Joe Orton.

Cuando al fin llegó la hora me duché, me peiné a un lado con todo el flequillo cayendo sobre mi ceja izquierda –que ya había empezado a deshincharse–, me puse el jersey de cuello alto verde botella y la trenka y salí de casa. Lola estaba allí cuando lo hice, y torció la boca hacia arriba al decir adiós, como si tratara de suprimir una sonrisa. Tal vez era una señal de armisticio. O, mejor, tal vez era la bandera blanca que marcaba el fin definitivo de las hostilidades.

Con ese pensamiento, y algo más tranquilo, cogí el autobús a La Bonanova y llegué allí después de comprar una botella de ginebra Beefeater. Era una casa grande, con hiedra en las paredes, balcones opulentos y patios que prometen piscinas. Llamé al timbre y esperé, mientras oía desde fuera el vago retumbar de música aporreante, repeinándome cada treinta segundos. Cuando la puerta se abrió, el cabello se había quedado pegado a mi cráneo, como el de un pequeño Adolf Hitler.

–Hola, ¿está Rebeca? –le dije a un chico rubio con los pantalones caídos.

–Está por ahí. Pasa –contestó, sin presentarse. Yo tampoco lo hice.

Llegamos a un comedor lujoso atestado de gente y el chico de los pantalones caídos me abandonó. La media de edad de la gente parecía ser informe, y no tenía pinta de ser una fiesta universitaria. En el comedor había gente bailando un ritmo arrastrado, chicas con camisetas infantiles y zapatos de tacón, tipos altos con peinados ridículos hablando de sus editoriales y agencias de publicidad, alcohol por todas partes, nada de comida. Todo el mundo, o al menos una parte respetable, se movía y hablaba con esa confianza y alegría de vivir que da el ser guapo y rico en una ciudad hermosa como Barcelona.

Adiviné dónde estaba la cocina y fui a servirme una cerveza. Estaba sacando una de la nevera con cierta dificultad –allí también había gente– cuando alguien me tocó el hombro. Me volví, cerrando el frigorífico, y era Rebeca. Llevaba una camiseta con el dibujo de una flor y unas palabras en euskera, y pantalones grises muy anchos. Y dos trenzas. Dos escobillas negras, densas, como dos propulsores de travesuras espaciales.

–Hey, Pànic.

Me hizo feliz oírla decir mi nombre. Fue como si de golpe me diera cuenta de que yo existía físicamente. Que no era una nube o un gas, o una idea filosófica que flotaba por la galaxia.

–Hola –dije, admirando sus trenzas. Nos dimos dos besos. Luego nos quedamos el uno delante del otro, y nadie sabía cómo empezar a hablar. Toda aquella confianza de los días iniciales se había congelado, como si hubiese sido la suerte del principiante. Cuando Rebeca preguntó si había encontrado el sitio bien, yo dije sí.

La pérdida de costumbre del hablar con chicas hizo que me llevara la mano a la cabeza y me apartara el flequillo del ojo con un gesto copiado. Mis mimetismos vorticistas se iban acrecentando, pero en aquel momento no me di cuenta. Rebeca estaba aún delante de mí, alargando la mano hacia mi cara con gesto de preocupación.

–Oye –dijo alarmada–, llevas puntos en la ceja. ¿Te has peleado?

–No. –Esta vez no tuve que mentir–. Me he caído por las escaleras.

–Que te... Pero ¿cómo ha pasado eso? ¿Te duele? –Mientras hablaba me tocaba muy suavemente la ceja con las puntas de los dedos.

–No. No duele nada.

Nada debe ser la palabra que más veces he pronunciado a lo largo de mi vida.

–Pero ¿qué hiciste?

Ahí va otra:

–Nada.

Rebeca me miró con desconfianza. Antes de que empezara a hacer más preguntas, solté:

–Una buena fiesta.

Vaya pasmarote.

Pero ella dijo que sí, mirando a su alrededor, sin importarle mi torpeza. Eso me tranquilizó un poco. Nos quedamos allí, charlando. Pensé, me acuerdo, que las cosas marchaban viento en popa.

–Bueno, ¿no me invitas a beber algo? –dijo de golpe.

–Es la casa de *tu* amiga –dije yo, cada vez más suelto–. Por cierto, ¿a qué se dedica? Hacía tiempo que no veía a tantos pijos juntos.

Rebeca miró al suelo. Un resorte en la mente me dijo que no siguiera hablando, pero lo hice. Hay que ignorar las señales de cobardía del sistema pensativo-motriz.

–Algo ostentoso, claro, todo este despliegue de riquezas –continué–. Insultante para el *lumpen*. Dile a tu amiga narcotraficante que no hacía falta concentrar todo su dinero en una casa; que podía repartirlo por la costa, la montaña, otros planetas, el...

–Es mi casa –interrumpió Rebeca, mirándome de pronto con ojos minerales.

Tragué saliva. Se me humedecieron los ojos. Sonreí con la boca deforme, las comisuras cayendo sin que nadie pudiera levantarlas.

–HA HA HA HA –reí, como un auténtico loco–. VIVA EL LUJO –grité, y luego, bajando la voz, añadí–: ¿Para qué está el dinero si no es para gastarlo, eh?

–No es *mi* casa –dijo, muy seria–. Es la casa de mis padres. No tengo la culpa de cómo se ganan la vida, ¿sabes? ¿Te haces tú responsable de cómo se gana la vida tu padre?

Aquello había empezado con muy mal pie. Es decir, había empezado con el pie correcto en la facultad y también con mi entrada en la fiesta, pero ahora aparecía el pie cojo, los pies planos, las deformaciones por talidomida, el muñón retorcido.

Dudé entre disculparme o dar pena. Opté por lo segundo, a la desesperada.

–Mis padres están muertos –murmuré, con cara de *La dama y el vagabundo*.

–Lo siento mucho –dijo con sinceridad, pero no mordió el anzuelo–. Pero si tus padres estuvieran vivos, ¿te harías responsable de cómo han vivido hasta tu llegada?

Mierda.

–No.

–No sé por qué te cuento esto, porque no te conozco de nada. Pero te diré una cosa: acepto la responsabilidad que conlleva haber nacido aquí, pero no estoy dispuesta a pedir perdón cada cinco minutos, ni a ti ni a nadie. Lo que hay es esto, pero eso no me hace distinta, te lo aseguro. Soy lo suficientemente lista para comprender que todo esto no significa nada, al contrario que muchos otros idiotas.

Bebí un trago de cerveza. Estaba fresca y rica, pero me supo a rayos agrios, a zumo de escarabajos, a combinados de cianuro.

Un tipo rubio y fornido se acercó a nosotros. Llevaba el cabello medio largo y jersey de rayas. Puso la mano en el hombro de Rebeca. Una mano-cepo que significaba: No tocar. Peligro de Muerte.

Tenía una nariz simétrica, perfecta, irritante, de catálogo de narices. Las aletas y el puente y el cartílago; medidas griegas, encajadas por orfebres clásicos.

–Éste es Ignacio Luna –me dijo, con rubor–. Ignacio, éste és Pànic.

Hice *chin chin,* mirando un momento a su nariz y luego a su botella. Lo hice demasiado fuerte, porque de la mía –mi botella, no mi nariz– empezó a salir espuma que cayó como una cascada de trigo directamente sobre sus bambas caras.

–Uy. –Metí el dedo en el cuello, tratando de parar el géiser. Él me miró, con esa manera magnánima de mirar que tiene la gente rica, y dijo–: No pasa nada, tranquilo. –Y lo dijo sinceramente, enseñando unos dientes nucleares, cegadores.

–Pànic va a clase conmigo –dijo ella, puro formalismo. Ella era ahora el pedazo de hielo del polo Sur y yo un remolcador incrustado en su base, a punto de hundirse.

–¿Cuántos años tienes, Pànic? –preguntó Nariz–. Pareces muy joven.

No me gustaba decir la edad porque –gracias a mi tía abuela– había entrado en el instituto un año tarde, y luego mi repetición añadió un año más al cómputo final. Ahora me encontraba con veinte años en primero de carrera, lo que a todas luces era un retraso considerable.

–Veinte –dije. ¿Qué podía hacer? ¿Mentir sobre mi edad, a mi edad?

–Vaya. La misma edad que la más joven de aquí. Rebeca, aunque no lo parezca, tiene también veinte. ¿Verdad, cariño?

¿Cariño?

Rebeca forzó una sonrisa y le dijo a Nariz que iba a buscar hielo. Los dos se fueron. Mientras se iban, vi una parte de la espalda de Rebeca entre los pantalones y la camiseta; una espalda tostada y lisa, en la que brillaba algo de vello rubio casi invisible. En mi mente lo acaricié con las yemas de los dedos, cerrando los ojos.

Cuando los abrí, Ignacio Luna volvía a poner su mano en el hombro de Rebeca.

Saqué el dedo de mi cerveza, lo chupé y me fui a emborrachar como un cerdo a toda prisa.

Una chica desconocida y fea de cabello rizado estaba hablando conmigo en la cocina, una hora y media después. Me recordaba a los seres medio anfibios de los cuentos de Lovecraft, los infrahumanos cabezudos-sin-barbilla del Arrecife del Diablo, los Profundos, aunque cubierta con ropa actual.

–El otro día se me antojó tener una cita con un completo desconocido, ¿sabes?, así que invité a un taxista a tomar algo –me decía. ¿Le había yo preguntado algo?–. Como lo oyes, hijo –añadió.

La miré como si acabara de vomitarme en los pies.

–Pero salió mal. Primero: el tipo conducía con cojines. Cuando salió del taxi medía metro cincuenta. Segundo: estábamos sentados y se quitó el chicle de la boca para beber. Lo pegó en la mesa, algo nervioso porque no sabía dónde dejarlo. Tercero: me preguntó si me gustaba la ropa de cuero. Cuarto: cuando me dijo eso, apoyando la cabeza en sus nudillos, llevaba el chicle pegado en la manga.

Empecé a reír pegando alaridos, echando la cabeza hacia atrás y balanceando el flequillo como si me poseyera el diablo. Me había bebido tres gin tonics, y sólo ahora empezaba a olvidárseme el ridículo con Rebeca. Había llegado el momento de salir fuera e intentar arreglarlo. Pero antes, antes me dio ese ataque de risa que era casi todo histeria y miedo. Risa vietnamita de combatiente demenciado por el horror.

–Puedo darte el número de la matrícula, si quieres –dijo ella, algo asustada por mi reacción, intentando acabar la gracia.

Le dije que no se preocupara y empecé a poner los pies uno detrás del otro, fuera de la cocina por primera vez en tres gin tonics. Revisé todas las caras y confirmé que Rebeca no estaba allí; un tirón de celos incipientes y odio, convenientemente revueltos con autopena y vergüenza, me enrojeció las orejas. La gente bailaba, las parejas se besaban y yo intentaba pasar entre todos ellos sin caerme ni derramarle el líquido a alguien sobre toda la ropa de marca.

Salí a la terraza y me apoyé en la barandilla. Me acordé del día en que subí al mirador de Collserola con el Cactus, porque desde allí también se veía toda Barcelona como una enorme macedonia luminosa. Empezaba a hacer bastante frío pero, como no me había quitado la trenka aún y me había bebido tres tubos de Beefeater con agua tónica, estaba bien. El viento había cesado y sólo una ligerísima brisa me acariciaba las mejillas. La ceja tampoco dolía ya.

En un mecanismo de autodefensa natural, empecé a pensar en Elvira para no pensar en Rebeca. Su pequeñez y lunares me bailaron por la cabeza un rato, mientras veía parpadear las luces del puerto a lo lejos. Hay gente que tiene misterio, supongo, que provoca intriga por todo lo que las rodea. Una forma malsana de quedarse en tu cabeza y reclamar espacio, de obligarte a recolectar más información sobre sus vidas.

Supongo que ser misterioso es eso. Mucha gente acumula secretos, pero muy poca los convierte en misterios. Y, claro, un secreto que no llega a misterio no es nada. Es un embrión abortado, una semilla *borda*, una intimidad que a nadie interesa, sólo algo embarazoso que ocultar. Convertirse en misterio, en cambio, es la más alta aspiración de un secreto; el misterio es el mariscal de campo de todos los secretos. El paso de embarazoso o ridículo a misterioso es el paso de oruga a crisálida para los secretos.

Pensaba en eso cuando de repente vi a un par de personas que sí me sonaban, charlando en la terraza a dos o tres metros de mí. Uno de ellos llevaba una gabardina blanca, tupé y zapatos puntiagudos; tenía las orejas grandes, como Elvira, y era bastante alto. El otro era más bajito, llevaba una bufanda universitaria inglesa, zapatos de ante y un par de chapas en el pecho de la chaqueta tejana de pana; sus orejas, en cambio, eran puntiagudas como las del Eddie de *La familia Munster*, y tenía la nariz larga, piramidal. Los dos conversaban animadamente y gesticulaban mucho.

De pronto me acordé. Iban a La Costa Brava, se sentaban cerca de donde nos sentábamos. Pensé en ir a decir algo, pero me dio vergüenza. Una vergüenza de niño, extraña, como de no estar a la altura de las circunstancias.

Los ingleses tienen una palabra para eso: *self-conciousness*.

La mujer anfibio de la cocina se me acercó, con un pedo mortal, y se apoyó en la barandilla, a mi lado.

–¿Gomo de llamash? –me preguntó.

Me esforcé por buscar un seudónimo chic, pero no se me ocurría nada.

–Juan. Juan Tirado –dije al final, por alguna razón extraña.

Lancé un par de centilitros de gin tonic dentro de mi garganta mientras la miraba de arriba abajo. Realmente era un auténtico callo.

–Yo be llamo Bercedes –dijo, dándome dos besos grasientos y medio cabezazo en la sien.

Entre la niebla ginebrosa comencé a calibrar la idea de tirarme a La Profunda. Era como un pez grotescamente deformado por mutaciones nucleares, pero yo andaba bastante necesitado después de tantos años, y pensé que así quizás se me quitaba la tristeza y mejoraba la noche. Dejé el vaso de gin tonic casi vacío en el suelo.

Como no sabía que decir, le dije:

–¿Me das tu teléfono?

Ella me miró como si le acabara de proponer una maratón de coprofagia. Sin embargo, agarró mi mano y lo apuntó en el dorso con lápiz de ojos. Un pringue.

Cuando terminó, se quedó con mi mano en la suya. Mirándome los dedos.

–Bonitos dedos. –Era la señal; mi momento había llegado.

Iba decidido a darle un beso cuando Bercedes se me tiró encima, agarrándome del trasero. Como una ventosa atrapó mi boca con la suya y me metió la lengua hasta el intestino. Yo deslicé mis manos por dentro de su jersey de lana y cerré los ojos. Apretujando sus pechos, traté de pensar en Veronica Lake. La lengua de Bercedes pasaba cerca de mi campanilla, explorando la tráquea, recorriendo mis muelas como una oruga mutante, como la cola de Jabba El Hutt.

Abrí los ojos a la vez que retorcía sus pezones por debajo del sostén. Separé mi boca y su lengua se fue a mi oreja, y su aliento me calentó los oídos y su voz dejó escapar un estertor de la muerte. Y de golpe, por encima de sus hombros, vi a Rebeca, tostada y mediterránea como una castaña de noviembre, Rebeca con dos cervezas en las manos, mirando hacia mí desde la puerta de la terraza. Su aparición duró sólo un segundo. Me vio, vio mis manos dentro del jersey de aquel atún humano, la lengua rechupeteándome el cartílago, y se fue a toda prisa. No pude ni gritar su nombre.

Estaba claro que había venido en son de paz, con cerveza reconciliatoria, y se había encontrado conmigo medio cubriendo a un pez. Muy bien, Pànic.

Estaba a punto de separar la lengua de Bercedes de mi oreja –de repente se me habían quitado las ganas de hacer el noveno u octavo grado– cuando por la terraza entró Johnny Cactus. Llevaba también bufanda universitaria, una chaqueta marrón de ante con las mangas de punto, tejanos nuevos y planchados, safaris en los pies.

Fue como una aparición.

Fue como el Retablo del Nacimiento: los pastores asombrados, la luz divina, María y José, el burro y la vaca, el niño Jesús, los dos ángeles. Fue el Retablo del Nacimiento y no sé muy bien cuál era su papel: podía ser el niño Jesús, pero también podía ser un ángel. Lo que estaba claro era que Bercedes era la vaca, y que yo podía ser cualquiera de las figurillas restantes. Sobre todo el *caganer*.

Los vorticistas, en aquel momento, estaban lejos de mis pensamientos, y restregándome borracho con la Profunda casi se me habían quitado de la cabeza. Pero, por supuesto, cuando Johnny Cactus entró, andando sobre las aguas, los pulmones se me enredaron como ovillos desordenados de lanas Katia. Aparté a Bercedes, que se puso bien el jersey y me miró con cara de sorpresa.

Antes de llegar, sin embargo, Johnny Cactus interrumpió un momento a los dos tipos que me sonaban y les dio la mano a ambos. También señaló a la fiesta, y los dos miraron hacia alguien; era el tipo feo de la otra noche, extrañamente popular a pesar de su feúra y mala conversación y chaqueta de cuero cruzada.

–¡Pànic! –dijo el Cactus al llegar a mí–. Qué alegría. Llego del monte y eres casi lo primero que me encuentro. Realmente, el mundo es un armario. ¿Nos permites? –Esto último lo dijo mirando a Bercedes, que oscilaba de un lado a otro indignándose por momentos, como un pequeño troll vejado.

–Soy amiga de la anfridriona, gapullo. ¿Quién goño eres zú?

–Yo soy el que trae las drogas; por tanto, mi importancia

supera la tuya. Estoy seguro de que tus amigos prefieren drogas en la calle que no-drogas aquí. Yo gano. Pero no quiero ser maleducado, así que si la anfitriona me lo ordena, me marcharé.

Bercedes se lo pensó durante un segundo, mirándonos alternativamente al Cactus y a mí.

–¿Gué drogash? –dijo al final.

–Anfetamina pura, querida. Y cocaína de calidad. Pregúntale allí al Cansao; es el heavy contrahecho rodeado de amazonas. Tú estás invitada, eso no hace falta decirlo.

Bercedes se marchó haciendo meandros, después de gritar:

–¡Adiósh, Juan Tirado! –Yo me sequé la oreja con la manga de la trenka.

–¿Cómo te ha llamado? –dijo el Cactus.

–Ni preguntes. –Iba a borrarme el teléfono de la mano pero algún instinto precognitivo me hizo dejarlo ahí.

–Bueno, al fin solos –dijo, poniéndose bien el flequillo y echándome una mano al hombro–. Oye: ¿qué tienes ahí en la ceja? No me jodas que has vuelto a encontrarte con nuestros amigos de delante de la facultad.

–Nada que ver. Accidente doméstico.

–Ja. *Accidente doméstico*. Eso es lo que suelen apuntar en los partes médicos cuando alguien va a urgencias con algo incrustado en la zona rectal. Una botella de coca-cola o un martillo. No te creerías las cosas que la gente se introduce por ahí.

–Lo mío es un accidente doméstico de verdad –contesté, algo molesto y medio borracho aún. Aunque la lengua de Bercedes, la verdad sea dicha, me había refrescado la mente.

–Una berenjena en el *anus* también –bromeó él. Decidí cambiar de tema, antes de que se me escapara la verdad sobre mi ceja.

–¿Quiénes son esos dos que has saludado? ¿Y quién es el tipo que estaba en la barra el otro día conmigo, ese de ahí? –señalé con el dedo.

–Baja el dedo –ordenó, y yo obedecí–. Ése es el Cansao, un

colaborador nuestro. Los otros dos son sólo un par de conocidos y clientes ocasionales.

–¿Cómo se llaman? –pregunté curioso mientras recogía el gin tonic del suelo.

El Cactus dudó un instante si decírmelo o no.

–Uno se llama Julián –respondió al fin–, y trabaja en una librería de segunda mano. El otro es un amigo suyo, se llama... ¿Cómo se llama? Kiko Amat, eso.

–No imaginaba que tuvieses un círculo de amistades tan amplio –le dije, a la vez que me terminaba la bebida de un sorbo sonoro. Creo que estaba sintiendo un extraño acceso de celos. Los celos se agarraron de mis piernas como niños hambrientos. Reclamando atención, reclamando alimento.

–Bueno, Arturo y yo somos menos reclusivos que Elvira y Marco. Al contrario que ellos, nosotros dos necesitamos algo de contacto con el mundo real. Aparte de que alguien tiene que acompañar al Cansao de vez en cuando en sus viajes de negocios; no queremos que empiece a actuar con demasiada independencia.

–Entonces, ¿vendéis anfetaminas? –pregunté al fin–. Tanto misterio para eso.

–Pànic, querido, ése es sólo un medio para conseguir dinero. Y, además, damos una droga que está en consonancia con los tiempos que corren. El éxtasis arrasa, pero no se corresponde con la realidad: son tiempos de pocos heroicismos, de valentía entre cojines de satén que no quiere levantarse. Tenemos a un partido de extrema derecha en el gobierno y a nadie le importa. Vivimos tiempos violentos; no es el momento para la droga del amor. Son tiempos que requieren agresividad y nervio, y estamos repartiendo drogas agresivas y nerviosas.

Le miré un instante. Tenía los ojos muy abiertos y las mandíbulas tensas; creo que ya se había tomado sus anfetaminas.

–Mira –le dije al fin, sacando coraje de los bolsillos–. Necesito que me digas qué pasa. No puedo ayudaros sin saber quiénes sois y qué queréis. Y no me digas que es demasiado pronto.

–Esa curiosidad te salvará la vida algún día –dijo, apuntándome con el dedo índice–. O te la arruinará, claro. La teoría funciona de las dos maneras. Desgraciadamente, como bien has apuntado, no puedo contártelo aún porque es demasiado pronto para ti. Es una simple medida de protección: hacia nosotros y hacia ti mismo.

Se me hizo un diminuto nudo en la garganta. El nudo complicado de la exclusión, el doble nudo del sentirse separado del núcleo por vallas y muros.

Los ingleses tienen una palabra para eso, que ya dije: *rejection*.

Me miré los zapatos en un nuevo ataque imparable de hipotermia emocional. Cuando Johnny Cactus volvió a ponerme la mano en el hombro, levanté la mirada.

–No desesperes. Ya te llegará el momento; eres demasiado impaciente. Mientras tanto, vamos al lavabo, podemos charlar mientras nos estimulamos artificialmente. ¿Has tomado speed alguna vez?

Dije que no.

–Te encantará.

Pensé que lo de Rebeca se había hundido como un plomo, así que daba igual lo que hiciera, que me pillara borracho, drogado o sodomizando a su padre en el lavabo. Abandoné toda esperanza con Rebeca y decidí quitármela de la cabeza para siempre, borrándola de mis recuerdos con Tippex y aguarrás.

–¿Y el Cansao? –pregunté, siguiéndole.

–El Cansao no es uno de los nuestros, Pànic –me dijo sin volverse–. Tan sólo mira esa chaqueta de cuero. Es prescindible. Hoy le utilizamos, mañana no. Es sólo una herramienta que necesitamos para mover un determinado engranaje.

Asentí con la cabeza, aunque Johnny Cactus no me vio. Pensé en mi débil posición en el engranaje. Pensé si yo era un nuevo Cansao. Pensé si yo era de los suyos.

–Es un destornillador barato –añadió. Y cuando hubo hablado me di cuenta de que un escalofrío de expectativas y miedo me estaba recorriendo el cuerpo, de los pies a la cabeza, como un baile de San Vito que nadie pudiese parar.

Cuatro horas después, cuatro horas que me parecieron quince minutos, estábamos sentados en el mismo mirador de Collserola que el primer día. El sol era aún un sputnik flotando en el mar con medio caparazón fuera.

Cuatro horas antes, el Cactus estaba en el lavabo de Rebeca arreglando un par de gordas líneas de polvo blanco sobre su cartera. Las líneas habían salido de un montón de algo parecido al yeso que llevaba en una bolsita de plástico. Con un carnet seleccionó un par de cantidades, y las cantidades se volvieron filas indias de polvos.

Hizo un tubo con un billete y me lo dio. Me agaché y aspiré por una parte de la nariz y creo que no lo hice mal. El polvo picaba algo, pero sin doler.

–¿Es esto cocaína? –Johnny hizo lo suyo y luego levantó la cabeza.

–No. Es speed, ya te lo dije. La cocaína no está mal, pero no deja de ser una droga de sobremesa. Si lo que quieres es resistencia, nervio, filo y gran subida, el speed es para ti. Limpio y duradero, sobre todo.

El polvo ya en el interior de mi nariz, sorbí, tapándome el orificio opuesto con un dedo. Una bola de polvo me rodó por la garganta, deshaciéndose. Era un sabor amargo, de aspirina masticada.

–¿Tarda mucho en hacer efecto?

–Unos veinte minutos. Exactamente lo que la cocaína tarda en subir, bajar y desaparecer para siempre; ése es el trampolín que el speed requiere para entrar en tu organismo y quedarse allí durante unas cuantas horas. Pero no te preocupes por el tiempo. Ya verás que, de speed, el tiempo deja de tener importancia.

Cuatro horas después estábamos en Collserola, y el Cactus se las había arreglado para hablar todo el rato y no contar nada preciso. De su boca salían sólo vaguedades, destellos, códigos a medias, jeroglíficos borrados por la erosión de la arena.

De lo que me dijo extraje algunas pobres conclusiones. Me pareció que hablaba de algo grande, algo que iba a ser provocado por ellos. Me pareció que no estaban solos, aunque nada concreto reforzaba esta impresión. Que eran legales e ilegales a la vez, como la sociedad secreta que aventuré al verles por primera vez. Mi posición, por otra parte, oscilaba dependiendo del momento: a ratos me sentía incluido, a ratos fuera.

Intenté leer entre líneas, pero al momento me di cuenta de que, para hacerlo, primero hay que haber encontrado esas líneas.

El nervio de la anfetamina hacía que la mandíbula me rechinara, un reflejo que traté de tapar masticando chicle furiosamente, y los dedos de las manos se retorcían y los puños se cerraban con independencia de mis pensamientos. Era una sensación gloriosa, difícil de describir, de adrenalina y velocidad y emoción. Todo cobraba sentido, pese a que en realidad no tenía la menor idea de en qué me estaba metiendo.

–¿No tiene nombre, esta sociedad secreta? –pregunté mordiéndome el labio, recordando de repente lo que no había preguntado aún.

–Ni la sociedad ni el grupo –dijo, apoyado en su Vespa amarilla.

El grupo sí, pensé. Los vorticistas.

–Aunque a veces, medio en broma, la llamamos IIMM.

–¿IIMM? –pregunté, mascando chicle con estrépito.

–La Insurrección Invisible de un Millón de Mentes.

Yo le miré en silencio.

–Como el libro de Alexander Trocchi –añadió mirando directamente al sol–. Pero no es oficial. Nada lo es.

Elvira era la mujer que desaparecía; ése era uno de sus talentos. Sentada en una mesa, mientras los demás hablaban, tenía un truco para no estar. Generalmente, la gente deja el cuerpo en la mesa y manda la mente a paseo. La imaginación es un vapor, es una pluma sin peso que puede soplarse lejos.

Pero ¿un cuerpo?

Hecho de pesados huesos rellenos de buen calcio, pulmones con alvéolos a rebosar de sangre pastosa, cartílagos irrompibles como plástico de hacer juguetes. Un cuerpo no puede echarse a volar así de fácil. Un cuerpo empuja hacia abajo, porque su lugar natural es la tierra y, desconectado de la mente, quién sabe adónde iba a marcharse. Podría perderse, irse lejos y no saber regresar.

Pero Elvira era la Mujer Invisible. Para imaginarlo hay que pensar en términos de *comic-book*. La Mujer Invisible: esas líneas interrumpidas que forman un escudo gigante de invisibilidad, y detrás está Elvira. Allí, sin estar allí. Escuchándolo todo tras el escudo de la línea de puntos.

Elvira nació pelirroja en Bellvitge, la ciudad dormitorio de las afueras de Barcelona que parece un gran despliegue de dominó proletario. Allí comenzó a desarrollar su talento para desaparecer. Andando sin cuerpo, para que nadie le gritara has tomado el sol con un colador en la cabeza.

Después de una pelea con sus padres respecto a su nuevo novio, Elvira llenó una bolsa de ropa y se marchó. Había leído sobre Elvira Madigan, y que tuviesen el mismo nombre le pareció demasiada coincidencia.

Elvira Madigan era una equilibrista que se suicidó en 1889 junto a su amante, un desertor del ejército sueco. Su relación no era bien vista en Escandinavia en aquella época, así que huyeron a las montañas y fueron felices hasta que les encontraron. Cuando vieron que tenían que decidir entre volver a una sociedad que les rechazaba o ser fieles a lo que sentían, se suicidaron juntos.

Hay una película sueca que se titula *Elvira Madigan*. También hay una canción dedicada a ella. Está en el disco de un grupo de folk inglés llamado Mr. Fox. El estribillo de la canción dice:

Se diría al verlos que eran como niños de ojos dorados
Abandonaron la salud y la fama por lo que más querían
Que Dios ayude a Elvira y a su amante
Que Dios ayude a todos los que intentan realizar sus sueños.

Elvira y su novio también se fugaron a la montaña. Se escondieron allí y fueron felices hasta que les encontraron. Para entonces Elvira había cambiado de idea respecto a Elvira Madigan. Le encantaba la historia, pero el final le parecía estúpido. ¿Matarse porque la gente es gilipollas? No tiene ningún sentido. Si los idiotas mancillan a los puros (esto es una ecuación muy simple, pensaba Elvira), ¿quién merece morir? ¿Los idiotas o los puros? No le llevó mucho tiempo decidirlo.

Así, se resignó a las dos bofetadas que siguieron a su regresar, fue al hospital a ver al novio –los hermanos de Elvira lo habían desmantelado a golpes–, se despidió de él y luego envenenó a toda su familia con Domestos.

Después, al igual que el Cactus, Elvira se unió a los vorticistas. Nadie volvió a verla. Al contrario que el Cactus, Elvira no se cambió el nombre. No veía razón alguna por la que cambiarse un nombre tan bonito. Tan lleno de significados.

Desde entonces, si se dejaba, se la podía ver junto a los vorticistas, su pelo color butano hecho un surtidor de zanahorias en una cola de caballo.

Y, a veces, cuando mandaba a su cuerpo a pasear, aún recordaba la estrofa de la canción de Mr. Fox:

Se diría al verlos que eran como niños de ojos dorados
Abandonaron la salud y la fama por lo que más querían
Que Dios ayude a Elvira y a su amante
Que Dios ayude a todos los que intentan realizar sus sueños.

LIBRO CUATRO
REBECA

Me compré una bufanda.

Era negra con dos rayas de colores, una azul y otra amarilla. Era el tipo de bufanda universitaria inglesa que llevaban el Cactus y Marco Cara, y me llevó un tiempo encontrarla. No era el tipo de bufanda que se encuentra en cualquier tienda.

Finalmente encontré una casi nueva en una tienda de la calle Riera Baixa. Llevaba aún la etiqueta del antiguo dueño cosida en un extremo: Scott. Eso me alegró.

Había pasado un mes desde que encontré al Cactus en la fiesta de Rebeca y él cerró los labios guardándose sus secretos. Escondiéndolos como vientos de tiendas de campaña, o cables de generadores, para que yo no tropezara con ellos por error.

Con todo, durante aquel mes empecé a adaptarme a las rutinas de los vorticistas. Observándoles, sentado en sus conversaciones, recibiendo sus llamadas, comencé a encajar en sus esquemas.

Durante aquel mes bebimos mucho. Beber era un factor vital de sus dinámicas; me gustaba. También, como era de prever, me aficioné a las anfetaminas. Sólo las tomaba, de momento, por la noche y cuando me invitaba alguno de ellos. Aún no tenía suministro propio, pero esperaba con ansia el momento de tomarlas y notar esa ola de emoción imparable que inundaba cada músculo, cada neurona, cada aliento.

Muchas de las noches de aquel mes, cuando octubre acababa y noviembre despegaba con fríos nuevos, nos encerramos en La Costa Brava o en casa de alguno de ellos para beber y hablar y escuchar discos y tomar speed. Solía ser la misma casa, la de Johnny Cactus, que yo veía por primera vez pese a que estuve a sus puertas el día en que robamos todas las anfetaminas del Hospital Clínic.

Mi situación había cambiado y no había cambiado, al mismo tiempo. Aunque aún se me consideraba en pruebas, había rutinas en las que se me incluyó completamente. Yo notaba que, pese a lo reciente de mi inclusión, empezaban a considerarme un prototipo de amigo, en pruebas, la primera maqueta de algo que (si los tests no fallan y el montaje es el adecuado) puede acabar siendo sólido e intenso.

Por otro lado, los misterios permanecían como el primer día. Los susurros, las miradas envueltas en papel protector, inmunes a mi atención, los cambios de tema, los apartes para que no escuchara. A veces, eso me llenaba de tristeza e indignación; otras veces me conformaba con las rutinas en las que sí participaba.

El piso de Johnny Cactus estaba en la calle Cardener, en la parte superior de Gràcia. Curiosamente, todos parecían vivir en el mismo barrio; la casa de Marco Cara, que nunca vi, estaba en la Plaça del Respall; la de Elvira estaba cerca de la Plaça del Nord; y Arturo Grima vivía en Bruniquer, muy cerca de Lola.

Johnny Cactus vivía en un ático espartano, sin la común suciedad que suele acompañar los habitáculos de gente de su edad. La única decoración eran las camisas, que el Cactus utilizaba como cuadros, colgando de clavos por la casa, como coloridos tapices de años pasados. Había algunos discos y libros, filas de zapatos en estanterías y un único póster de Pharoah Sanders, que era el músico favorito del Cactus.

A veces íbamos allí cuando el día terminaba, o cuando nos

echaban de La Costa Brava. Escalábamos al ático del Cactus y escuchábamos discos de Blue Note y Prestige y teorizábamos surfeando sobre aquel mar picado que era el ir de anfetaminas. Yo aún no hablaba mucho, pero soltaba mis teoremas de vez en cuando, a toda prisa, chicle y mandíbula en ristre, aún atrapado en la costumbre que adopté desde pequeño de cerrar el pico para que la gente no me tomara por loco.

Una costumbre obsoleta, porque la situación había cambiado completamente. No sólo se toleraban mis reflexiones febriles, sino que además eran envalentonadas. Como en todas las rutinas después de un cambio radical, al cabo de poco me parecían normales los síntomas de total pérdida de razón. El buque se da la vuelta y abajo es arriba. Las mesas están en el techo, como en esa mala película de naufragios, *La aventura del Poseidón*, y más vale adaptarse a la nueva situación y empezar a comer en el techo. Porque el techo ya es el suelo.

En una de aquellas noches, una noche seca y bastante fría de mediados de noviembre en la que nos apretujamos en su ático, el Cactus me contó su visión del mundo, que yo deduje era la visión del mundo de todos los vorticistas.

–Creo que sólo hay dos maneras de vivir en este mundo –me dijo.

–¿Cuáles son? –dije yo.

–Siendo anarquista y hedonista, sin concesiones –dijo él.

Asentí. De fondo, y muy significativamente, sonaba «The creator has a masterplan» de Pharoah Sanders. Esperé a que continuara, y al final continuó. Pero no como yo quería.

–Eso es todo. Siendo anarquista y hedonista, sin concesiones –repitió–. No hay más que hablar. –Se bebió su gin tonic de un golpe, se levantó y se largó.

Me quedé en silencio, con los ojos bien abiertos, sin saber qué contestar, a solas.

Elvira se acercó riendo, sin ojos.

–No habrás entendido alguna parte. ¿Qué parte no has entendido? –bromeó. Se sentó en el suelo a mi lado, y llevaba sus mallas negras y su jersey de cuello alto negro. Al contrario que los demás, Elvira vestía siempre igual. No sé si tenía muchas prendas de idéntica forma y color o siempre llevaba la misma.

La miré muy fijamente. En sus mejillas, cientos de pecas se agrupaban en continentes nuevos, en islas por descubrir. Tenía los ojos de oro, como en la canción. Un marrón dorado, deslumbrante, como una mirada de cofre del tesoro.

–No le hagas mucho caso al Cactus –me dijo al oído–. Es un todo-o-nada.

Luego añadió que iba a atizarse un par de rayas de metanfetamina y que si quería acompañarla. Dije que no, gracias, y ella marchó hacia el lavabo. Menuda y escuálida, rojiza y nerviosa como una gamba, solemne y loca al tiempo.

Es curioso. La estaba mirando irse cuando volví a darle vueltas al tema de mis *Razones para ser optimista* con Rebeca.

A pesar de mi fascinación por las dinámicas invisibles de Elvira, no podía dejar de pensar en Rebeca, en todo lo que había ido pasando desde la fiesta de mi ridículo, en lo que pensaba decirle cuando lograra hablar de nuevo con ella.

«Sé que esto que voy a decir sonará estúpido», empezaba mi primera frase.

Ahí, sentado en el suelo del Cactus, con todo el speed circulando presuroso por los capilares de mi cerebro, me di cuenta de que no podía sacarme a Rebeca de la cabeza, maldita sea mi estampa.

Las *Razones para ser optimista* con Rebeca se me habían ocurrido un mes antes. Había pasado tan sólo un día desde aquella fiesta terrible cuando la parte positiva de mi mente regresó de los abismos. Como un yoyó, como un bumerang, volvió a mí el optimismo y comencé a ver los eventos del día anterior bajo una luz distinta.

Estaba bebiendo té en casa de Lola, en calcetines, aislado del octubre paliducho y temprano que comenzaba puntual tras las ventanas, escuchando a Betty Lavette en el tocadiscos, cuando se me ocurrieron cuatro cosas importantes.

Una.

Había que subrayar la vuelta de Rebeca al balcón con las dos cervezas. A pesar de mi torpeza mayúscula, Rebeca había decidido hacer las paces y quedarse a beber y charlar conmigo. Ahí había una voluntad de paz que no podía ser ignorada. Eso significaba, sin duda, que había algo en mi persona por lo que ella había decidido ignorar mis comentarios de cretino. Algo en mí que era tolerable, apetecible incluso, reutilizable. Como un vaso de Nocilla.

Es cierto, cuando salió al balcón me encontró casi copulando con una sardina gigante, pero aun así. Aquella voluntad existía, y si existió una vez no había razón para pensar que no pudiese repetirse.

Dos.

La otra parte que me había hundido (el «cariño» de Luna y su mano en el bolsillo trasero de Rebeca) no significaba nada, en realidad. Podían haberse liado aquella misma noche. Podían haberlo dejado aquella misma noche. Podía ser la sombra de un lío anterior. Podía ser una expresión de apego fraternal; mi tía abuela Àngels también me llamaba «cariño» a veces. El mundo está lleno de gente que lo dice a diestro y siniestro: pescaderas. Tías pesadas. Madres. Amigas feúchas.

Pero la mano. La mano sí era una prueba de más sustancia y que implicaba algún tipo de relación no fraternal, y aquello me llenaba de rabia animal. Cada minuto que pasaba podía estar con él, siendo cariñeada, sin siquiera pensar en mí (después de lo que había pasado a lo peor me había eliminado de su lista de posibles) y, por tanto, sin sentir el menor remordimiento por mi situación desesperada.

Pero un momento.

Prometí pensamientos positivos, y me estaba dejando llevar por el negativismo ciego de los celos estériles. Espumarajos de rabia se acumulaban en mis mejillas como merengues recién hechos. Debía pasar a la tercera cosa de inmediato.

Como dicen los ingleses: *move on*.

Tres.

Memoria histórica. Un acto malo no deshace dos actos buenos. En su fiesta me hundí como un gángster con los pies en cemento, no lo niego, pero en los días anteriores Rebeca me miraba con muy buenos ojos. De hecho, había sido ella la que tomó la iniciativa, me invitó a su fiesta, pasó por alto mi catastrófica actuación en el bar. ¿Y todo eso por qué? Una cosa estaba clara: Rebeca se había interesado por mí de una manera que implicaba la voluntad arquitectónica de levantar algo mayor.

Cuatro.

Labios mullidos y acolchados y confortables. Trenzas. Sonrisa de sandía. Pechos estratigráficos. Ojos grandes y negros como aceitunas andaluzas. Razones de peso.

Así, cogí un trozo de papel y apunté:

Razones para ser optimista.

Y debajo:

1. Voluntad de paz. Regreso al balcón.
2. Semántica coloquial: usos del «Cariño» (en mayúsculas puse, por si se me olvidaba: NO SIGNIFICA NADA).
3. Recuerdos pre-fiesta. Avanzadilla flirteante de Rebeca en la facultad (entre nuevos interrogantes puse: ¿Intenciones serias?).
4. Rasgos físicos agradables.

Chupando el bolígrafo, sentado en la cama con la voz de Tammi Terrell como única compañía, decidí llamar a Bercedes de inmediato. Debía seguir la migración de la rémora para llegar al delfín.

La conversación fue muy parecida a lo que voy a contar. Primero marqué su teléfono; no hay que olvidar que me lo había apuntado en el dorso de la mano y algo, algún gesto atávico de supervivencia animal, me hizo conservarlo hasta la mañana siguiente. Tuve algún problema descifrativo, porque la muy beoda había escrito unos seises y cuatros que parecían churros y porras madrileñas. Pero al final opté por una combinación razonable y marqué su teléfono y (sorpresa) era ella.

La conversación fue así:

–¿Mercedes?

–¿Sí?

–Soy Pànic. Pànic Orfila. Nos conocimos...

–¿Quién?

–Pànic, te conocí en la fiesta de...

–¿Pànic? ¿Qué clase de nombre es ése?

De repente me acordé.

–Juan Tirado. Soy Juan Tirado. ¿Te acuerdas ahora? –dije, riendo con el creeeek insufrible de una uña en una pizarra. Reí como una hiena empalada viva en un asador.

–No. ¿Dónde dices que nos conocimos?

–En la fiesta de Rebeca. En su casa.

Soltó una risa sofocada que intentaba ser seductora pero sonó a quejidos de sapos pisoteados.

–¡Ay, sí! Cómo no voy a acordarme. En el lavabo. Aún me escuece el...

–Ése n-no era yo –la interrumpí tartajeando.

–¿Cómo?

Silencio embarazoso entre los aparatos. Espacio en blanco. Páginas de cortesía.

¿Cómo digo esto ahora? Me decidí por la via rápida:

–El que... El que te hizo escocer. El escocedor. No era yo.

–Entonces, ¿quién coño eres y cómo tienes mi teléfono, tío? –Sonaba irritada.

Le conté, sonrojándome a solas, las intimidades que estaba tratando de evitar. Una lucecita de reconocimiento parpadeó en sus palabras. Al final me recordó, si bien vagamente y llamándome «el raro» (ella parecía un feto pisciforme y «el raro» era yo, así es el mundo), y me preguntó qué tal estaba.

–Bien –le contesté, e inmediatamente, a bocajarro–: La verdad es que te llamo para pedirte el teléfono de Rebeca.

Esperaba que fuera a ponerse como una fiera corrupia, pero no lo hizo; las feas son el animal más resignado de la naturaleza. Tanto tiempo sobreponiéndose al desagrado físico que despiertan crea en ellas un *je ne sais quoi* estoico que las hace capaces de soportar cualquier cosa, por espantosa que sea. Bercedes me dio el teléfono y añadió que seguramente no podría hablar con Rebeca. Pregunté cuál era la razón, intrigado.

–La llamé ayer y estaba de un humor de perros. Me contestó todo el rato con monosílabos, y cuando le pregunté qué tal se lo había pasado en su fiesta, me dijo que *gracias a mí* muy bien. Con ese tonillo.

Mi corazón empezó a bailar breakdance acrobático entre las costillas. Molinos y trompos en el Bronx de mi plexo solar. *Poppin'* y *lockin'* en el Esternón Club.

–¿Qué tonillo? –pregunté, con voz temblorosa de papel agitándose al viento.

–Un tono sarcástico. Como si quisiera decir que *yo* le había jorobado la fiesta.

Quise bailar y cantar. Quise llamar a los vorticistas, pero no sabían nada de todo aquello y no sabía si contárselo. Oh, Pànic, agente secreto vorticista, guerrero-poeta del mañana. Una vez más, alguien se ha desmoronado ante ti. Alguien se ha postrado ante tu imagen semidivina. Alguien ha bebido del cáliz de hidromiel de tus palabras zalameras, oh, Pànic. Todo el sufrimiento de tu vida valió la pena, Pànic. Mírate ahora. Por Dios, mírate, cabalgando a lomos del corcel plateado del triunfo amoroso.

Era obvio: Rebeca se había enfadado con el feto lovecraftiano porque se la había encontrado manoseada por mí. Por mí, ni más ni menos. ¿Qué otra razón podía haber para aquel comportamiento sino un brusco e incontrolable ataque de celos?

–Celos de mí –repetí a media voz.

–¿Qué decías?

–Nada. –Otra vez–. Gracias por el teléfono.

–Oye: si hablas con ella dile que me llame, que no entiendo nada. ¿Vale, Juan?

Reprimí una carcajada. Colgué, agarré el bolígrafo y rehíce la lista de *Razones para ser optimista.* En el primer lugar, puse ahora:

1. Celos.

Y al lado, en grande, añadí: *DE MÍ.*

Más llamadas. Casi no me había dado tiempo a colgar el teléfono de Bercedes y ya estaba llamando a casa de Rebeca. Fue un acto casi simultáneo que realicé empapado en sudor. Aún no me había dado tiempo a bosquejar un esquema de conversación telefónica con ella, así que no sabía muy bien lo que iba a decir.

Sí sabía que debía disculparme un millón de veces. Despotricar de Bercedes. Culpar a las anfetaminas y al alcohol. Justificar mi comportamiento irracional con la excusa de los nervios. Y, si se terciaba, confesar mis sentimientos nacientes, unos sentimientos que berreaban como bebés recién nacidos, y suplicar otra oportunidad.

Y, sobre todo, no mencionar a Ignacio Luna. Aparentar que no existía. Borrar su persona, arrancarla de la página con gomas y cuchillas de afeitar antiguas. No era el momento para ponerse quisquilloso con el bolsillo trasero de Rebeca, aún fuera de mi jurisdicción. Ya llegaría el momento de hacer preguntas y situar a Ignacio dentro del cuadro general y fuera de aquel bolsillo.

Por desgracia, aquel día nadie contestó al teléfono.

Eso trajo consigo una noche de insomnio, de leerme entero un farragoso tratado sobre el juego como función humana esencial *(Homo Ludens*, de Johan Huizinga), tomando apuntes y colocando Post-Its. También traté de masturbarme sin ganas y sin pirámides –se me había pasado esa obsesión concreta–, consiguiendo tan sólo quedarme dormido con la cosa en la mano.

Ésa es una de las imágenes más tristes que puede dibujar un hombre. Despertar, lleno de confusión y legañas áridas, y encontrarse ese hámster muerto en la mano, encogido, sin vida. Recé por que Lola no hubiese entrado en la habitación y me hubiera visto de aquella manera indigna.

Por fortuna, al día siguiente sí contestaron al teléfono. Llamé inmediatamente después de que Lola se hubiese marchado, sin decir palabra aún, a trabajar. Eran las diez y media de la mañana y hacía un frío gris, apagado, que descoloría las paredes y las caras. Eché vaho en la ventana y, con el dedo, no sé por qué, tracé la forma de unos genitales masculinos. Luego subí la calefacción y llamé a Rebeca. Al aparato se puso una voz tan afectada y teatral que parecía fingida.

–Buenos días –dije–. Soy... –Dudé un milisegundo sobre qué nombre decir. Se me había pasado por alto buscar otro alias convincente durante la larga e insomne noche–. Johan Huizinga –dije al fin, aliviado sin razón.

–Dígame, señor... –dijo la señora, dudando–. ¿Señor Huizinga?

Tosí.

–Voy a la clase de Rebeca. La llamaba para que me dejara unos apuntes.

–Lo siento, pero Rebeca no está. Yo soy su madre.

–Vaya. ¿Podría entonces decirme cómo contactar con ella, por favor? –pregunté con el tono más azucarado que pude. Apliqué bollos y crema encima de mi tono.

–Lo siento, pero va a ser difícil. Se ha ido a Londres de viaje. No volverá hasta el veintidós de noviembre.

Dudé un momento. ¿Debería preguntar si se había ido con Luna? El mero pensamiento me hizo temblar de odio.

–Claro, qué tonto. Rebeca ya me lo había dicho. Se iba con Ignacio, ¿verdad?

–¿Ignacio? No, Ignacio está por aquí. Ayer mismo llamó para preguntar por ella. Rebeca está de viaje con su padre.

De nuevo quise brincar y gritar por las ventanas, pero hacía demasiado frío. Le deseé unos buenos días y colgué.

Sin triunfalismos, me dije, pero fue imposible. Viejo zorro Pànic, maestro de los recovecos del romance. Oh, Pànic. Haber besado todos esos labios-futones. Tener esos ojos punzantes que arrebatan amores casi marchitos en manos de imbéciles, tener palabras que obligan a la gente a huir, a salir en viajes improvisados para escapar de su influjo. Sí, Rebeca seguro dijo: Tuve que partir. A cualquier parte, el destino no importaba, tuve que huir para escapar del influjo implacable, varonil, de Pànic Orfila.

Mis pensamientos frenaron, marcando el suelo con un chirrido humeante. A pesar de mi victoria, no me gustaban las confianzas de Ignacio Luna, llamando a Rebeca como Pedro por su casa. No me gustaban nada. ¿Qué se creía que...?

No-no-no-no. Decidí al instante hacer desaparecer eso de mi mente, meneando las manos delante de mi cara, espantando avispas de la memoria. Lo básico era que me dieron una prórroga para idear un plan, y no debía desperdiciarla.

Puse una canción de Jackie Wilson («The girl turned me on») a volumen considerable y celebré aquella tímida victoria, aquel intermedio esperanzador, con unos cuantos pasos de baile abatraciado que, sin embargo, me supieron a gloria.

Existe un tipo de calma que no se parece a ninguna otra. Es la calma del saber que algo escapa a nuestro control y ninguna acción va a influir en su desarrollo. La calma del hecho consumado, del viaje irrealizable, del sueño imposible.

Durante los días restantes de aquel noviembre, esa calma me dijo que la situación con Rebeca sólo podía solucionarse esperando su vuelta. Claro que existía la tentación de llamar a su hotel, de volver a llamar a su madre, pero vencí todos esos impulsos, sabiendo que un nuevo error podía ser fatal.

Un nuevo error, y la clemencia ante mi caso volaría como un olor fugaz. Un olor de hervidos de casa pobre, un olor aguado que ni tan sólo deja constancia de su paso.

Así, me dediqué a mi Club de la Agitación particular. Comencé a ayudarles a vender las anfetaminas, a veces acompañando al Cansao, a veces yo solo, a veces con el Cactus o Arturo. Me acercaba a fiestas universitarias, o a veces esperaba en La Costa Brava; al cabo de unas semanas todos los asiduos me conocían. En los bolsillos llevaba siempre Centramina y speed. El segundo, quizás por la liturgia de hacer las rayas, apretujarse en lavabos, hacer el tubo, aspirar en orden, parecía más popular. Aumenté con moderación mi dieta de anfetas para mantenerme intenso en mi nueva vida como iluminado.

Mi relación con los vorticistas seguía sufriendo el trastorno de personalidad de los primeros días. Por un lado se iba afianzando, y me dejaban acercar a ellos lentamente, pasito a pasito. Por otro lado, no podía dejar de pensar que siempre había un destino no contado, un final oculto por el paisaje y las rutinas. Ocasionalmente se hacía referencia a planes a corto plazo, y no paraban de decir que en diciembre caería el «primer golpe». Entre susurros les oí murmurar que los detalles de la operación se revelarían cuando llegara el momento. Eso me preocupaba. Pensaba a menudo que todo aquello obedecía a un plan general que permanecía escondido, como cubierto por el escudo de invisibilidad de Elvira, y no podía imaginar de qué se trataba.

Empecé a acostumbrarme a no saberlo todo. Aquel ruido de espitas de gas conversando fuera de mi alcance no me hacía del todo feliz, no, pero lo cierto es que añadía aún más intriga a los días de esperar a Rebeca, y esa intriga se añadía al secreto de mi nueva vida. El secreto sí me gustaba, aunque mi vida se encaminara a un punto enmascarado, a una estación desconocida de nombre extranjero.

Andando por Gràcia, con la bufanda nueva de Scott y unos tejanos impolutos que me había comprado (unos tejanos a los que hice una vuelta cosida hacia fuera en los bajos, como llevaban Arturo Grima y el Cactus), me sentía a ratos misterioso y lleno, con una satisfacción recién levantada que asomaba la cabeza por debajo de las sábanas. Empecé a mirar mi situación con Rebeca de manera claramente optimista.

Y Lola empezó a hablarme. Primero lentamente, con monosílabos que ya no eran estrictamente logísticos. Luego con completa normalidad, como si yo no me hubiese caído nunca por las escaleras, ni me hubiese partido la ceja, ni hubiese gritado desnudo ante su amigo cataléptico.

La ceja, por otra parte, ya estaba curada. Había una línea en la que no crecía pelo, pero que a mí me parecía glamourosa. Todo me hacía sentirme como un gángster, y nunca pensaba cómo acaban los gángsters, porque no me gustaba ese pensamiento.

Las llamadas a mi abuela se redujeron, debido a mi nueva vida. Alguna noche tuve la tentación de llamarla, pero siempre me di cuenta de que las mandíbulas amenazaban con abandonar mi cara y retuve el control. Aun así, me las arreglé para seguir en contacto y hablar con Àngels una vez por semana, como mínimo.

Cada mañana tenía aún que simular que iba a la facultad, como hizo durante años Hug Ferrer antes de ser Johnny Cactus.

Cogía la carpeta y algún libro al azar –en aquel momento eran los ensayos de Alexander Trocchi– y me iba a dar vueltas, a leer en patios, a esperar a que me encontraran los vorticistas. Y siempre lo hacían. Era fabulosa la manera de toparse conmigo que tenían. Siempre sospeché que aquellos encuentros casuales eran en realidad parte de nuevos planes sumergidos.

Todos aquellos planes sin título, medio borrados con agua como carteles de circos pasados de moda, ilegibles. Todas aquellas películas empezadas, sin título, llenas de actores húngaros y tramas decapitadas, imposibles de ordenar.

A veces estaba tomando un café, leyendo un libro, silbando «Bernadette» sin pensar en nada, en un bar cualquiera, y uno de ellos entraba por la puerta como si fuese lo más normal del mundo, saludando y sentándose. Al poco tiempo me acostumbré de tal manera que me entristecía cada vez que no aparecían.

Aprendí mucho aquel noviembre, mientras esperaba a Rebeca; me gustaba pensar que, cuando ella llegara, se encontraría a un Pànic distinto. Había entrado a formar parte de un gang, y ahora me sujetaba fuerte a sus dinámicas, haciéndolas mías. Tenía que agarrarme con fuerza a ellos porque, exceptuando a Rebeca, todo lo demás era neutro, vacío y mediocre. Si dejaba de sentirme parte del grupo podía convertirme en uno de los otros, un *square*, un cuadrado socialdemócrata, una oveja, y eso me llenaba de terror. Cuadrado jamás, no, jamás.

Era el 22 de noviembre, un martes, el día del regreso de Rebeca, cuando decidí ir a comisaría. Habían llamado a casa dos veces, en los días anteriores, provocándome sendos ataques al corazón. En mis fantasías Rebeca encontraba mi teléfono de manera mágica y me llamaba desde Londres, y aunque sabía que eso era imposible, no podía evitar las taquicardias cada vez que sonaba el teléfono.

Habían llamado dos veces y tuve la suerte de que Lola no

estaba. Tratando de evitar que el tema se complicara, y que me mandaran una carta a casa –o peor, a casa de Àngels–, la tercera vez dije que iría, sí, que iría de una maldita vez.

Desayuné un café, me puse el jersey de cuello alto granate, los tejanos nuevos y unas sencillas botas safari, me envolví el cuello en la bufanda de Scott y salí a la calle arropado bajo la trenka gris. Estaba del mejor de los humores. Era el día que llevaba esperando durante semanas y, una vez hube vencido la tentación de llamar a casa de Rebeca tan temprano, salí a la calle con una aureola de grandes expectativas.

La comisaría estaba en Via Laietana, pero decidí ir andando. Era uno de esos soleados días de invierno en Barcelona, un día en el que, si pudieses sentarte en alguna plaza, el sol calentaría lo suficiente para arrancarte la chaqueta, y quizás el jersey, y tirarlos lejos. Quedarte allí mientras el sol mediterráneo se sienta en tu piel.

Mientras andaba Gràcia abajo, volví sin querer al tema de Rebeca. Lo gracioso es que, mientras empezaba a barruntar cuáles eran mis sentimientos nacientes hacia ella, me tropecé con Eleonor en un chaflán de la memoria.

Eleonor. El tiempo les quita hierro a las cosas, es verdad. Mis recuerdos con ella, ahora que habían paseado por varios calendarios de pared, guardaban distancia conmigo como las imágenes de una película. Como si fuese otro tipo el que se había derramado en sus mejillas, el que había llorado de mala traición. Y, de hecho, era cierto: aquel Pànic era otro. El Pànic de las navidades pasadas. El fantasma que tenía que venir alguna noche a hacerme pasear por recuerdos almacenados, en cajas, llenos de polvo, que no quería tener que usar otra vez.

Al fin y al cabo, seguía imaginando el futuro de Eleonor de la manera más patética posible: rulos, niños malcriados, un marido idiota, un pueblo inane. Verla convertida en una maruja irreversible me llenaba de un placer malsano. Oh, Pànic, saliste bien parado después de todo. TÚ acabaste en la Gran Ciudad misteriosa, viviendo una epopeya urbana mitológica, una Odisea triunfal rodcado de poetas guerreros, debatiéndote entre el amor de las cortesanas, arropado en visiones opiáceas, ensoñaciones épicas, mientras ELLA tuvo el peor de los finales. La claudicación, la espera a la puerta del matadero con la cabeza baja esperando el degüello, ah, la cobardía, la cobardía eterna de los hombres.

Bajé por Via Laietana decidiendo que llamaría a Rebeca en cuanto llegara a casa. Atrapé al vuelo la imagen de sus grandes ojos de ocarina, su cabello negro como un cosmos. Decidí, murmurando como un motor defectuoso, que en todo ese puzzle faltaba una opinión: la de Rebeca. Quizás ni tan sólo me recordaba ya. Quizás me consideraba un virus que debía evitarse, una epidemia de piojos picantes y molestos.

¿Pànic?, diría, haciendo un esfuerzo por recordar. Ah, sí, era un patán, diría, un chucho roñoso, pegadizo, que me perseguía por las calles pidiendo un hueso. Pobre Pànic, diría sin casi recordar mis facciones, le compadezco, esté donde esté, diría.

Ah, Rebeca, pero no te vas a librar de mí tan fácilmente. Porque –acababa de recordar el poema de William Carlos Williams– soy la acacia blanca, no sé si lo sabes.

Enuncié:

Soy tan persistente como la acacia blanca,
una vez admitida
en el jardín,
no te librarás facilmente de ella.
Arráncala de cuajo,
si una sola raíz, fina como un cabello,
permanece
volverá a brotar.

Y luego dejé de recitar a grito pelado, porque acababa de llegar a la puerta de la Jefatura de Policía y a cada lado de ella, como un Grifo y un Unicornio que guardaran las puertas de otro mundo, como experimentos de *La isla del Doctor Moureau*, había dos policías nacionales con cara de horribles pulgas.

Me puse bien la bufanda de Scott y entré en el edificio.

–Por-que-soy-la-acacia-blanca –canturreé en voz baja, como un niño loco y algo afeminado.

–No sé si te das cuenta de la gravedad de los hechos, chaval –me dijo el agente al que habían encargado el caso, y uno de los dos había leído demasiadas novelas de detectives.

«Agente».

«Caso».

Quizás, ahora que lo pienso, el que había leído demasiadas novelas de detectives era yo, pobre de mí.

Aquella misma noche Lola me había invitado a cenar a su restaurante favorito, como gesto de paz definitivo. Me lo había dicho por la mañana, mediante una nota colgada en la puerta del refrigerador.

Decía:

Querido Señor Escaleras Resbaladizas:

No hagas planes para esta noche, ninguno de tus planes, sean los que sean, pues nunca me cuentas lo que haces. No es que debieras hacerlo; sólo estoy subrayando un hecho. No me cuentas tus planes. Y eso está bien. No quiero saberlos.

Pero hagas lo que hagas, no lo hagas esta noche. Porque voy a invitarte a cenar a mi restaurante favorito, y allí podrás comer algunas de mis cerdadas catalanas favoritas: pies de cerdo, caracoles, riñones, *galtes* de cerdo y ojos de cabra.

OK. Este último era inventado, pero los anteriores no. Así, si te apetece comer partes extrañas de mamífero, sugiero que canceles tus planes secretos y vayas al restaurante Tordera a las 21.30. Yo pago, por supuesto.

Lola

Cuando llegué al restaurante, Lola ya estaba allí. Bebía vino y llevaba un jersey naranja que contrastaba con su piel morena. Me saludó con la mano desde la mesa, y sus pulseras étnicas hicieron dingui-li-ding-ding al chocar entre ellas.

Me sentía más o menos bien. Había llamado a Rebeca al mediodía, con las vísceras anudadas y sudores tibios, y me dijeron que su avión llegaba a las 23.30. La sensación de espera inevitable volvió a tomarme y pasé la tarde fantaseando y escuchando a los Delfonics. La espera tranquilizó mi cuerpo, agitado por otros vaivenes del día.

Ya en el restaurante, me senté en la mesa de Lola, quitando el flequillo de mi ojo de un cabezazo lateral, y la vi sonreírme por vez primera desde hacía días.

–Te has cortado el pelo.

–Bueno. Estaba harto del otro peinado.

–Nunca hubo un peinado, Pànic. Aquello era un felpudo. Una fregona. No es que te quedara mal, no digo eso. Pero no podía definirse como *peinado*. La palabra implica hacer el gesto de peinarse. Tú nunca utilizaste ese verbo, ¿verdad?

De pura vergüenza volví a cabecear con el flequillo, aunque para entonces éste ya estaba en su sitio, seguro como un vigía en un puesto de observación calmado.

–Bien, pues –dijo, y puso los codos en la mesa y apoyó la cabeza en los nudillos, mirándome–. ¿A qué se deben estos cambios? ¿Nuevas mujeres? ¿Nuevos misterios?

El camarero, un chico simpático con barba cerrada y cuidada, dejó las cartas.

Recordé el final de la mañana. El agente de la comisaría me

había enseñado unas cuantas fotos para que las identificara y había visto a Johnny Cactus, mucho más joven, pelo largo y mirada pendenciera de pijo-perro-rabioso, y también a Arturo Grima, cara de mamba negra a punto de intoxicar, el cráneo afeitado. Una corriente de baja intensidad me subió por la columna, ramificándose en cada una de las costillas. Tuve que suprimir un brrrrrr.

Dije que no conocía a ninguno de aquellos personajes sórdidos y miré al suelo, como casi siempre. Me dejaron ir a regañadientes, prometiendo llamarme otra vez.

Y minutos más tarde, estoy seguro de esto, subía por Via Laietana y vi al Cactus y a Elvira. Johnny Cactus estaba apoyado en la puerta de un bar con los brazos cruzados, y Elvira hablaba gesticulando con el movimiento continuado de una locomotora a vapor. Yo estaba al otro lado de la calle, y agité la mano para saludarles.

Y estoy seguro de esto, Elvira se volvió hacia mí en un destello calabaza, y su boca dibujó un silencioso, mudo m-i-e-r-d-a. Estoy seguro de que me vio. El semáforo estaba en rojo, y los coches se interponían en mi línea de visión. Cuando hubieron pasado, ni Elvira ni el Cactus estaban allí.

El semáforo se puso verde y crucé la calle. Me acerqué al bar, intentando atrapar fantasmas, palpando el aire, el humo de correcaminos. Busqué en sitios inverosímiles, mirando hacia arriba, al cielo. Como si se hubiesen escapado volando.

En el restaurante con Lola, bebí un trago gigante de vino y me atraganté y tosí.

Hay más. Al mediodía, Elvira llamó a casa para preguntar por lo de la comisaría. Le dije que la había visto con el Cactus ante un bar en Via Laietana.

–¿Pero qué dices? –contestó en el auricular una voz sin nervios–. Ni siquiera estábamos en Barcelona esta mañana.

Reí, se me rompió la voz en seis trocitos del tamaño de copos de avena.

–¿Pero qué dices? –la imité, sin darme cuenta–, estoy seguro de que erais vosotros.

Me preguntó si estaba borracho. Le dije que no. Que la había visto claramente.

–Necesitas gafas, Pànic. De culo de botella de champán, a ser posible.

–No hay ningún misterio –le contesté a Lola en el restaurante. A nuestro alrededor, tenedores y platos empezaban una sinfonía catalana, optimista, que no quise escuchar.

De repente, se me hizo un nudo en la garganta por el que no pasaba el vino. Dejé el vaso en la mesa sin dejar de mirar a la mesa. Mis ojos se cubrieron de una capa de rocío matinal. ¿Qué me estaba pasando? ¿Era eso culpa, quizás, de los nervios acumulados? ¿Era sólo un torrente de anfetaminas, que volvían en sentido contrario? ¿O era un atisbo de alguna verdad, como la marioneta que descubre de repente un cable que surge de su brazo? Y, entonces, el mundo como lo ha visto hasta entonces debe cambiar. Debe ser reexaminado.

A la mierda. Bebí el vino restante de un trago y me dije: No hay nada que reexaminar. Me dije: Necesitas gafas, y ya está.

Lola me dijo, algo alarmada:

–¿Estás bien, Pànic?

–Estoy bien. –Y me sorbí los mocos y me sequé los ojos.

Lola puso su mano sobre la mía.

–Todo irá bien, ya verás.

–Ya está, de verdad.

Ella miró sobre mi hombro.

–Oye, hay un tipo en la puerta que está haciendo señas para que te vuelvas, me parece.

Me volví y vi al Cansao al otro lado del cristal, feo y agotado, gesticulando para que saliera, el cabello de su nuca moviéndose arriba y abajo como si llevara un mapache colgado de la grupa. Me disculpé con Lola y me levanté para ver qué quería el Cansao; pero antes tuve que secarme los ojos con la servilleta por segunda vez.

–Cansao –dije, cerrando la puerta detrás de mí. Empezaba a sentirme relativamente cómodo en el papel de gángster-dandi-anarquista glamouroso.

–Pànic.

Acabo de reparar en que, de todas las veces que le he mencionado, ésta es la primera que habla el Cansao. No era un tipo muy locuaz. Habíamos pasado bastantes noches murmurando sólo frases útiles del tipo va siendo hora de irse o quieres fumar.

–¿Quieres fumar?

–Estoy comiendo. ¿Qué pasa?

–Hay que mover esto. –Se señaló una mochila que llevaba en la espalda, medio oculta por su peinado de sombrero de Davy Crockett–. Johnny Cactus acaba de llamarme para que vayamos a una fiesta. De parte de Marco Cara.

No hay mucho que contar sobre el Cansao. Su pasado era fácilmente resumible: clase obrera, discos atroces de heavy metal, Polígono Gornal, novia en proceso de convertirse en el dirigible Zeppelin, chupa de cuero, calimochos en descampados, bambas J'Hayber, mecánico de coches, y ahora camello a sueldo de los vorticistas.

Le dije que estaba cenando, que fuera a la fiesta y yo me uniría a él luego. El Cansao solamente dijo: «Tranqui», como si quisiera recordarme que todo aquello no iba con él, que él sólo quería algo de dinero para volverse a su polígono, regresar junto a su inmensa gorda a una vida sencilla que nunca quiso, en realidad, abandonar.

–Me tomo una cerveza y vuelvo –añadió–. Cuarenta y cinco minutos.

Acabé de cenar con Lola, pensando que podía llamar a Rebeca desde alguna cabina del centro. La aparición del Cansao me había devuelto a la realidad, a lo cotidiano. Lola me agradeció que ya no dejara pirámides de papel tiradas por todas partes y luego esbozó una sonrisa burlona; yo le dije que había abandonado aquel hobby, de momento, forzando otra sonrisa. Bebimos algo de orujo de hierbas para terminar, Lola pagó y nos despedimos con un beso en la mejilla.

–Seguro que todo va bien, ¿verdad, Pànic? –preguntó, antes de marcharse, aún preocupada por mi arrebato.

–Seguro –mentí.

La fiesta era en el centro de la ciudad, en un local de la calle Tallers. Le pregunté al Cansao, que ya había vuelto de su cerveza, si prefería coger el metro en Fontana o ir en taxi, y él me miró sin hablar. Su peinado absurdo y su cara de Topogigio le añadían algo cómico a esa economía de verbos. Anduve un rato a su lado sin atreverme a decir nada hasta que el Cansao se paró al lado de una Vespa primavera blanca, miró a ambos lados, la cogió del manillar y de un golpe seco rompió el seguro.

–No me importa andar –dijo, montándose–. Pero hoy hay prisa.

–¿Hay cascos? –pregunté, inmóvil.

–¿Hay huevos?

Me monté en la Vespa sujeto a su mochila, el olor a cuero de animal reseco en su cazadora entrando por mi nariz, y en un segundo el Cansao estaba haciendo su slalom suicida por la calle Torrent de l'Olla, saltándose semáforos y balanceando la Vespa de lado a lado como un telesilla. Al principio me agarré, pálido, a su cintura, pero al cabo de un minuto hice acopio de valor, me separé de su cuerpo, me agarré al asiento y (nunca lo hubiese creído) al poco rato estaba disfrutando del paseo.

El truco es no pensar que vas a morir. La cobardía es un animal famélico que se come lo que le dan. Cuanto más la alimentas, más se crece. Si le eliminas el rancho, la cobardía se consume, se funde sin terrores a los que hincarle el diente.

Llegamos. El local de la fiesta tenía tres plantas, con una gran abertura en medio desde donde se veían todos los pisos. Sonaba algo de música decente, y todo el mundo balanceaba el cuerpo hacia delante y hacia atrás, como tirados por cuerdas invisibles que les ataran los hombros. Como máquinas de extraer crudo.

El Cansao y yo inspeccionamos el lugar mientras intentábamos entrar en calor, frotándonos las manos. Había algunos clientes que nos reconocieron y empezaron a hablar con otros clientes futuros. En una hora habíamos terminado las existencias, y yo me disponía ya a llamar a Rebeca y, quizás, dependiendo del resultado, sacudirme un par de rayas de buen speed loco para celebrarlo y olvidarme de aquel día extraño.

De golpe, entre la gente, la distinguí.

Me quedé paralizado, mirándola. Estaba a unos diez metros, en la barra, hablando con gente. Rebeca. Debía de haber acabado de llegar. Llevaba una falda larga y zapatillas chinas y una camiseta con motivos chinos y una cola de caballo como la de Elvira, pero en negro profundo. Se había alisado las escaleras de caracol de su cabello, y el flequillo en su frente era recto y perfecto. Un flequillo chino de Gran Paso Adelante, pelo de revolución cultural. ¡Ah, Rebeca, mi hermosa destructora de ciudades prohibidas! ¡Mi Guerrillera Maoísta, mi Ulrike Meinhof, mi Plan Quinquenal!

Decidí ir. La rodeaban un par de chicos y una chica, todos con uniforme de modernos ricos: bambas anticuadas, Levis de modelos nuevos, gafas de pasta, peinado de futbolista alemán de los ochenta. Hablaban de nuevo con *aquella* confianza que da la buena salud y la herencia paterna, el futuro brillante y las familias que se conocen entre ellas y las chicas con perlas y ADN perfectos, dispuestas a todo, matrices y ovarios en ristre, ojos ansiosos de nuevas piscinas y cruceros y torneos de polo.

Mientras me acercaba, Rebeca me distinguió entre los cuerpos bailadores. Sus ojos no dijeron: Bienvenido. Sus ojos no empezaron a cantar: Porque es un muchacho excelente... Se entrecerraron y se clavaron en los míos, como si enfocasen el punto de mira de un fusil. Me puse bien el pelo y llegué a su lado.

–Mira quién está aquí –dijo, dirigiéndose a mí y a todos los que la rodeaban, como si estuviese exponiendo una tesis doctoral y yo fuese el cadáver semipútrido a diseccionar–. El desaparecido. ¿Te lo pasaste bien en la fiesta?

Carraspeé. «No estuvo mal», quise decir, pero los calambres me aplicaron un torniquete al cuello y me salió una voz de haber estado aspirando helio.

Uno de sus acompañantes se rió con un pfffff nervioso. Le miré y le reconocí; acababa de comprarnos un gramo de cocaína hacía diez minutos. De hecho, se había dejado un moco blanquecino en uno de los orificios nasales.

–¿Quién es este payaso? –dije de pronto con voz normal, mirando a Rebeca, señalando al otro con el pulgar. De repente estaba extrañamente dispuesto a darle a aquel tipo un par de bofetadas humillantes. Era algo que nunca me había sucedido, y me gustó–. Límpiate las narices antes de hablar, imbécil –añadí, sacando pecho y acercándome a él con una rabia fresca, acabada de abrir, sabrosa.

–¿Qué? –dijo Rebeca, interponiéndose entre los dos–. ¿Te crees que puedes venir aquí así, insultar a mis amigos...? –No terminó la pregunta, pero empezó otra–. ¿Quién te has creído que eres?

Vi que había vuelto a meter la pata y que se acercaba, ahora sí, la irrevocabilidad de mi estupidez. Bajé la voz y la dejé junto a mi mirada, rozando el suelo.

–Oye. Perdona –murmuré–. No quería... no era mi intención... yo sólo... –No estaba quedando muy claro. La miré: Rebeca aún no sonreía, ni una pizca, y sus labios se extendían en una línea de horizonte inmaculada. Decidí volver a empezar–. ¿Podemos hablar en otra parte? –supliqué, señalando a la terraza del local.

Ella miró hacia allí y, poniendo cara de desconfianza, asintió. Los trece pasos hasta la terraza fueron los más largos de mi vida. Años pasaron, años, lunas, días con sus noches, inviernos fieros, cambios estéticos y guerras desfilando ante mis ojos como en *La máquina del tiempo*, hasta que llegamos al exterior. No había nadie allí, por fortuna. Hacía un frío pesado, extenso, grueso como un edredón polar.

Rebeca se paró y me puse delante de ella y, ahora sí, la miré a los ojos enormes, cósmicos, aquellos ojos que contenían sin esfuerzo soles y constelaciones enteras.

Me aclaré la voz.

–En tu fiesta... me fui porque creí que, en fin, que sería mejor que me fuera, después de las tonterías que dije en la fiesta, de tu casa, y el lujo, y... en fin, de lo que dije. En tu f-fiesta.

Juan Locuaz.

Lengua de Oro Smith.

–Yo te vi pasándolo muy bien –dijo, con un retintín que sonó en la terraza desierta como cascabeles de trineos lejanos. Recordé el número 1 de las *Razones para ser optimista*.

Celos.

DE MÍ.

–¿Yo? –pregunté, e inmediatamente–: Creí que, bueno, que estabas con alguien.

–No tardaste mucho en decidirlo.

Luché para no preguntar lo que quería preguntar, con nombre y apellidos. Pensé en aquella mano en el hombro de Rebeca y en la familiaridad de vergüenza ajena, pero no por ello menos familiar, de la palabra «Cariño».

–Me dio esa impresión. ¿O me equivoco?

–No estás en posición de hacer preguntas, Pànic. Aún no te conozco de nada.

–Lo sé, lo sé. ¿Está *él* aquí hoy? –pregunté fingiendo no recordar su nombre, como si lo preguntara por pura formalidad. Creo que lo hice bastante bien.

Rebeca sonrió por primera vez.

–No. He venido sola, después de dejar las maletas.

Impulsivamente, me atreví a hacer una pregunta más, envalentonado por su sonrisa:

–¿Es eso habitual? Ir sola, quiero decir.

–Si lo que preguntas es si tengo novio, sólo puedo decirte que no soy la posesión de nadie y que no estás en posición de hacer preguntas.

¡Hey! Se me ataron las costillas y las rodillas con un calambre eufórico. Me estaba helando, además. Un vaho glacial salía de nuestras bocas como si de repente habláramos con bocadillos de texto, como personajes de cómic.

–Eso no quita que fueses un maleducado. Y un bocazas.

–Soy un bocazas –repetí, sin luchar, convencido de mi bocacidad–. Perdóname.

–No pasa nada. –Me ofreció un trago de cerveza–. No me duran tanto los enfados.

–No sabes cómo me alegra oír eso.

–Yo también podría preguntarte algo. Especialmente después de lo que... –Se sonrojó un poco y dejó la frase sin acabar.

–Yo no... Me fui con un amigo. Lo de tu amiga fue *sin querer*. –¿Dije eso de verdad? Me cuesta creerlo, pero estoy seguro de que lo dije, como un niño al que han sorprendido robando en una tienda, o que se ha hecho pipí encima, o ha roto algo valioso. *Sin querer*.

Rebeca se partió de risa, esta vez abiertamente.

–Ya. Te encontraste con la lengua de Mercedes en tu garganta. –Sonreí también y me terminé su cerveza de un trago.

Sentí que era el momento de un beso. Dada mi situación precaria, decidí preguntarlo.

–Uno corto –contestó muy seria–, y sin lengua.

La miré, desconcertado, sin palabras.

Los ingleses tienen una palabra para eso: *tongue-tied*. Y nunca mejor dicho.

–Es broma, tontainas. Ven. –Acercándose a mi cara, aún

añadió–: Será una mezcla de beso de reconciliación y primer beso. Lo mejor de dos mundos.

Puse mis labios sobre los suyos y traté de recordar los besos con Eleonor, que había sido el último receptáculo agradable donde puse la lengua. Cerré los ojos y los labios de Rebeca aspiraron los míos, como el ensamblaje espacial en una nave nodriza. Pensé que me gustaban los besos de Rebeca. Grandes, como su boca. Pegajosos y líquidos, como un atrapamoscas, como botes de miel, pero sin ser babosos como los de la repugnante Bercedes.

Cuando nos separamos nos dimos cuenta de que estábamos abrazados por la cintura, pero ninguno de los dos trató de zafarse. Hacía ya un frío terrible. Levanté una mano, le toqué los labios y le dije:

–Te invito a una cerveza, china. Aquí nos vamos a helar. –Su nariz estaba congelada, como un pequeño polo casero.

–No me gusta la cerveza china –respondió, con cara de asco ficticia.

Cuando fuimos a la barra, Rebeca se dejó coger la mano, y así estuvimos la mayor parte de la noche. Agarrados, hablando, besándonos de vez en cuando y bebiendo. Empecé a sentirme feliz de verdad, satisfecho, subido de nuevo al impulso de las cosas nuevas. Subido al caballito de tiovivo de las cosas que van bien.

Al final, terminó la fiesta. Rebeca se había ido al lavabo, el Cansao ya no estaba, la música había terminado. En el local sólo quedaba un grupo que no paraba de reírse. Fijándome en ellos me di cuenta de que eran los dos conocidos del Cactus, ¿cómo se llamaban?, los vi en la fiesta de Rebeca. Julián y Kike no-séqué. Estaban con un tipo bajito y piernicorto con gafas, otro voluminoso con canas y un polo italiano. Reían como si cayeran las bombas. Como si fuesen las últimas risas de este mundo y hubiera que aprovecharlas. Era una risa tan contagiosa que empecé a reírme también.

La risa que precede o anticipa el Apocalipsis.

O, como dicen los ingleses: el *armageddon*.

–¿De qué te ríes? –me preguntó Rebeca, cuando llegó a mi lado.

Le señalé el grupo de reidores.

–Ah, ya. El del tupé y las orejas es curioso, ¿no?

–¿Curioso en qué sentido? –Me separé de ella.

–Antropológico. Médico –dijo con media sonrisa y, con los brazos en jarras, añadió–: En cualquier caso, ¿no es un poco apresurado todo esto?

–Sólo quiero saber dónde estoy.

–Yo diría que estás rodeado de arenas movedizas. Pero también que ahora mismo estás a salvo y que no hay por qué preocuparse. Las marismas no van a tragarte aún.

La miré, inquieto.

–*Aún* –repitió, recalcando el momento actual–. Por otro lado, si lo que quieres es desaparecer como la última vez, estás en tu derecho.

Puse cara de no tener la culpa de nada. Como si las cosas que me pasaban fuesen culpa de una epidemia. Como si mis acciones me fuesen impuestas por una mano ajena, por el destino cruel. Me acordé de una frase que decía siempre Arturo Grima: «Vaya borrachera que estamos sufriendo.» Lo decía como si no fuese culpa suya, desentendiéndose de las consecuencias; como si emborracharse fuese algo que había sucedido de forma azarosa, como un chaparrón o un resfriado o una catástrofe natural.

Le cogí la mano a Rebeca y, sacando un valor desconocido, le pregunté:

–Supongo que tus padres tendrán una política rígida a la hora de dejar que tus amigos se queden a dormir.

–Aciertas –respondió, y me dio un beso en la mejilla–. Por otro lado, podríamos ir a casa de una amiga que vive en una residencia de estudiantes de la Barceloneta. Me debe una. –Dije que perfecto, sin creer mi suerte, palpando abstraídamente los restos de beso de mis mejillas. Tratando de capturar su recuerdo en las yemas de mis dedos.

–Sólo que el vigilante es un bestia. Tendrás que entrar por la ventana, a lo Romeo.

–Chupado. Vamos.

–¿Cómo llegamos hasta allí?

–¿Sabes conducir Vespas? –le pregunté, agarrándome de su brazo.

El ritual es siempre el mismo, y nunca cambiará: conoces a alguien que te gusta, flirteas discretamente al principio, burdamente al final, esperas el momento propicio, sufres durante unos días de incertidumbre, de desvalidez ante los acontecimientos que se desploman sobre ti como granizo, como aludes, como desprendimientos de piedras. Y una noche concreta abordas con lianas y sables y patas de palo y banderas negras y todo tu arsenal y triunfas y te das besotes y te vas a la cama y todo ha sido *muy* fácil.

Todo ha sido *tan* fácil que, vaya, algo habrá que hacer para complicarlo.

–¿Vas a contar de una vez lo que hiciste con ella o no?

Era Johnny Cactus.

Habían pasado dos semanas desde que conseguí besar a Rebeca y colarme en la maldita residencia universitaria. Era ya el 6 de diciembre, martes, y sólo dos semanas antes estuvimos juntos, sin nadie más. Dos semanas. Parecía imposible que lleváramos todo ese tiempo sin llamarnos ni ir a sitios donde sabíamos que el otro podía estar. La situación se repetía, pero peor. Había algo palpable, pero al mismo tiempo la incomunicación era voluntaria; Rebeca no se había ido a Londres esta vez.

Eso había inaugurado mi Segundo Periodo de Incertidumbres con Rebeca.

Por un lado yo notaba ya físicamente el dolor bueno, el vacío de tripas de saltar en paracaídas, el escalofrío placentero que me recorría los codos cada vez que pensaba en ella. Podía sentirlo ahí, en cada esquina de mi cuerpo, los nervios de expectación, el calambre gustoso que me invadía al rememorar su piel morena, el cabello negro cayendo sobre mí como el abrazo mortal de una raya marina.

A ratos dolía bueno, como la canción reggae de Susan Cadogan «Hurt so good». Aquel malestar benigno era indudablemente el síntoma de que mi cuerpo físico, mi carne y mis reflejos y mi cabeza, había escogido a Rebeca. Al recordarla el estómago se me vaciaba como un globo de agua agujereado, me mareaba como si hubiese pasado demasiado tiempo en un columpio. Me había dado cuenta de lo que era empezar a enamorarse: ese agujero en las tripas, esa necesidad de ver y tocar.

No necesitaba un médico.

Mi aparato digestivo estaba bien.

Y sin embargo ese agujero; ese esófago que me subía hasta la garganta, como si me hubiese tirado de un tobogán de agua altísimo, cada vez que pensaba en Rebeca.

Pero, luego, luego aquel dolor bueno se transformaba en malo. Dolor de pensar que Rebeca no se había ido a Londres esta vez, que no me había llamado ni una vez, que tuve que llamarla yo. Un dolor mezquino, bilioso y verde como un esputo de bronquitis, dolor de pensar que Rebeca volvía a estar con Luna, que yo había sido sólo una distracción momentánea. Un entremés. La colchoneta que necesitaba para dejarse caer de bruces; algo útil, como una rueda de recambio, que cumple su cometido pero no provoca afectos ni necesidades.

Los ingleses tienen una palabra para eso: *inbetweener*.

Los dos dolores se alternaban, día tras día, para tomar mi cuerpo. Un día sólo notaba resentimiento y desazón, una sensación de atropello, de tomadura de pelo, de nueva traición, y eso se unía a mis oscilantes desconfianzas con los vorticistas, y las dos traiciones entablaban amistad en mis entrañas y bailaban sardanas de confraternización. Un día yo era el Comendador del Lamento, como diría Johnnie Ray.

El Visir del Plañido.

Pero al día siguiente el dolor bueno me recordaba las *Razones para ser optimista*, me recordaba la noche que pasé con Rebeca, su mirada y sus palabras de chocolate, las conversaciones que tuvimos, las cosas que hicimos, y entonces...

–Ni hablar. No os pienso contar nada –les dije, sonriente.

Estábamos en una tienda de la calle Casanova. Una tienda especializada en golf: palos, polos, bolas y bolsas. Zapatos y gorras. Una tienda que era como la representación física de las diferencias de clase, igual que lo son las tiendas de hípica, las de caza, las de instalación de piscinas. Estábamos allí porque a Johnny Cactus le había entrado la imparable necesidad de poseer unos zapatos de golf blancos.

El detalle sublime, dijo que serían.

–No te hagas el enigmático –dijo Arturo mientras observaba cómo Johnny metía el pie, que vestía aquel día con calcetines rosa, en un zapato blanco con filigrana de agujeros en el empeine–. Lo vas a contar al final y, para entonces, a mí y a Johnny habrá dejado de interesarnos. ¿Verdad, Johnny?

–No hables así. ¿Es que no ves, animal, que a Pànic le preocupa algo?

Johnny Cactus se puso en pie. Llevaba puestos aquellos zapatos que eran blanco fulgurante al final de sus piernas. Parecía un soldadito de plomo nuevo, acabado de pintar, sujetado por un soporte de marfil brillante.

–Me van un poco pequeños –le dijo al dueño, que aún estaba algo trastornado por los calcetines rosa. El dueño dijo *Un número més?* y pasó a la trastienda.

–Quedan hermosos, ¿verdad?

–Preciosos –dije, muy serio–. ¿Cuánto valen?

–No tengo ni idea. No pienso pagarlos.

Se acercó a la puerta, la abrió con un movimiento rápido y arrancó a correr. Arturo y yo nos quedamos una décima de segundo en la tienda, solos, mirándonos el uno al otro sin comprender, antes de darnos cuenta de que se había ido sin pagar, antes de arrancar a correr tras él, gritándole a carcajada limpia.

Seis manzanas más allá, muertos de pura risa y sin nada de aliento, nos apoyábamos en una pared.

–Serás gilipollas –le dijo Arturo Grima sin pulmones. Llevaba un abrigo crombie negro, chaleco de punto abotonado, camisa Jaytex de cuello enorme y *brogues* burdeos–. Y encima te has dejado los otros zapatos allí, capullazo.

–Estaban viejos, qué más da –dijo Johnny Cactus mirándome, y toda su cara era una sonrisa. Así era el Cactus, a veces. Todo pasión y *joie de vivre*–. ¿No ha valido la pena, sólo por el momento? –añadió, limpiándose las gafas con un pañuelo de algodón. Arturo y yo movimos la cabeza indicando sí; por un instante se me habían olvidado por completo mi aflicción, mi incertidumbre, mis dudas.

Luego decidimos ir a beber algo a una bodega que había en la esquina de Joan Blanques y Bruniquer, al lado de casa de mi tía. Andábamos hacia allí cuando ya no pude aguantar más y lo dije. Llevaba dos semanas mordiéndome los labios, y se me estaban empezando a hinchar como Zodiacs faciales.

–Si me dejáis de incordiar os contaré lo de Rebeca. Pero a la primera interrupción, a la primera frase obscena, me callo y que os lo cuente vuestra madre.

–No mezcles a mi madre en tus sucias maquinaciones –dijo el Cactus.

–Lo digo en serio, cojones –les dije, y ya me volvía a morir de risa, sin pensar por un instante en mi pena–. A la primera falta de respeto, se acabó la historia.

–*Non ti preoccupare* –contestó Arturo, juntando las palmas de las manos como una mantis. Y los tres empezamos a carcajearnos otra vez, fuerte y alto, tan alto que casi no podíamos ni andar.

Y se lo conté. Aquella noche, la noche que marca el inicio de mi Segundo Periodo de Incertidumbres con Rebeca, habíamos llegado a la Barceloneta como dos polos de fresa. Rígidos de hielo, inmóviles, las mejillas de colores vivos y las piernas de madera.

Aparcamos la Vespa cerca de la residencia de su amiga. Rebeca llevaba la bufanda de Scott, que le dejé. Debajo se adivinaban sus labios, sofás triplazas, futones inmensos, enormes tresillos que rodeaban su boca como dunas alrededor de un mar.

–Buhuh uhumfff humnfbuh baffmhaf –me dijo.

–¿Cómo?

–Digo que con esta bufanda tan grande casi no puedo hablar –repitió, apartándose de la boca la bufanda de Scott–. Y me muero de frío.

Yo le froté los brazos.

–No hagas eso –me dijo, con media sonrisa.

Paré, sorprendido, y le pregunté por qué. Rebeca no dijo nada, sólo continuó con su sonrisa a medias y acercó un dedo a mi nariz. ZAK. Una descarga eléctrica recorrió mi cuerpo repartiendo calambre de la punta de la nariz a los dedos de los pies. Di un salto frito que me hizo apartarme de Rebeca tres o cuatro pasos.

–La madre que...

–En invierno soy una dinamo –dijo, acercándose a mí con las manos extendidas–. Me cargo de electricidad estática del aire, o se me pega de andar sobre moquetas, o ir en coche o en moto. Si alguien me frota es aún peor.

–No te acerques, bruja. –Hice la señal de la cruz. Y, apuntando hacia mi cara–: Me has carbonizado, joder. Incluso me sale humo de la boca.

–Eso es el aliento, tontainas. –Seguía andando como el monstruo de Frankenstein, haciendo muecas–. ¡UUUUUUH! Vaya gallina eres.

Al fin conseguí convencerla de que descargara los voltios en un árbol. Después nos despedimos para encontrarnos en la habitación de su amiga en diez minutos; ése era el tiempo que, me dijo, necesitaba para sortear al vigilante y convencerla para dejarnos usar su habitación. Cuando desapareció, me enfrenté a la *valla*.

Era una pared de tres metros y medio.

Me juré que hablaríamos de semántica si algún día llegaba a la habitación. Sin ver otro medio posible, me encaramé al techo del coche más cercano, cogí impulso, tensé los músculos, di el salto, solté un grito comprimido de esfuerzos en lavabo cerrado, mis dedos rozaron la pared y acariciaron la madera delicadamente, como si fuese una amante elusiva. Al instante caí al suelo con un POF sumergido.

A cuatro patas, recobré fuerzas como un caballero andante derribado. ¿Qué dibujaría mi escudo de armas?, me pregunté. Quizás un perro sin raza, vagabundo, un perro solitario y medio loco que paseara rascándose pulgas imaginarias por un pueblo feo, una habitación escondida, entre libros abiertos y discos de negros.

Mírate, oh, Pànic, échate un vistazo. Mira tus costillas de galgo raquítico, tu pose husmeadora, esas piernas que no son de correr, y ponte en pie. Recupera tu dignidad, viejo Pànic, tu altivez canina y reclusiva, Pànic Orfila. Sube a tu montura, caballero Pànic, agarra tu arma y escudo, cierra el casco, arremete una vez más.

Me puse en pie mientras me sacudía el polvo, también la vergüenza, y volví a encaramarme al coche, el techo ya hundido por el impulso y el peso.

Al segundo intento lo logré. Mi barriga paró el golpe, las manos ya al otro lado de la *valla*, y con los pies empecé a buscar un agarradero desde donde tomar impulso. Al encontrarlo, un pedazo de metal fuera de sitio, apliqué sobre él la fuerza necesaria para salvar finalmente la pared. Me dejé caer dentro del patio y mi tobillo paró la mayor parte del golpe. Auch. Caí al suelo por segunda vez, panza arriba, para variar.

Me quedé tumbado allí unos minutos, mirando al cielo. La noche era clara, sin nubes, y el cielo era una falda de lunares.

Los ingleses tienen un nombre para esa tela: *polka-dot*.

Así era el cielo: una polka de puntos. Un madison de pecas.

Estaba bastante borracho, y todas esas estrellas me parecían ovnis en movimiento, centelleantes, viajando de una galaxia a otra. El tobillo no me dolía y nada me importaba, porque estaba tumbado al lado de la ventana de Rebeca y sabía que iba a irme a la cama con ella en un momento.

Me levanté del suelo y me colé por la ventana. Miré a mi alrededor al entrar. Era la típica habitación de estudiante, pobre y deprimente, carente de alma e impulso. ¿Dónde estaba Rebeca?, me pregunté. Vi una luz en el lavabo, y supuse que estaría allí, haciendo cosas de chicas-en-lavabos. Me senté en la cama, silbando una canción de Tyrone Davis que me gustaba mucho, «Can I change my mind». Al cabo de unos minutos se oyó un pasador y se abrió una puerta.

–¡AAAAAAAAAAAAAAAH!

Era Bercedes, envuelta sólo en una toalla, llevándose las manos a la boca de puro horror, otra toalla de chimenea en la cabeza sujetando su pelo mojado.

Dios mío. Di un salto y me puse en pie, todos los órganos haciendo la conga y el limbo rock. Ella volvió al lavabo, cerró de un portazo y corrió el pasador de nuevo.

–¡Vete de aquí o llamo a la policía, violador!

Acerqué la boca a la puerta, dándome cuenta al instante de lo que había sucedido. La amiga de Rebeca era en realidad la monstruosa Bercedes, el elefante marino con turbante que aullaba dentro del lavabo. ¿Por qué no me avisó?

Afectando un tono conciliador, hablé a través de la cerradura.

–Ha sido un malentendido, Mercedes. Vengo con Rebeca. Ella está en camino.

–¿Qué has hecho con ella?

–Te digo que está a punto de llegar. Cálmate, por el amor de Dios.

–Hijo de puta –pude oír que murmuraba. Y luego, a mí–. Llamaré a la policía.

Estaba empezando a ponerme nervioso.

–¿Con qué vas a llamarles? ¿Con el secador? Haz el favor de calmarte. Rebeca estará aquí en un momento. –Maldita vaca.

Llamaron a la puerta. Nunca una llamada a la puerta había implicado futuros tan opuestos. Si era el vigilante, me rompería las piernas y los dientes con furia milenaria y se mearía en mis encías sangrantes; si era Rebeca, iríamos a la cama juntos. Carraspeé primero.

–¿Sí? –La voz trataba de ser femenina, pero parecía el graznido de una grulla alcanzada por perdigones, agonizando en el barro con las alas rotas.

–SOCORROOOOO –gritó Bercedes de fondo, al darse cuenta de que la salvación había llegado a su puerta.

–Soy Rebeca –dijo la voz de Rebeca al otro lado de la puerta.

Gracias a Dios. La dejé pasar.

–Me ha costado mucho entrar. He tenido que estarle convenciendo durante veinte minutos. ¿Qué son esos gritos?

Le expliqué lo que creía que había sucedido. Rebeca se echó a reír, golpeó la puerta del lavabo con los nudillos y se identificó. Al cabo de un instante, el cerrojo volvió a girar y apareció la toalla, doblada como una barretina, seguida por la cabeza anfibia de Bercedes, asegurándose una vez más de que no había gato encerrado.

–Joder, Rebeca. Me habéis pegado un susto de muerte. ¿No

te acuerdas de que te dije que nos habíamos intercambiado las habitaciones?

Rebeca le pidió perdón. No, no se acordaba. Le sabía mal el susto.

–La próxima vez que quedes aquí con... –me miró intentando recordar, para luego añadir–:... Juan Tirado me avisas con tiempo, hostia.

Rebeca me miró, intrigada por el nombre. Negué con la cabeza, indicando que no tenía importancia. Luego me dijo:

–¿Nos dejas hablar un momento, Pànic?

Salí por la puerta mientras Bercedes preguntaba:

–¿Has dicho Pànic?

Esperé en el pasillo. Al cabo de unos minutos, Bercedes salió en pijama, dedicándome una sonrisa sarcástica y de asco.

–Buenas noches, *Pànic* –dijo el atún parlante haciendo una mueca.

–Pasa –dijo una voz desde dentro de la habitación.

Entré y allí estaba Rebeca, de pie al lado del radiador, quitándose los zapatos. Aún parecía china, tal vez más incluso, pues se había quitado la goma y el gran telón reluciente de su cabello negro le caía sobre los hombros. Me acerqué a ella, llevé una mano a su brazo, y ZAK. Una nueva descarga eléctrica de su cuerpo me erizó el vello y me lanzó hacia atrás como si hubiese pisado una mina.

Rebeca empezó a reírse otra vez mostrando todos esos dientes rectos y perlíferos, señaló la moqueta, yo me reí también. Luego nos acostamos juntos.

–¿Qué?

–He dicho que luego nos acostamos juntos –le dije a Arturo en el bar de Joan Blanques. Él y Johnny Cactus estaban riéndose de mis desventuras.

–¿Estás diciéndome en serio que no vas a contar nada más?

–dijo, los ojos predadores de Malcolm McDowell más abiertos que nunca, como un drugo de cacería–. ¿Después de haber contado todos los detalles no importantes?

–No es justo –añadió el Cactus, acariciándose el mentón–. Admite que no es justo.

Di un sorbo a mi vaso de vermut casero.

–Me da igual. Soy un caballero –dije, después de una pausa melodramática–. No voy a contaros ni un solo detalle, cerdos. Lo único que os interesa son las guarradas.

Y lo bueno es que no lo hice. No dije que Rebeca fue suave y dulce, que su piel ahora era una manta eléctrica, una gran bolsa de agua que me cubrió con calores y sudores. No conté que, en la habitación, Rebeca me abrazaba y daba besos y movía los pies a la vez. Estaba descalza sobre la moqueta, ya dije, y los dedos de sus pies se movían de forma independiente.

Era muy divertido.

Pero no lo conté.

No conté que Rebeca tenía unos pies pequeños, tímidos, bien formados, y sus dedos bailaban hacia arriba y hacia abajo al margen de cualquier estímulo del sistema nervioso central. No conté cómo eran sus pechos, ni su espalda ni ninguna parte de su anatomía. Me callé y no dije que, cuando me incliné para besarla en otra parte, vi cómo sus pies y dedos seguían moviéndose. La besaba aquí y allí y miraba cómo se movían sus pies tímidos, sus dedos levantándose y cayendo como si alguien agitara un catálogo de salchichas felices, como tocando un piano imaginario y minúsculo. Las lombrices hermosas que eran sus dedos bailaban lentamente una danza japonesa, independientes, sin consultarle nada a Rebeca.

No les dije que besándola y mirando aquellos pies tímidos podría haber pasado horas. No dije nada más de lo que pasó, ninguno de los enredos, ninguno de los nudos, ninguno de los bailes. No lo conté en el bar, no lo contaré ahora. Porque dije que iba a ser un caballero, y un caballero tenía que ser.

Tampoco conté cómo dormimos abrazados, yo a su espalda, ni cómo me desperté a la mañana siguiente y aparté el flequillo de mis ojos y Rebeca me miraba, llevaba un tiempo mirándome, dijo, y luego me dio un beso y susurró: Buenos días, guapo, y dejé por un rato de ser un perro vagabundo que se mea, solo, por las esquinas.

La cara entera se me puso triste, y Johnny Cactus se dio cuenta.

–¿Cuáles son las malas noticias? –preguntó–. Explícate: ¿estáis juntos o no?

Respondí que no y di un trago al vermut. Les dije que, durante las casi dos semanas que siguieron, no nos llamamos. Como generales, como mariscales de campo, esperábamos a que el otro hiciera el primer movimiento, inclinados sobre el mapa del terreno y analizando las estrategias del enemigo.

O quizás como viudas de guerra. Esperando noticias de un muerto, palabras de aliento de alguien que ya no existe, que pertenece a otros lugares. Esta sensación me deprimía terriblemente. Intenté alejarla de mi cabeza, pero de repente el vermut sabía acre, podrido, como si estuviera bebiéndome una copa de almendras amargas. La imagen de Rebeca en brazos de *ése* (no quería ni pronunciar su nombre, porque significaría que la amenaza no era parte de mi imaginación) me llenó de rabia, y luego me llenó de rabia haberme llenado de rabia, y la rabia no paraba de subir, como marea vasca, y las almendras no paraban de amargarse, cada vez más acerbas y pasadas.

Cada día, al llegar a casa, le preguntaba a Lola si había llamado alguien. Lola, invariablemente, dijo que no una y otra vez.

–¿Qué llamada es esa tan importante? –preguntó cuando había pasado una semana–. ¿La reina de Inglaterra? ¿Dios? ¿Marx?

–Nadie. No es nadie. –Y Lola se sonreía y volvía a poner al

llorón de Johnnie Ray. Mi amigo Johnnie Ray, el Visir de la Lágrima. Empezaba a comprenderle.

Durante trece días tuve un helado de dos colores en la caja torácica. La sensación bueno-mala de pura incertidumbre, de no saber qué va a pasar, y la angustia de los rings que no suenan, y el intentar adivinar qué hay en la mente del otro. Anduve por Gràcia, esperé en La Costa Brava a que llegaran los vorticistas, miré hacia la puerta en granjas, expectante, sabiendo que iban a encontrarme. Al menos los vorticistas me quitaban a Rebeca de la mente; durante esa época se me olvidó incluso que me angustiaba su cara oculta, su silencio de sepulcros.

Tarde tras tarde, escuché a los Four Tops. «I wish it would rain». «Can't seem to get you out of my mind». «I just can't get you out of my mind». «Seven rooms of gloom». Y todas las canciones me limpiaban y me cauterizaban. Después de oírlas me quedaba más tranquilo, acompañado, con la conciencia clara de estar sufriendo un mal de muchos. Dispuesto a esperar más, a tratar de vencer la desazón unas horas más, a esperar a Rebeca un poco más.

Pasaron casi dos semanas y al final tuve que llamarla. Eso fue ayer lunes, les dije a Johnny y a Arturo. Lo hice sin pensar qué haría si se ponía Rebeca y aún no tenía los mapas bien estudiados. Probé varias veces y nadie contestaba. Me resistí a ir a la facultad a buscarla, me faltaba valor, una parte de mí quería librarse de aquel no saber, pero otra temía saber lo que no quería oír. Que Rebeca no pensaba en mí, que yo había sido un vaso con limón para limpiarse los dedos, unos cacahuetes para matar el hambre mientras pasaba un periodo de dudas con *ése*.

Al fin, después de pasar el día entero probando, cogieron el teléfono. El aparato hizo el ruido de descolgar y cesó el sonido de llamar. Era Rebeca.

Para cuando lo descolgó, yo ya tenía escrito (a lápiz, en la primera página de un libro) un resumen de lo que iba a decir. Ponía algo así, esquemático:

Aparentar desinterés al principio / Simular haber estado ocupado / Decir: Fue divertida la otra noche, ¿verdad? / Decir: ¿Habéis hecho algo interesante últimamente? / Decir: No quiero presionarte / Decir: Tomémonos las cosas con calma.

No dije nada de esto. Cuando oí su voz se me cayó el libro al suelo, para empezar.

–¿Rebeca? –murmuré, con esguince en la voz, intentando agacharme para recuperarlo.

–¡Pànic! –Sonaba alegre y sorprendida–. Pensaba llamarte mañana.

De alguna manera, eso no me convenció.

–Pues ya te he llamado yo –contesté, resentido. Me erguí, dejando el maldito libro donde había caído.

–¿Te pasa algo?

–Depende –dije, masticándome la uña del pulgar–. ¿Has estado con *ése?*

–¿Quién se supone que es ése? –dijo, de una manera que era difícil de analizar. Si fingía no saber de qué le estaba hablando, fingía muy bien.

–*Ése.* –Pensar en él me hizo masticar almendras rancias, avellanas podridas, manzanas con gusano, por primera vez.

–*Depende* –dijo, ¿imitándome?–. *Ése* está aquí ahora.

Odio. Puro, como alcohol destilado. Olas de odio batiendo contra mi pecho, salpicándolo todo de espumarajos y frío y sabor salado.

No dije nada. Me quedé remasticando mis almendras de amargura con furia, a punto de agarrar el auricular y hacerlo pedazos contra el teléfono. Incapaz de eso, le pegué una patada al libro con todas mis fuerzas y lo mandé a la otra punta del comedor, donde cayó descuajaringado y abierto.

–Ya te dije que era amigo de la familia, Pànic. –Había un tono de dulzura en la voz que, junto al hecho de que me hubiese llamado por mi nombre, me calmó un poco–. Mis padres también están aquí. –Y, sin dejarme decir nada, añadió–: Hey. Tenemos que hablar.

El corazón. Salto de pértiga otra vez. Decatlón extenuante. Infarto Fossbury.

Traté de adivinar el tono de sus palabras, de leer entre las líneas difusas y vagas, fuera de registro, las líneas de imprenta humilde que flotaban de su boca a mi oído.

–¿Hablar? –sólo dije, como si nunca hubiese hablado con nadie.

–Sí. ¿Cuándo te va bien?

Quise decir AHORA, pero de algún modo me reprimí, y cerré la boca como si dentro escondiese animales muertos.

–¿Jueves por la noche? –preguntó.

Jueves. Dije que perfecto, y le di la dirección del lugar donde podíamos encontrarnos. Ella preguntó, extrañada, si estaba seguro de querer quedar allí. Yo le repetí que sí, que era el sitio correcto. Colgamos al mismo tiempo.

A la mañana siguiente, en el bar con Arturo y Johnny, dije:

–No tengo muy claro de qué tenemos que hablar. –Miré al suelo, alguien dijo algo, y levanté la cabeza.

Arturo Grima me sonreía.

–¿Qué? –le pregunté.

–Estás enamorado, imbécil –dijo, gesticulando con los cinco dedos unidos de una mano, como un buitre que picoteara el cielo.

Antes de ser La Cosa, Arturo Grima fue peor.

Hasta donde se podía recordar, todos los miembros de su familia habían estado involucrados de una u otra forma con las A's, B's y C's del fascismo. La avalancha de ideas trogloditas que habían ido pasando de su tatarabuelo a su padre le llegaron a él como un piano Wurlitzer o un órgano Hammond B-3 que alguien hubiese dejado caer de un ático. El piano hizo zum-crash. El órgano hizo tromp. Nadie pudo evitarlo.

Arturo se empapó bien de las A's, B's y C's del fascismo. Tenía dieciocho años. Su padre y su abuelo estaban orgullosos de él. Arturo Grima dio patadas, extrajo dientes, levantó banderas victoriosas, todo al ritmo de las nuevas marchas militares.

Y entonces, un día, conoció a Marco Cara.

Sobre esto hay varias leyendas. Una dice que Marco Cara le habló y le convenció sin dar un solo golpe; que lo amansó como un domador de fieras, sólo con sus argumentos manuscritos en el bloc granate. Esta leyenda es poco probable.

En aquella época, Arturo Grima masticaba argumentos. A Marco Cara no le hubiese dado tiempo a empezar a escribir. Es difícil escribir sin pulgares.

Lo que yo creo es esto: Marco Cara y Arturo Grima pelearon, y Marco Cara le picó en trocitos pequeños, como a una cebolla de sofrito, y luego le llevó al hospital. Y entonces, sólo entonces, le convenció. Marco Cara sabía que ahí debajo, si arrancabas las A's, B's y C's del fascismo, había alguien con potencial.

De este modo, como habían hecho los demás antes que él, Arturo Grima se fue de casa y dejó las antiguas banderas. Sonriendo, tiró sus botas y fue a comprar camisas de cuadros centelleantes, con cuellos que se doblaban así y botones puestos asá. Se afeitó por primera vez la raya en la cabeza, en homenaje a los cantantes negros que estaba descubriendo. Escuchó «I'm on my way to a better place» de los Chairmen of the Board. Escuchó «I'm on my way» de Dean Parrish. Todas las canciones que hablaban de estar camino de otros sitios le encantaban.

–*I'm on my way (out of your life)* –cantaba.

A veces, sólo a veces, se le olvidaba el potencial. A veces salían a la superficie los restos descompuestos de las A's, B's y C's del fascismo. Cuando esto pasaba, Arturo se daba un golpe en la frente, como si alguien hubiese hablado por él.

Cuando esto pasaba, Arturo se golpeaba la frente y decía:

–Olvídalo.

Decía:

–No es nada.

Sabíamos el tiempo que había pasado al otro lado de la línea, así que a veces nos preocupábamos. Y cuando lo hacíamos, cuando fruncíamos el ceño por miedo de que volviera lo aprendido, Arturo se ponía en pie y nos cantaba, como cantó el primer día que le vi, los brazos abiertos de tenor y la risa a flor de piel.

–Oh, dulce misterio de la vida, al fin te encuentro.

Aquella noche estuve despierto hasta muy tarde. La preocupación por lo de Rebeca, haber estado bebiendo todo el día con los vorticistas, las dos cosas me levantaron los párpados, como si tuviera un jet lag de cerveza y confusiones.

Para intentar dormir, me puse a pensar en mi entierro. Cuando era niño, no sé si por mi desconcertante infancia y la temprana desaparición de mis padres, me tranquilizaba imaginarlo detalle a detalle. Quién iba a llorar, qué música iba a sonar, las flores y el silencio y las coronas y los cánticos.

Ya de adolescente continué pensando en mi funeral. Cuando Eleonor me dejó, cuando me sentí mísero en las calles húmedas de Sant Boi, sin una sola alma a la que hablarle de mis obsesiones, penas, exaltaciones. Seguí añadiendo detalles a mi partida, y me regocijé pensando que el mundo iba a echarme de menos.

En aquella época pensaba en «Bernadette» sonando por los auriculares. Cientos de lirios de agua por todos los rincones. Escenas de histeria por parte de Eleonor, que se lanzaba sobre el ataúd y reclamaba acompañarme al otro mundo. Su madre, que me odiaba, cambiando de idea sobre mí; reconociendo de una vez que yo era un hombre adelantado a su tiempo y sufriendo, a su vez, un aneurisma letal y extremadamente doloroso. El Instituto de Vandalismo Público celebrando un destrozo ritual de estatuas ajenas en mi honor; manejando una hormigonera para llenar de cemento mi tumba.

Tumbado en la cama aquella noche sustituí a Eleonor por Rebeca e hice aparecer a los vorticistas lanzando unas salvas de despedida ante mi lápida.

En ella, mi epitafio: *Pànic Orfila. Nieto, hijo, poeta, amante y vorticista. El camino de su obsesión lleva al palacio de la sabiduría.*

El final del sepelio: las notas finales de «Bernadette» y un silencio espantoso. Luego, las lágrimas de todos, que por una vez no iban a parar a mis bolsillos; yo ya estaba en otro sitio, sin poder aceptar responsabilidad por nada más, y no quería lágrimas ajenas que cargar a mis espaldas.

Funcionó. En unos minutos me quedé dormido.

LIBRO CINCO
ACCIÓN

Me estaba lavando los dientes cuando llamaron a la puerta. Era la mañana del 7 de diciembre, un día antes de ver a Rebeca. Lola no estaba, así que tuve que ir a abrir yo, la boca aún llena de pasta de dientes. Un asco.

–Ay, Jesús –exclamó dando un brinco un pequeño señor con forma de *arancino* cuando abrí la puerta. Llevaba un pijama de aviones plateados.

–Fe fafa –dije.

–Caramba, pensé que tenía la rabia, güey –dijo, con acento mexicano. Entonces le identifiqué: era uno de los mariachis del piso de abajo. No le había reconocido, sin el sombrero y la guitarra.

–Fe eftaba lafanfo lof fientef.

–¿Cómo dise?

–Un fofenfo –contesté, levantando ambas manos en gesto de «espera aquí». Fui al lavabo, me enjuagué apresuradamente, escupí y volví a la puerta. El *arancino* seguía allí, aún en pijama de aviones plateados, y me di cuenta entonces de que llevaba bajo el brazo un paquete envuelto en papel de embalar.

–Perdón. Me estaba lavando los dientes. No le había reconocido sin el... –Y señalé su cabeza descubierta.

–No acostumbro dormir con sombrero, cuate –dijo, secamente–. Que es lo que estaba hasiendo cuando llamaron a mi puerta. –Imaginé sus palabras con música de ranchera y encajaban perfectamente. *Es-lo-que-estaba-hasiendo-cuando-llamaron-a-mi-puertaaaaa. La-de-la-mochila-asul-la-de-los-ojos-saltoneees.* ¿Ojos saltones? Quizás la canción de la mochila azul estaba dedicada a Bercedes.

–¿Sí? –pregunté sin comprender.

El mariachi en pijama levantó el paquete y me lo puso ante las narices.

–Los carteros dejaron esto en mi casa, pero me parese que es para usted, güey. –Tomé el objeto en mis manos y le di las gracias, cerrando la puerta con el talón al volverme.

Muy frágil, decía en el envoltorio. *Àngels*, decía al otro lado, junto a su dirección de Sant Boi.

Me quedé un instante sin hacer nada para disfrutar del misterio. No hay tantas ocasiones en la vida para gozar de una buena incertidumbre y, cuando una se acerca, la curiosidad es tan irresistible que nos abalanzamos sobre ella para descuartizarla y pasar de inmediato al placer de la certidumbre. El placer del misterio por sí mismo, sin embargo, es tan breve y pasajero que se convierte en un bien preciadísimo. La obsesión por la obsesión, el misterio por el misterio; las cosas por sí mismas.

Decidí prolongar unos minutos aquel bien. Un minuto. Medio minuto.

Medio minuto, cuando se pasa en calzoncillos ante un gran paquete de correos enviado por una tía abuela anarquista, es una eternidad.

Además, el misterio diminuto de aquel paquete se juntó en mis entrañas con el misterio de Rebeca, lo que iba a decirme al día siguiente, y el misterio general de los vorticistas. Lo que debía haber sido una bandada de agradables mariposas estomacales revoloteando grácilmente en mi interior, se convirtió en un grupo de cóndores andinos aullando y dando picotazos. Sentí flojera en los intestinos y me dije que si no abría deprisa aquel paquete, el misterio se solidificaría y reclamaría su expulsión al váter.

Con dedos y manos agujereé el papel, deshice la cinta adhesiva y abrí el cartón, primero, y el plástico protector de burbujas, segundo, y me encontré con el regalo.

Era una de mis construcciones del Periodo Cornell. La obsesión que sufrí en octavo de EGB, cuando aún vivía en Sant Boi. La fijación con los surrealistas y, sobre todo, las maquetas enigmáticas de Joseph Cornell y sus esquinas y códigos y secretos, que intenté imitar con mucho más éxito que otras de mis aficiones.

La que mi abuela me enviaba era su favorita: «Pànic #2».

Le di mi nombre porque trataba de representar mi cabeza, siempre intentando descubrir el orden de los factores que alteraban mi sistema de neuronas. Quizás por ello todas las construcciones del Periodo Cornell empezaban con mi nombre; siempre quise descubrir las rutas de mi propio mapa de vuelo y, una vez localizadas, quizás enseñárselas a alguien. Y que alguien me enseñara las suyas, mapas de vuelo del uno al otro, porque en el fondo no es lo que haces sino a quién le dejas verlo.

Por desgracia, Eleonor nunca entendió nada de lo que le enseñé. Una pérdida de tiempo. Tantos mapas de vuelo que nadie llegó a ver. Tantos aviones que se perdieron sin remedio. Tantos aterrizajes forzosos entre la maleza. Cuando Eleonor desapareció, no quedó nadie a quien enseñarle mis malditos mapas de vuelo.

«Pànic #2» era un rectángulo con forma de casa de *13 Rue del Percebe*, dividido en varios compartimentos. En cada uno de ellos habían objetos que representaban mis ideas y recuerdos como niño de catorce años. Un single roto de Wilson Pickett («99 and a half [just won't do]», su mejor canción); una fotocopia coloreada con rotuladores Carioca de la foto de mis padres en el patio de Crouch End; fango del río Llobregat y una hoja de morera; un anillo de mi tía abuela; un trozo de cono callejero; una foto de Alesteir Crowley; una pirámide y un... ¿era eso un condón? No recordaba haberlo puesto. Un condón usado, que imagino simbolizaba junto al papel piramidal mi reciente descubrimiento de la masturbación.

Tener en las manos aquella pieza de mi infancia a punto de convertirse en adolescencia fue una sensación inexplicable. Hacía seis años que no la veía, porque para hacer sitio Àngels la guardó en el altillo, y casi la había olvidado; ahora que volvía a aparecer era como recibir una carta de mí mismo. De mi yo pasado a mi yo presente, una carta que me recordara lo hermoso y lo importante. Se me humedecieron los ojos y la garganta se me encorsetó, por un instante sólo.

Luego, secándome la risa tristefeliz, me puse a llamar a mi tía abuela.

–Ahí está –dijo Johnny Cactus.

Marco Cara llegó a la mesa y se quitó la gabardina blanca. Llevaba un traje azul encajonado, de hombros estrechos y faldones cortos, pantalones que enseñan calcetín, mangas que se contraen como un pene en retirada para mostrar la mayor cantidad de puño posible, solapas ínfimas, tres botones. Se desabrochó uno y se sentó. Llevaba también un jersey de cuello de cisne blanco, su favorito, bajo la americana.

El día había pasado lentamente, helado, alrededor del regalo de Àngels. Comí e hice de vientre pesada, plácidamente. Aunque me prometí que no abusaría de ellas, me tomé una Centramina a media tarde. A las ocho fui a La Costa Brava a encontrarme con los vorticistas. Me había puesto un cárdigan naranja de cuello en V, camisa de rayas, Levis blancos y safaris marrones con calcetines naranja.

Marco Cara se sentó en la mesa. Las conversaciones cesaron, Elvira encendió un cigarrillo, Arturo trajo cerveza para todos.

En su bloc granate, el bolígrafo que sostenía hacía una exhibición de patinaje sobre hielo, de aviación acrobática, trazando tirabuzones y lazos y puntos que eran palabras. Al cabo de unos minutos de rasgar en la hoja, le dio la vuelta.

Ponía: *La acción será en febrero. Los preparativos finales serán en el refugio. Mientras, hay que conseguir más material.*

Todos asintieron. Un murmullo de aprobación zigzagueó por la mesa. El Cactus le cogió la mano a Elvira durante un segundo transparente, cortado en lonchas finísimas.

–¿Dónde será? –dijo Arturo Grima–. La acción, digo.

Marco Cara me miró en dos parpadeos. Luego, apuntó: *Pànic, ¿puedes dejarnos un momento? Hay una parte que aún debe permanecer confidencial.*

Miré a toda la mesa y levanté ambas manos, como sosteniendo una ternera de aire.

–No –suplicante–. Otra vez no. Si voy a estar en esto, algo tendré que saber.

Marco Cara, a pluma, en caligrafía impecable: *Todo a su tiempo.*

Los ingleses tienen una palabra para eso, que ya he dicho dos veces: *rejection.*

Entrecerré los ojos, enfermo de rabia, y miré a Elvira, que se encogió de hombros como era su costumbre, y luego al Cactus, que miró a Elvira, y luego a Arturo Grima, que bebió de su cerveza y se quedó mirando al techo con la garganta hinchada, apuntando a la lámpara con su raya craneal.

Eché la silla hacia atrás con estrépito de parvulario.

–Muy bien –les dije a todos con la barbilla al cielo, y de golpe yo era Gloria Swanson en un papel de princesa ultrajada.

Me senté en la barra, de espaldas a ellos y, mientras murmuraba para mis adentros, jugueteé con dos bolígrafos que alguien había dejado allí. Como un niño despechado por el castigo paterno, como un novio primerizo perdiendo en discusiones, pensé: Si me muriera ahora, veríais. Tendríais remordimientos. Sí, Pànic Orfila, poeta aguerrido y bravo y loco, era capaz de todo, tenía el talento real para mandar y vencer, y nosotros no supimos verlo. Y ahora, sollozarían todos, ya no está, Dios mío, ahora se ha ido y ¿qué va a ser de nosotros? Haberlo pensado antes, les diría alguien. Ahora ya es tarde. Ahora descansa en paz.

¿Cómo podría suicidarme? Ya sé. Cogí los dos bolígrafos y me puse uno en cada orificio de la nariz. Lanzaré mi cabeza contra la barra con todas mis fuerzas y se hincarán en mi cerebro, matándome.

Una mano se posó en mi hombro.

–¿Pànic?

Me volví. Era Elvira.

–¿Pero qué haces, idiota?

La miré, con los bolígrafos aún incrustados en la napia. Los vorticistas me miraban desde la mesa, anonadados. Sobre sus cabezas, perfectamente visibles, flotaban los globos de pensamiento de los tebeos. Decían: *¿Error de reclutamiento?*

–¿Bas a gondarme lo de febrero o do? –le pregunté.

Elvira me arrancó los bolígrafos de un tirón. Una liana de moco se quedó colgando de mi nariz.

–Ecs –dijo.

–O me lo cuentas o me largo –bluffeé, secándome con el dorso de la mano.

Elvira cogió mi bluff y escupió encima de él y luego lo tiró a la mierda.

–De eso nada, majo. Y, además, eres indispensable para la operación.

Me lo creí.

–¿En serio?

–Pues claro. Es sólo que, por tu seguridad, aún no puedes saber todos los detalles.

Eso también me lo tragué.

–Anda, vuelve a la mesa –añadió, cogiéndome del brazo. Meneé la cabeza, aparentando dudas, para al final decir: –Bueno, vale.

Cuando me senté, todos volvían a sonreír. En el bloc, enfocado hacia mí, de Marco Cara ponía: *Vamos a hacer historia.*

Asentí, de la manera más convincente que pude. Johnny Cactus me guiñó un ojo, clic-clac, como un objetivo de Practika.

–Por cierto –susurré, bajando la cabeza y la voz, para todos–. Se me está acabando el material. ¿Hay más?

Elvira se metió la mano en el abrigo que colgaba de su silla y lanzó hacia mí una bolsita de plástico del tamaño de una aceituna, que yo atrapé al vuelo con un brazo que era lengua de camaleón. Los labios finos, moteados como el alabastro de los quirófanos antiguos, los labios claros y mortecinos de Elvira deletrearon: S-P-E-E-D.

Johnny, Arturo y yo nos levantamos de repente, empujándonos los unos a los otros, arrancando a correr hacia el lavabo como si de repente tuviéramos seis años, dando saltos, pegándonos golpes, intentando sacar los billetes primero, el DNI primero, la cartera primero.

Como si de repente tuviéramos seis años, pero con otros juguetes.

Crawl, primero. Luego braza. Espalda, después. Mariposa al final. Luego los corchos en las manos, para hacer piernas. Luego respiraciones. Cabezas engorradas de todos los colores que suben y bajan, sincopadas, como los pistones de un gran motor.

Los silbatos ahogados tras los gruesos cristales que separaban las gradas de la piscina. El murmullo de voces y chapoteos, la coordinación momentánea, el caos ordenado de cabezas coloreadas que se sumergían y volvían a emerger. Y, sobre todo, el olor a cloro. Un olor que no permite ningún otro olor cerca, posesivo, dictatorial.

Éste era mi nuevo refugio. La piscina del barrio. El barbero ya no me servía porque en lugar de Dvořák insistía en escuchar «La del soto del parral» y me volvía loco con su ceniza siempre a punto de incinerar mis camisas. Así que durante las dos semanas del Segundo Periodo de Incertidumbres con Rebeca busqué un lugar de paz total.

Dos semanas después, a la mañana siguiente de haber quedado con los vorticistas, estaba allí esperando a Rebeca. Ella entraba por la puerta cuando los nadadores empezaban las series de braza. Mis favoritas. Tan gráciles como ranas rosadas cruzando un arroyo.

–Éste es el sitio más raro para quedar que he visto nunca –dijo, dándome un beso en la mejilla. Lo recibí con frialdad, pese a la temperatura de sus labios-futones. No había comido nada en todo el día, por culpa del speed de la víspera, y me encontraba mal. Las manos me temblaban como a un alcohólico de setenta años.

Rebeca se sentó a mi lado en las gradas. Llevaba un vestido de pana verde, zapatillas de judo, bufanda y una gabardina roja, gruesa, de cuello ancho y cinturón. Se quitó la bufanda de lana y su cabello negro de jazz le cubrió los hombros. Cruzó una pierna sobre la otra. Se apartó el flequillo alisado. Me miró con la curiosidad del niño que cría orugas.

El Segundo Periodo de Incertidumbres estaba a un segundo de terminar, y la premonición de cosas se colgaba del aire y del cloro encima de mi cabeza, como un móvil de habitación infantil.

–¿Has oído hablar de Joseph Cornell? –dije como ausente, utilizando el recurso de conversación de los últimos días, la mirada en el agua.

Rebeca me miró y dijo que le sonaba el nombre.

–Era un surrealista de New York; murió en 1973. Vivió muchos años con su madre y su hermano paralítico. Para distraerle se especializó en fabricar pequeñas cajas que llenaba de objetos que iba encontrando en paseos larguísimos que daba por toda la ciudad.

En la piscina, la braza había terminado y empezaba la mariposa. La mariposa era un desastre. Nadie sabía nadarla bien. Era como una fiesta de ahogados y chapoteos inconexos. Y, aun así, era divertida de ver.

–Todo lo que encontraba lo clasificaba en su estudio. Arañas. Anillos. Cromos. Zapatos. Fotos de otras Personas. Cornell intentaba dar un orden a su vida y, mientras lo hacía, parecía que también estuviese trazando un mapa de vuelo para que otros entendieran las razones de sus actos. Un mapa de vuelo hecho de sus cartas y fotos antiguas, y restos de sí mismo.

Me mordí una uña. Rebeca seguía mirándome con atención.

–De niño, yo era igual. Construía mis propios mapas de vuelo para que la gente entendiera, pero no había tanta gente que pudiese entender. Mis mapas fueron un desperdicio; no podía enseñarlos, porque nadie hubiese entendido, y hoy...

–¿Por qué siempre intentas complicarlo todo, Pànic?

–Las cosas *son* complicadas. *Yo* soy complicado, joder –respondí, más pálido aún.

–Entiendo lo que me dices, pero lo que quieres decir es otra cosa. –La miré como un niño al que, otra vez, han atrapado con la mano en el bote de galletas.

Chip-chap, los de abajo nadaban tras el cristal, ahora cogidos a unos corchos rosa que eran como biscuits helados de fresa y nata. Cerré los ojos. Escuché sus pies salpicando en el agua tras mis párpados. Abrí los ojos.

–Te diré lo que *yo* he estado pensando –dijo Rebeca, después de humedecerse los labios–. Si volver atrás o dar un paso adelante. Si quedarme con lo no-muy-bueno perfectamente conocido, cómodo, sin sobresaltos, o dar un paso hacia cosas que no conozco, cosas con buena pinta.

Ajenos a nosotros, los nadadores aparecían y desaparecían, agarrados al borde de la piscina haciendo respiraciones. Como un gigantesco instrumento musical que alguien estuviese tocando tras la lona; un xilofón humano, una melódica colosal.

De pronto, como un imbécil, expulsado de mis casillas, pregunté:

–¿Qué intentas decir? –A pesar de que estaba bien claro. Y encima, por si fuera poco, dije el nombre temible–: ¿Estás con Ignacio o no lo estás? Tengo que saberlo.

Rebeca, con todo, me miró con blandura.

–Quiero decir que he decidido que quiero estar contigo. Sin novios ni papeles ni obligaciones excesivas. He decidido que no voy a estar con nadie más, pero que no estamos casados. Y que si te esperas, veremos a ver. –Me cogió la mano y se inclinó hacia mí. Sus labios de ventosa envolvieron mi oreja. Chup–. Mientras, puedes enseñarme todos esos mapas de vuelo de los que hablabas.

Sentí cómo mi cuerpo salía de mi cuerpo y se sentaba delante de mí y se ponía a filmarme, y me vi junto a Rebeca, cogido de la mano, sus labios en mi oreja, y pensé que hubiésemos quedado bien en alguna película inglesa de los sesenta; yo podía ser Tom Courtenay y Rebeca..., ella podía ser Shirley Anne Field.

El silbato del monitor de natación resonó por la piscina en el momento exacto en que terminaba mi Segundo Periodo de Incertidumbres con Rebeca.

–Si quieres, claro –añadió. La miré un instante y luego le di un beso, corto y mullido y perfecto.

1 cartucho, 2 cartuchos, 3 cartuchos, 4 cartuchos... Mi Nochebuena.

Marco Cara me había encargado hacer inventario de explosivos en un pequeño y húmedo almacén del Carmel. Puesto que no podíamos estar entrando y saliendo del sitio a plena luz del día, tuve que ir a las nueve de la noche. Estuve bebiendo unos cócteles con Elvira y luego me monté en la Vespa robada –que el Cansao me había enseñado a conducir– y me encaramé al barrio empinado.

Cuando me dijeron que tenía que contar explosivos, yo iba a preguntar para qué.

Iba.

Luego recordé que todo a su tiempo, que no seas impaciente y que era demasiado pronto. Demasiado pronto para qué. Para qué, maldita sea. Pero calma, Pànic.

Mi nueva política era: No preguntes.

Mi nueva política, en inglés, era: *Go with the flow.*

Y no porque no tuviera curiosidad. Tenía curiosidad a chorros. Un surtidor de curiosidad insana haciendo piromusicales en mi cabeza. Ooooohs y Aaaaahs cada vez que se me ocurría una explicación nueva. Y luego, el aguafiestas. El empleado imbécil y amargado de mi cuerpo, que cortaba el agua y me recordaba que me estaba metiendo en algo retorcido y feo como un jorobado de película de terror.

En el almacén había varias decenas de cajas de dinamita y goma 2. Sentado en una caja de naranjas vacía, helado de frío (llevaba la bufanda de Scott envuelta casi hasta los ojos) y con los dedos embotados, saqué el bolígrafo y empecé a contar cartuchos. Sospechaba que aquello, más que un recuento rutinario de materiales, era una nueva manera de curtir mi espíritu. Como la vez que Àngels me tuvo empujando el contenedor recién pintado hasta que mis dos nalgas y bíceps se desengancharon de mi cuerpo y fueron a tumbarse por los rincones, jurando maldiciones terribles.

Casi a oscuras, con la única luz de una linterna, pensé en aquello mientras contaba dinamita: 1 cartucho, 2 cartuchos, 3 cartuchos, 4 cartuchos. Tenía mucho tiempo y nadie con quien hablar –aparte de dos ratones curiosos que se me acercaban de vez en cuando–, así que empecé a pensar en otras cosas.

Habían pasado dos semanas más desde que Rebeca y yo empezamos a salir juntos y las incertidumbres se tomaron un respiro. En aquellas dos semanas, los eventos se desarrollaron en una combinación de sorpresa y rutina difícil de explicar.

En primer lugar, Rebeca y yo empezamos a pasar bastante tiempo juntos. Mis dudas, siempre dispuestas a saltar como el muelle de un regalo-broma, se apaciguaron. Nos sentamos en bares y hablamos de cosas en común y otras nuevas. No hablé de mi familia, por cierto, aunque sí de mi tía abuela –saltándome las partes extrañas– y de Lola, que Rebeca manifestó desear conocer. En mi casa, cuando Lola no estaba –creo que volvía a quedar con el actor cataléptico, y éste había expresado su voluntad férrea de no volver a poner los pies cerca de mí–, bebíamos té o cerveza. Escuchábamos soul sureño o baladistas rompecorazones y, a veces, incluso a Johnnie Ray. *Llorar, llorar, llorar...*

Algunos cantantes soul, mezclados con los besos chapoteantes, activaban las ganas de meterse en la cama. Recuerdo que Al Green era infalible. Jerry Butler, con su «I don't wanna hear it anymore», también. Rebeca tenía un cuerpo hermoso; moreno y brillante, curvado, de tacto resbaladizo, nada seco. Practicamos el noveno grado muy a menudo, y estuve arriba o debajo o detrás muchas veces, apartando su cortina de cabello negro, besándola en la nuca. Todas las veces que no pude aguantar más, todas las veces vi a mis amigos los arcángeles ardientes. Fue un hermoso reencuentro con ellos, y juraría que alguno me saludó con una mano, mientras con la otra intentaba apagar los fuegos de su sistema motriz.

Después del noveno grado, muchas veces nos quedábamos conversando en la cama, con la calefacción a toda marcha. Rebeca hablaba y, mientras lo hacía, los dedos de sus pies celebraban de nuevo una danza sioux independiente de sus palabras. Era muy divertido, de veras. Después de hablar un rato yo solía quedarme mirando sus pechos sólidos y redondos, sus pezones tostados, y casi nunca podía estar más de cinco minutos y me inclinaba sobre ella grado a grado hasta que llegábamos al noveno. Mis dudas se fueron de vacaciones con grandes maletas y baúles, como si hubiesen de estar fuera, de crucero, largo tiempo.

La segunda de las cosas que pasaron en aquellas dos semanas fue que Johnny Cactus y Arturo Grima fueron denunciados oficialmente. Un amigo del Cansao nos contó que alguien les había identificado al fin, y que se había dado orden de captura. Incluso dijo que sospechaban de alguna otra acción similar en el pasado.

Los dos recibieron la noticia de manera tan cotidiana que, la misma noche en que les informaron, agarraron un bote de Dexedrina y una botella de Tía María y se fueron en el Ford Fiesta blanco del Cactus a celebrarlo por ahí. Yo no pude ir con ellos porque quería ver a Rebeca, sus dedos autónomos y su pubis negro y su sonrisa de melón, y eso había tomado momentáneamente las riendas de mis mapas de vuelo.

Además, era bien posible que no me hubiesen dejado acompañarles. Lo mejor para evitar el rechazo es dar un rodeo. No acercarse de cara al objeto de deseo. Coger atajos. Evitar los NOs. Con pesar, escogí esa opción. La tristeza de la duda siempre será mejor que la tristeza del desprecio.

En fin. Mientras pensaba en todo aquello, aún en el almacén del Carmel, pasó algo increíble; uno de los dos ratones se me acercó y se puso sobre dos patas cerca de mis safaris negras. Alzó las patas delanteras en plegaria y movió el hocico, con los ojos y las orejas hacia mí. Le miré.

Y, de golpe, habló.

–La locura que desatamos por pasión es lo más cerca que nunca estaremos de la grandeza, Pànic.

Me quedé mirándole sin mover una pestaña. Inmóvil, con el bolígrafo y la carpeta en la mano. Mi mandíbula cayó, gravitatoria. El bolígrafo se fue a hacerle compañía. La carpeta se decidió también. Todos al suelo.

El segundo ratón se acercó y le puso la mano en el hombro a su amigo:

–Tiene razón, ¿sabes? Esa locura es lo más cerca que nunca estaremos de la gloria.

–Pero nada es gratis –añadió, meneando los bigotes.

–No –dijo su amigo–. El precio de esa pasión es tu cordura.

–Ya puedes ir creyéndotelo, Pànic.

Con la boca abierta y los ojos de paella, moví el brazo hacia ellos. De golpe, no había nadie. Ni ratones, ni ningún otro roedor. Busqué a mi alrededor con las pupilas encendidas. ¿Qué...? Cogí la linterna y enfoqué los rincones; nada.

De repente pensé en Elvira y sus cócteles. ¿Se habría atrevido a echarme ácido lisérgico en la bebida? Si era así, se iba a enterar. Mientras pensaba en vengarme, los dos ratones reaparecieron y empezaron a bailar el cancán, agarrados y levantando las patas traseras al unísono, primero una, luego la otra. Una y otra. Una y otra.

Les ignoré y seguí con lo mío: 1 cartucho, 2 cartuchos, 3 cartuchos, 4 cartuchos...

El día de Navidad. Sentado, mirando a Johnny Cactus. Desde donde yo estaba sólo veía su perfil, su perfil pétreo de busto clásico, sus gafas en la punta de la nariz, como una cometa de papel atascada en un rama. No sonreía; Johnny Cactus nunca sonreía nerviosamente, como hacen los cuadrados intentando complacer al mundo.

Todos los bares estaban cerrados, y nos habíamos recluido en mi casa para comer juntos.

–¿Cómo lo quieres? –me preguntó Elvira. Había cometido el error de decirle que necesitaba un corte de pelo, y ella había dicho que para qué iba a gastar dinero en un barbero, que ella me lo hacía gratis, y vi sus ojos químicos y dije adiós flequillo.

Una hora antes le había preguntado si me echó ácido en la bebida el día anterior, y ella me miró con sorpresa y sólo dijo:

–¿De verdad me crees capaz de algo así, imbécil?

Así que decidí dejar el tema, olvidarme de los ratones filósofo-bailarines de cancán e intentar congraciarme con ella.

–Muy corto de atrás y los lados. Muy corto. Largo de delante, con raya al lado, sin potingues. Como ahora, pero arreglado. Sin capa. ¿A lo boy scout antiguo?

–Oído –contestó, y me puso una toalla sobre los hombros.

Noté el primer *tchak.*

–Uy –dijo Elvira.

–¿Uy? ¿Qué pasa? ¿Qué has hecho?

–Nada que no tenga arreglo. Tranquilízate. –Otro *tchak.*

Silencio de montañas inaccesibles y templos abandonados y casas de Poe.

–¿Y ahora qué? –grité, tratando de levantarme–. Un espejo. Quiero un espejo.

–Desde luego, si no dejas de moverte, al final va a quedar como una mierda. –Hizo fuerza en mis hombros para impedir que me largara.

Arturo Grima estaba en la cocina, cocinando, y la casa olía muy bien a cebollas cortadas y tomillo y carne al horno. Johnny Cactus estaba hablando con Marco Cara, que tampoco sonreía. Todos bebíamos cerveza. Eran las dos del mediodía.

Arturo Grima salió de la cocina con un delantal de Lola, y yo me reí, y Elvira también. El delantal llevaba un dibujo de un cuerpo de mujer, con pechos y pubis.

Tchak. Dejé de reírme.

Moví un poco la cabeza para captar la conversación del Cactus y Marco Cara. Palabras sueltas.

–Gravedad... gelignita... temporizador... –Moví la cabeza algo más.

–No te muevas.

Tchak, tchak, tchak. Un pedazo sólido de peinado cayó cercenado en mi regazo y se quedó allí, como la cola cortada de alguna ave exótica.

–... vía de escape... Pànic... –Otra vez. Mis hombros dieron un ligero brinco.

Elvira aprovechó mi desconcierto con astucia: *tchak, tchak, tchak.*

Johnny Cactus me vio, de repente, oreja en ristre, y paró de hablar. Todos se quedaron en silencio. Johnny Cactus movió un músculo del labio. Durante un segundo, parecía un tic; en un segundo el tic se repitió, transmitiéndose al resto de la boca. Ambos extremos se inclinaban hacia arriba.

–Un espejo –dijo, sacándose las gafas.

Y cuando hubo hablado, la cabeza se echó hacia atrás, la medialuna se abrió, y de ella brotó la carcajada del año, a mi costa. Yo, otra vez, miré a mi querido suelo. Ese suelo sólido que nunca me fallaba.

–Perdona, Pànic. No me estaba riendo de ti –dijo al fin, poniéndose en pie y poniendo una mano en la toalla de mi hombro–. Es sólo que... –Me alcanzó el espejo.

Ante mí había uno de los hermanos Dupont en *Hemos aterrizado sobre la luna* de Tintín, cuando el cabello les crece desmesuradamente y han de cortárselo muy torpes, y vi las clapas, trasquilones y brotes de cabello negro que escapaban por todas partes, y Elvira dijo Si no te hubieses movido tanto, habría quedado mejor, idiota y yo empecé a reírme y contesté Muchas gracias por nada, Elvira. Gracias por nada. Anda, coge la máquina y rápame, por Dios, dije, y ya nadie podía parar de reír, y juré por mi madre que nunca en la vida iba a olvidar ese día. Nunca en la vida.

Pero ahora veo que no significaba nada; que era sólo una de esas cosas.

Una de esas cosas que pasan.

Enero creció y envejeció como un anciano; frío, los movimientos lentos, los pasos arrastrados. Esperé la nieve con anticipación, mirando hacia el cielo encapotado cada vez que anunciaban temporales, pero la nieve nunca llegó. Una pena. Si hubiese nevado en Barcelona habría tenido un serio ataque de nostalgia deliciosa, que anhelaba saborear lentamente, afectado de esa manera que se es cuando se tienen veinte años y la cabeza como un cuarto trastero.

A Rebeca le encantó mi nuevo peinado. Me quitaba el gorro delicadamente (tenía una gorra militar americana de los sesenta a lo Joe Orton que ya nunca me abandonaba) y frotaba sus manos contra mis púas simétricas. Y me decía:

–No sabes lo guapo que estás con el pelo corto. –Me gustaba oírla decir eso, y notar sus dedos hundirse en el puerco espín de mi cabeza mientras me miraba fijamente. Por desgracia su frotar, mezclado con el frío, volvía a provocar el efecto dinamo: ZAK.

–No vuelvas a hacer eso –le advertía yo, serio, humeante, señalándola con el dedo.

–Ya me he descargado, no te preocupes –me contestaba ella, riéndose.

–Quiero decir nunca más en la vida, joder –le decía yo aparentando gran enfado.

Algunas tardes de aquel enero Rebeca y yo hablamos de unas cosas, e intentamos no decir nada sobre otras. Yo mentí y callé cuando tal vez debería haber hablado; poco importa eso ahora, pero no puedo sacármelo de la cabeza. Si hubiese sido sincero quizás me habría ahorrado algunos de los descalabros posteriores.

Rebeca y yo hablamos de su vida y de la mía. Le conté muchas cosas de mi infancia extraviada, de mis recuerdos difusos, de mi curiosidad hacia mi propia curiosidad, mis libros y discos, todas esas piezas ortopédico-emocionales que necesitaba añadir a mis articulaciones para poder andar.

Sin embargo, cuando llegó el momento de contarle sobre los vorticistas, el speed y las acciones del IIMM, no dije nada. Cerré la boca. Había visto a sus amigos y su entorno, había hablado con su madre y –es comprensible– decidí guardarme aquella información. Me pareció un polvorón demasiado seco y extraño para poder ponerlo en su boca. Preferí masticarlo lentamente y ver si, más adelante, todo el asunto se volvía un poco más digerible.

Y un día sucedió algo inesperado: Rebeca me contó que conocía a Johnny Cactus. Era una tarde de aquel enero en casa de Lola. Me dijo:

–¿Te acuerdas de la fiesta en casa de mis padres?

Ella estaba tumbada boca abajo, desnuda, ondulada y morena como una herramienta de caoba, y yo estaba a su lado acariciándole el vello rubio de la espalda. Acabábamos de terminar un noveno grado perfecto y dulce. De fondo sonaba William Bell, «A tribute to the king».

–¿Mmmmh? –murmuré ausente, pasando los dedos sobre el trigo de su rabadilla.

–El día de mi fiesta. Antes de marcharte, estuviste con un tío que conozco. Hug Ferrer. Iba a mi instituto, pero le echaron.

–¿Hug Ferrer? –pregunté, sin caer en la cuenta al principio. De golpe, el fluorescente se me iluminó. Johnny Cactus.

–Claro, claro. Hug Ferrer. Le conozco. ¿Por qué?

–Bueno... –se interrumpió, como no sabiendo cómo continuar, y se dio un poco la vuelta para darme la cara. Sus dos pechos se desplazaron, ordenadamente, hacia la cama. Apoyó la cabeza en una mano y continuó–. No iba a mi clase, pero... Les invitaron, a él y a sus amigos, a una fiesta en una casa de Vallvidrera. –Rebeca carraspeó. Yo le puse el cabello negro tras la oreja, aparentando ignorancia–. En un momento de la noche, Hug y sus amigos sacaron el piano de la casa por las puertas del patio. Lo cogieron entre cuatro y, sin aspavientos, lo *echaron a la piscina*. Yo estaba a un lado del patio, hablando con unas amigas, y les vi salir y hacerlo. Todo el mundo se quedó en silencio, viendo cómo el piano hacia blob-blob y se hundía.

Me rasqué la cabeza, genuinamente sorprendido, sin palabras.

–Espera. Hay más. Después del piano, entraron a buscar la nevera y también la echaron. Luego los tiestos que rodeaban la piscina, uno a uno. Cuando terminaron, fueron a por los bancos y los echaron también. Metódicamente, clínicamente, sonriendo pero sin reírse. No parecían borrachos enloquecidos sino obreros dedicados, como si aquello fuera lo que *tenían* que hacer.

Esperé, en silencio, a que continuara. Sabía que había un apéndice en alguna parte. Rebeca me frotó las púas de la cabeza, luego siguió hablando.

–¿A ti te parece normal? Los demás en la fiesta eran cien a uno. El dueño de la casa estaba allí. Y nadie intentó pararles; supongo que no se habían inventado palabras para detener aquello. Nunca estás preparado para que sucedan cosas así. Cuando de golpe pasan, tienes que improvisar, supongo.

Pareció divagar un segundo y luego me miró a los ojos y dijo, sin amenazar, tan sólo deseando comprender:

–Contéstame, tú le conoces: ¿es esto normal?

La besé.

–Tiene que haber una explicación. No le conozco tanto, pero nunca le he visto hacer algo así.

Pero, en mi cabeza, lo que volví a pensar fue esto: ¿Qué es normal? El Poseidón está cabeza abajo. Normal es anormal. Techo es suelo. El *potlatch* indio ha empezado. Las montañas han empezado a arder y las *squaw* están siendo intercambiadas. Nadie puede echarse atrás.

Las voces en mi cabeza, los ratones bailarines que saltan de los cajones entreabiertos de la cómoda de mi cerebro, me comentan que me he dejado unas cuantas cosas por contar de aquel enero húmedo y frío. Es cierto. Hay un par de cosas que debería añadir.

En enero, los vorticistas volvieron a jugar al ping-pong con mis preguntas. No se volvió a hablar de lo que sucedería en febrero pero, cuando yo –desoyendo las promesas que me había hecho– inquiría sobre detalles o fechas concretas, un elegante *drive* de alguno de ellos enviaba mi pregunta al otro lado de la red. La única concesión que hicieron fue avisarme que a mediados de febrero nos íbamos de viaje al refugio del monte durante una semana; eso, creo, fue lo que hicieron la última vez que les vi desaparecer. Me pregunté qué rayos se nos había perdido allí pero, cuando traté de formular la duda en voz alta, alguien me la devolvió de un revés. No volví a preguntar.

Y, sin embargo, la paciencia se me estaba agotando. Las últimas gotas que quedaban de ella. Su esqueleto, sin casi carne pegada a los huesos, imposible de roer o aprovechar. Sólo me consolaba el pensar que, tarde o temprano y si yo tenía que formar parte en ello, alguien me contaría lo de febrero. Quizás en el monte, me dije.

Después de la denuncia todos dejaron de aparecer en público tan a menudo. Abandonamos La Costa Brava para limitarnos a la casa del Cactus, y en consecuencia yo empecé a ir al bar con Rebeca; le encantó el sitio, y alguna vez saludó a alguno de sus amigos que salía del cine Verdi.

El 26 de enero se celebró el juicio por agresión contra Grima y el Cactus. Yo tenía que ir como testigo, me dijeron, pero ignoré sus cartas, y los acusados peor. Hubo días de cárcel seguro, además de la fianza; algunos de los agredidos quedaron en bastante mal estado, y sus abogados estaban dispuestos a pedir la máxima pena. El día del juicio, y mientras los demás se reunían para algo que no sé, Elvira y yo nos tomamos un ácido a su salud; era mi primera vez.

–¡No entres ahí! –reverberaron mis palabras, porque Elvira quería entrar en un portal oscuro que, habíamos decidido, era la entrada al centro de la tierra.

Los dos teníamos espirales y crucecitas en lugar de ojos.

–¡No! ¡No! –le gritaba, inmóvil ante una puerta oscura de la Plaça del Diamant. Nos había llevado dos horas andar los cien metros de la calle Guilleries. Cada portal, cada recoveco era algo que explorar; los dos nos juntábamos y separábamos como obedeciendo impulsos primitivos, precognitivos, calambres atávicos y gestos tribales. En todo momento se mezclaba la risa histérica con el pánico momentáneo: Elvira se quedó sin piernas, dijo, y yo, yo estuve con los ratones pequeñitos otra vez.

–No te engañes, no nos ves sólo por el ácido –dijo uno, encendiendo una pipa. Una pipa minúscula, que soltó un hilo de humo casi invisible.

–¿Por qué, entonces? –pregunté, de rodillas.

–Tendrías que examinarte la cabeza, chaval –dijo el otro–. Es obvio que todas esas obsesiones no son muy sanas. Recuerda lo que te dijimos del precio de la pasión.

Los ingleses tienen una palabra para esa actitud: *party-pooper.*

–¿Qué te pasó en el pelo, Pànic? –preguntó el primero. Me lo froté y noté una corriente alterna que me recorría la columna hasta el coxis–. ¿Electroshocks?

–Da igual, déjale. Bailemos –contestó el segundo.

–De acuerdo –dije yo.

–No, tú no –me dijo el primero. Se dieron los brazos y empezaron un sirtaki; hasta los ratones me excluían de sus secretos. Pero aquella noche me dio igual. Me puse a aplaudir entusiasmado, mis palmas huecas como platillos de orquesta, y gracias al cielo eran las cuatro de la mañana y nadie me vio ni pudo decírselo a Rebeca.

–Así que de rodillas y aplaudiendo a la nada.

Rebeca, al día siguiente. Sonreía, gracias a Dios.

Me acababa de despertar, porque Lola le había abierto la puerta sin avisarme antes. La luz de un día de sol invernal entraba por debajo de la persiana que Rebeca acababa de subir; una luz tímida y perdida, como un niño sonámbulo que entra en la habitación paterna en mitad de la noche. Ella estaba sentada en la cama, a mi lado. Llevaba una bufanda de lana a rayas rojas y un gorro también rojo con borla. Parecía un bombón de chocolate y brandy con avellana en la cima.

Me froté la cara.

–¿Quién te lo ha...? –balbuceé, incorporándome, en calzoncillos.

–Eran las once de la noche. La plaza estaba llena de gente, bestia.

Vaya. Hubiese jurado que era mucho más tarde.

–Estabas con una chica, ¿no? –preguntó científicamente, sin acusaciones.

Asentí.

–Elvira. Una amiga.

–Tengo curiosidad por conocer a tus amigos. ¿Me los vas a presentar algún día?

Pronto, le dije, cerrando los ojos y bostezando. Muy pronto.

–Bien –dijo–. Se me había olvidado decirte una cosa, por cierto: el tres de febrero es mi cumpleaños, y mis padres van a dar una fiesta como cada año. ¿Vendrás? Al final de la noche, ellos se van por ahí; y no hace falta que los conozcas, si no quieres.

–Claro, claro, estaré encantado. –Quería a toda costa demostrarle que yo era el mejor partido posible. Bostecé otra vez.

–Si puedes reprimirte de aplaudir a la nada, estaría bien, también –dijo, pellizcándome al lado de las costillas.

–Ay. Deja de espiarme, joder. Iré a la fiesta y le tocaré el culo a tu madre, ¿vale? Soy un anarquista. Los anarquistas no tenemos normas. Tocamos culos cuando nos apetece. Culos libres, ése es nuestro lema. ¡Culos para todos!

–Idiota.

–Métete en la cama –sólo dije, abriendo la sábana–. Venga.

Venga. Venga, me dije. Concéntrate. Aún era enero, y yo estaba en La Costa Brava, sólo, leyendo *Decadencia y caída* de Evelyn Waugh. La calle estaba oscura, eran las siete de la tarde y el bar estaba ruidoso y humeante, tras sus puertas una fábrica metalúrgica que dejaba escapar el rumor sordo de las conversaciones grupales. Dos Dexedrinas me circulaban por las arterias, dando bocinazos como coches tuneados. Se me había pegado la costumbre del Cactus de tomar Dexedrina en lugar de café al mediodía.

–Es más lúcido –me decía–. Y no deja mal aliento.

Venga, me repetí. Concéntrate. Levantando la cabeza del libro, vi a los conocidos de Johnny Cactus en la barra. Julián y el otro. ¿Cómo se...? Kiko Amat, eso. El primero llevaba un abrigo de piel con forro de borrego, bufanda de rayas, zapatos de golf. Sonreí al ver los zapatos. Peinaba tupé, como la otra vez que le vi. El segundo llevaba una parka blanca, tejanos con los bajos vueltos, safaris y un gorro militar de Joe Orton como el mío; estaba haciendo muecas y gesticulando a lo subnormal, la lengua fuera y los ojos en blanco.

Por un instante, no supe qué hacer. ¿Les saludo? ¿Eres o no eres un espía dandi-anarquista en prácticas, Pànic Orfila? ¿O quizás eres un pollito mojado, una avestruz excavadora, un mandril que enseña el culo rojo a sus adversarios en señal de completa sumisión, Pànic Orfila? ¿Estás ya enseñando el culo, Pànic? ¿Es eso lo que estás haciendo? Co-co-co-co-co-co. La gallinita ciega y timorata de Pànic Orfila.

Me pregunté qué haría Max Stirner, y la respuesta me vino con gran rapidez. Seguramente, abriría una lechería. Su ejemplo, más que nunca, no me servía.

Con cierta gente uno sólo debería prestar atención a las palabras, no a los actos. Con otra gente, sin embargo, es completamente lo contrario. Olvida su boca, mira sus manos y piernas.

Finalmente, levanté la mano, sin dejar de mirarles. Repararon en mí al cabo de unos segundos, y sus ojos hicieron formas entrecerradas de intentar recordar. Fracasaron, así que al final no les quedó más remedio que venir a la mesa. Yo seguía aún con la mano levantada. Mi mano amenazaba con quedarse así, clavada sobre la mesa como una veleta, girando con los vientos durante el resto de sus vidas.

–¿Sí? –El camarero llegó antes que ellos.

–No quiero nada, gracias.

–¿Entonces por qué tienes la mano levantada?

–Cosas mías. –Sonreí, porque los dos acababan de llegar–. Hola. Conocéis a Johnny Cactus, ¿verdad?

–Entonces, ¿no quieres nada?

Miré al camarero con odio hasta que se marchó.

–Así-así –dijo Julián, sonriéndome–. Nadie conoce a Johnny Cactus.

Me situé en el espacio y el tiempo, comentando como el que no quería la cosa mi relación con los vorticistas. Chocamos las manos. Ambos se sentaron sin quitarse los abrigos, como si fueran delincuentes antiguos, examinándome. Tocando con el estetoscopio mi herida supurante. Tap tap tap. Humm. Esta herida tiene mala pinta.

–Pero estás muy solo –dijo Kiko Amat, con sarcasmo–. ¿Dónde están los otros?

Dije que no lo sabía. Ambos sonrieron. Pregunté qué pasaba.

–Bueno, nada. Es normal no saber dónde están. *Tus amigos* siempre se traen cosas entre manos –respondió Julián.

–Son como una sociedad secreta –dijo Kiko Amat, rascándose la nuca–. Una sociedad secreta que no admite a todo el mundo, por cierto. Siempre susurrando cosas por las esquinas.

–A mí me cuentan algunas –dije, todo orgullo herido, mi pecho lleno de papilla y llantos. Nadie me cree, mamá.

Los ingleses tienen una explicación para eso: *the boy who cried wolf.*

–¿Estás seguro? –dijo Julián. Asentí con poca seguridad.

–Las cosas son un poco confusas –les dije de repente en un arrebato de locuacidad química a aquellos dos tipos a los que no conocía de nada–. No sé muy bien qué es verdad y qué es mentira. Las cosas se me empiezan a acumular en la cabeza, y algunas están del revés, y parece lo normal, después de tanto tiempo estando del revés también. ¿Entendéis? O sea, cosas que hubiese considerado imposibles hace unos meses ahora me parecen el colmo de la normalidad. Cosas extravagantes incluso para mí, que he tenido una infancia extravagante.

Los dos me miraban, atentos. Dios salve a la anfetamina.

–A veces, me da la impresión de que todo es mentira –añadí.

–Mira: si todo es mentira, escoge al menos una mentira hermosa –dijo Julián, aunque mirando a su amigo–. ¿No?

En mi estado alterado, esa frase fue un relámpago divino clavándose en mi frente.

–Tienes razón –dije con los ojos centelleantes–. Eso haré.

Luego se levantaron, explicando que tenían que irse pero sin decirme adónde,.

–Si ves a ésos, dales recuerdos –se despidió Kiko Amat, y lo dijo sin ningún convencimiento, con énfasis deshinchado, forzoso. Mi supuesto vínculo con los vorticistas no les había convencido ni por un solo minuto.

Me quedé solo en la mesa otra vez, masticando las dudas. ¿Había más gente metida en aquello? ¿Salían juntos Elvira y el Cactus? ¿Nadie va a contarme nunca nada más? ¿Seré, definitivamente, la única persona que no sabe lo que está sucediendo aquí?

En el fondo, me dije, todo podía ser mentira. En el fondo, yo era el chico que socializaba en la fiesta, pero que luego se iba a casa solo. Uno más del ejército misántropo. Cuando la fiesta se acaba, los chicos se van solos a casa, con las manos vacías, los pasos abandonados. La amistad era una mentira y, la verdad, ni siquiera sé ya si era la más hermosa. Ni siquiera lo sé ya.

Rebeca nació con la cuchara de plata en la boca y el pan bajo el brazo, cojines bajo el culo, los pies en agua dulce. Este hecho no se escoge; nadie te pregunta. En la ruleta de clases van saliendo niños en Manresa, Cornellà, Sants. De repente, la cigüeña acepta un soborno y uno nace en La Bonanova.

Zas.

Se le aplica la cuchara y el pan y fuera, a un mundo seguro y lujoso que nunca va a dañarte.

La ruleta de clases tiene tongo. Imanes. Números manipulados. Dados con truco.

Los padres de Rebeca no eran exactamente mala gente; tampoco se podía decir que fueran buena gente. Eran el tipo de gente que nunca se ha preguntado por qué existe la ruleta trucada y aceptan su destino con despreocupación. Nunca hubiesen aplastado la cabeza de un niño croata que les quisiera lavar el parabrisas; nunca se hubiesen comido su corazón crudo.

Rebeca tuvo las mejores vacaciones en lugares lejanos, jugó a tenis, ingresó en la élite de alumnos de un colegio para élites, compartió cumpleaños con los suyos. Durante unos años, le pareció normal. En una repetición de las conversaciones de sus padres, nunca se comentó el tema del *otro lado*. Lo que no ves no te dañará. Pero Rebeca empezó a sospechar que las cosas no eran tan simples.

Con el tiempo y el andar, Rebeca acabó de entender, aunque no tenía palabras para explicar el timo de la cigüeña. Mediante besos y escaramuzas, Rebeca aprendió que lo de la ruleta timadora no era especialmente justo, y conoció a algunos chicos y chicas del *otro lado*. Tenía gracia; no parecían sufrir enfermedades terribles y contagiosas.

A los dieciséis Rebeca consiguió aceptar una parte de su historia, que era haber nacido donde había nacido, pero se empeñó en cambiar la otra parte, siempre lejos de la vergüenza ajena:

nunca fingió ser lo que no era, y mantuvo intacta la capacidad de aprender, apasionarse, enamorarse, sublevarse.

Y, entonces, Rebeca se enamoró de mí. Desde el primer día, aunque yo nunca lo supe, desde que me dijo: «¿Eso es una rebeca de mujer?» La flecha entre las cejas, la saeta que no vi, el corazón de San Valentín que se perdió en correos, sepultado bajo sacas y cajas. La rosa de Sant Jordi que se marchitó antes de llegar a otras manos; que se olvidó en un vagón de metro o un bar, donde nadie la encontraría hasta la mañana siguiente. Cuando el día de regalarla había pasado, irreparable.

Mientras se reía de mis demencias, Rebeca pensó que quizás había encontrado algo de valor. Pero no lo dijo. Las mujeres no pueden decirlo, aparentemente.

Tal vez debería haberlo hecho, sin embargo. Tal vez eso hubiese simplificado las cosas, como ella decía que le gustaban las cosas.

Simples.

Pero no lo hizo y muchas cosas se fueron a la mierda, qué fácil decirlo ahora, no lo hizo y hubo la gran jodienda y es pronto aún para contarlo. Pero una cosa sé segura: soy un imbécil. Rebeca tenía razón. Eleonor tenía razón. Àngels tenía razón. ¿Estuvo todo el mundo avisándome de que se acercaba la gran jodienda? Si lo hicieron, no me enteré. Y cuando llegó la gran jodienda me pilló tan desprevenido, tan estúpido, que hice lo que hice y me hundí como una piedra en un lago. Con un blob sonoro y rotundo, sin salpicar.

Es verdad; es aún pronto para contarlo. Pero no tanto como parece.

–¿Qué tal estoy?

Mi tía Lola y Johnny Cactus me miraron, y luego se miraron entre ellos. El Cactus podía ser encantador, cuando le apetecía. El Cactus podía enseñar las flores y los frutos y esconder las púas, cuando le apetecía.

Estábamos en mi casa, y era el día del cumpleaños de Rebeca, 3 de febrero.

–¿Qué es esto, *Sabrina*? –dijo el Cactus, irónico–. Sólo es una fiesta, por Dios. No vas a pedir su mano. No dramaticemos.

–Sólo quiero ir sobre seguro –dije, pensando en aquella fiesta en que acabé con la lengua de Bercedes en la tráquea–. Esta vez, nada de errores. ¿Qué tal estoy?

Llevaba un traje, hecho a medida en un sastre que me había recomendado el Cactus: chaqueta italiana de tela verde oscuro, corta de faldones, solapa estrecha, tres botones, pantalones estrechos del mismo color con bolsillo alemán. Debajo llevaba un jersey de cuello alto negro. Y encima de todo, un abrigo negro estrecho, con el cuello subido.

–Estás perfecto –dijo Lola–. Pareces un jazzman.

–Ésa es la idea –dije, poniéndome el gorro de Joe Orton.

–¿Estás seguro de que el gorro pega con el traje? –preguntó el Cactus–. Queda un poco... barato.

–La ropa barata me queda mejor. Vengo de las cloacas, que no se te olvide nunca. –Les miré serio, riéndome interiormente. Era una frase de Joe Orton.

–Vienes de vivir confortablemente con tu tía abuela –dijo el Cactus, poniéndose en pie y cogiéndome de un brazo–. Tu pueblo es más feo que el vicio, en eso te doy la razón, pero de cloaca nada, Oliver Twist. Venga, te llevo a la fiesta en coche.

–Picio –le dije–. Se dice *Picio*.

–¿Qué? ¿De qué hablas?

–Nada. Déjalo. –Me dirigí hacia la puerta, sonriéndome.

–Id con cuidado –dijo Lola, maternal de repente.

–No te preocupes. Está en buenas manos –replicó el Cactus guiñándole el ojo.

Tres semáforos saltados en rojo, una calle en contra dirección y un temerario giro en U después, Johnny Cactus aparcó derrapando y aullando yiii-ja en un sitio reservado para minusválidos, a una manzana de la casa de Rebeca en La Bonanova.

–Esto es sólo algo que acaba de ocurrírseme –dije, desabrochándome el cinturón de seguridad y secándome la frente con la palma de la mano–. Pero, teniendo en cuenta que este coche te lo regalaron tus padres, que la matrícula aparecía en los anuncios de Desaparecido junto a tu nombre y que hace poco tuviste un juicio por agresión al que no fuiste, sin tener en cuenta los anteriores juicios por cosas que no sé, porque nunca nadie me cuenta nada, ¿no crees que es un poco arriesgado conducirlo así?

El Cactus me miró por segunda vez como si no supiera de qué le estaba hablando.

–Tu problema es que te preocupas demasiado, Pànic. A veces me pregunto si no eres un cuadrado, en realidad. Encajonado y asustado como ellos. –Sonreía malévolo.

–Cuadrado lo será tu padre.

–En eso no te equivocas. –Los dos nos reímos.

–Y otra cosa: no te creas que no te he visto flirteando con mi tía. La guiñadita de ojo, y toda la amabilidad. No quiero llegar a mi casa y encontrarte allí con el culo al aire un día de éstos.

–Qué poco tacto tienes –contestó, peinándose en el espejo retrovisor–. Ya deberías saber que no me interesan demasiado ni las mujeres ni los hombres. Lo que viste era sólo una manifestación de mi educación y elegancia natural. Algo que tú, con tu infancia en *las cloacas*, no podrás nunca llegar a comprender. –Se puso la mano en el bolsillo de los Levis blancos, sacó la cartera y continuó hablando–: Pero no te guardo rencor. Y, para demostrártelo, te voy a invitar a speed.

–Ya tengo. Encargué unas cuantas bolsas por si algún amigo de Rebeca quería.

–No te he preguntado si tienes o no. He dicho que iba a invitarte. Decídete.

Unas horas antes, había decidido no tomar nada esa noche. Mantenerme con la cabeza clara, comportarme con normalidad, quedar como un señor.

–Bueno –dije–. Pero sólo un poco.

Tres rayas después, salí del coche sorbiéndome las narices y llamé a la puerta de casa de Rebeca. Era una noche helada, y sentí agujas de coser en la nuca cuando una breve ráfaga de viento circuló por la calle. Mientras esperaba, la bola descendiente con sabor a medicina y amargores rodaba cuello abajo. Me mordí una uña. Me puse bien el gorro de Joe Orton. Me subí por cuarta vez el cuello del abrigo. Me mordí el labio superior con fiereza. Un sabor metálico me llenó la boca. ¿Qué? Sangre.

Se abrió la puerta. Era Rebeca, en Din A-3 y apergaminada, amarilla y con los bordes arrugados. Deduje que era la madre –tenía la misma cara de Helen Shapiro– y me adelanté a sus palabras.

–Hola, me llamo Pànic, soy amigo de Rebeca, ¿es usted la madre? Hablamos por teléfono una vez.

–¡Por Dios, hijo! –exclamó, alarmada y acercándose a mí–. ¿Qué te ha pasado en el labio? Estás sangrando.

Gran *déjà-vu* del día en que me caí por las escaleras. La historia de mi vida es una sublime repetición de los peores momentos. Una moviola letal.

–Hum. Sí. No se preocupe –me toqué el labio y miré el dedo, que se había vuelto rojo en la punta a lo E.T.–. Es una pupa, que se ha abierto.

–Pasa, por favor –dijo, haciendo el ademán–. Te pondré alcohol en el lavabo.

La seguí y pasamos por delante del comedor donde se celebraba la fiesta. Había unas sesenta personas, entre ellas Rebeca hablando con un señor altísimo que llevaba los ojos de ella puestos, y que deduje que era su padre. No todo el mundo se volvió y nos miró, se oía música y muchos estaban concentrados en sus conversaciones. Noté una gota de sangre que me resbalaba por una comisura del labio y la lamí; fue como chupar una cañería vieja. Volví a aplicarme el dedo mientras Rebeca y el padre se acercaban, veloces con alarmas de ambulancias y urgencias.

–¿Qué ha pasado, Pànic? –preguntó Rebeca, pero no había gran sorpresa en su voz. Creo que empezaba a acostumbrarse a que me pasaran cosas.

–Una pupa –dije, sin apartar el dedo, por la esquina de los labios. Rebeca llevaba un traje largo rojizo con la espalda descubierta, y el cabello en una cola de caballo que era un gran ramo de lirios negros. Se había pintado un poco las pestañas, y sus pupilas parecían más grandes que nunca. Me sentí orgulloso de su belleza, aunque yo no había hecho nada para crearla; supongo que me sentí satisfecho de poseerla, como si fuera un caballo del Grand National, y ese hecho me avergonzó.

–Ya –contestó, dudosa. Y luego, mirando al hombre alto de ojos copiados–: Papá, éste es Pànic, un buen amigo.

–Encantado –dijo el hombre con los ojos de Rebeca, y se inclinó para chocar mi mano. Tenía hombros grandes y voz de Sansón, el cabello cano peinado a lo Cary Grant. Elegante. Rico–. He oído hablar de ti –dijo.

Le miré, tratando de averiguar qué parte de mí conocía; si era la mala, empezábamos fatal. Pero claro, entonces no me hubiese saludado, sino noqueado de una patada en los huevos. Ese pensamiento me tranquilizó, aunque parezca imposible.

Al momento, le di la mano opuesta para no dejar destapada la herida del labio y que me brotaran bigotes sangrientos; agitamos los brazos equivocados de manera ridícula, como rusos bailadores (¡Hey! ¡Hey! ¡Kasatchok!). Me excusé para poder limpiarme y le dije a Rebeca que no se preocupase, que en un momento volvería; ella me miró con cara de *ya* estar preocupada.

El speed empezó a hacer efecto bestia en el lavabo, mientras su madre buscaba el alcohol, las tiritas y el papel higiénico.

Cuando se hubo marchado después de curarme, meé, silbando «Nothing but a heartache» de las Flirtations. No llevaba ni seis gotas, ni seis notas, cuando llamaron a la puerta. Mi cerebro era Indianápolis.

–Ocupado.

–Soy Ignacio, el amigo de Rebeca. ¿Eres Pànic? –dijo una voz con acento de yates de gran eslora. Se me redujo el pene aún más de lo que estaba.

Dije que sí, acabé de vaciar la vejiga, metí mi aceituna dentro de los calzoncillos y abrí la puerta. Allí estaba mi Moriarty, mi Némesis, con su nariz magnífica de Fidias y su lacio flequillo rubio. Parecía tener peor cara; como si llevara días sin dormir.

–Qué pasa –dije, sin signos de interrogación. Llevaba las manos en los bolsillos de la americana y puse cara de malo. Me sorbí la nariz otra vez y un segundo trozo de speed amargo cayó por el interior de mi garganta. Carraspeé y aparté de mi cara, en un gesto sincopado como un aparato de morse, un flequillo que ya no estaba.

–Perdona que te moleste –dijo, con un hilo dental por voz. Se me había olvidado que el tipo parecía buena persona, en el fondo–. Un amigo me ha dicho que te ha visto a veces pasando material, y nos preguntábamos si tenías algo. Lo que sea. No habíamos planeado pillar, pero al verte... –Miró al suelo. Pobre diablo.

Pensé en darles speed del mejor, para ver si destrozaban la casa y tiraban a los padres por el balcón como una jauría de perros enloquecidos, pero al instante recordé que ésta debía ser una noche tranquila. Decidí repartir pastillas, éxtasis, para que estuvieran dóciles y llenos de amor universal.

Efectuamos el intercambio, él me sonrió débilmente, me negué a aceptar dinero, susurré Hasta luego y volví a la fiesta. Rebeca estaba junto a sus padres, que se estaban preparando para marcharse a una de sus casas de la montaña. Supongo que lo decidían por el camino, tirando los manojos de llaves al aire y dirigiéndose hacia la que cayera en sus manos: «¡Ha tocado La Molina, querido!»

–Que les vaya muy bien el viaje –exclamé, pero por dentro pensaba en el futuro-cercano noveno grado con Rebeca y cómo iba a arreglármelas con un minúsculo percebe en alarmante proceso menguante en lugar de órgano sexual.

Cary Grant Padre me dijo, con voz de Odín, ya en la puerta:

–Cuida que todo el mundo sea responsable, hijo.

–JA JA JA JA JA.

Uy. Se me había escapado la risa por la estupidez de su frase. Traté de corregirlo, como si el JA JA JA fuese sólo una introducción.

–PUES CLARO. NO SE PREOCUPE DE NADA, SEÑOR –chillé, dándole a la vez una amigable colleja inducida por el speed. El hombre se me quedó mirando como si yo fuera un oso hormiguero con la trompa entre sus nalgas.

Por si acaso, volví a reír:

–JA JA JA JA.

Balbuceó algo y salieron a la calle. El padre aún se volvió un par de veces, como intentando ver la casa por última vez antes de que fuera reducida a cenizas por los hunos, y al final se metieron en el coche.

–¿Por fin solos, eh? –le dije a Rebeca, poniéndole la mano en el hombro. Detrás de nosotros sesenta veinteañeros hacían un UEEEEE colectivo al ver el coche de los padres alejarse. *Risky Business II*.

Rebeca me miró con esos ojos de ciervo asustado, ojos negros, relucientes como bolas 8 de billar, unos ojos que parecían meterse dentro de mi cabeza.

Rebeca me miró con esos ojos y dijo:

–¿Has tomado drogas?

Sorbí con la nariz y dije que no.

El desastre no anda. La catástrofe nunca camina, y no la ves acercarse. El cataclismo siempre es una gorda con el paracaídas roto que te hunde en el suelo. Un suicida adicto a las pizzas y los batidos que, después de caer quince pisos, rasga el toldo de la terraza donde estás sentado y te reduce a una pulpa de huesos rotos y coma.

Eres una rana del *Frogman* que quiere cambiar de arroyo cruzando la carretera, y a la que nadie ha explicado el significado de la palabra *Trailer*.

La tragedia, por mucho que digan, no se masca. Somos demasiado idiotas para preverla.

Y aquella noche, aunque vi al desastre caminar hacia mí a cámara lenta, como en un fotograma de *Grupo salvaje*, no lo pude predecir. Nunca notas el aviso de la gorda del paracaídas roto. Sólo el patachof, y la sensación de que ya no hay vuelta atrás, ni segunda parte, ni segunda oportunidad.

Habían pasado dos horas y el alcohol había mellado un poco el filo del estimulante; estaba más borracho, pero mucho menos agitado, o eso me parecía. Una sensación de triunfo se había asentado en mis manos, confiada y somnolienta como un bebé de tres semanas. Mis brazos estaban helados en los hombros helados de Rebeca, su espalda desnuda bajo el traje de noche, y habíamos salido un momento a la terraza.

Después de mucho hablar, Rebeca se había calmado respecto a mi gloriosamente patética entrada. Me estaba dando besos en la comisura de los labios cuando oímos la puerta del balcón que se abría. Otro borracho que quería tomar el aire.

Al volvernos, vimos que era Ignacio Luna. La tragedia, andando hacia mí. La tragedia que, pese a su presencia física, no se mascaba aún en mis muelas.

Según se acercaba, un sonido apagado se fue intensificando. Como un gemido encerrado en una caja de zapatos que aumenta según la vas abriendo. Cuando estaba a tres metros, me di cuenta; el imbécil estaba llorando. Grandes lágrimas le caían por las mejillas y un hipo telegráfico, intermitente, le recortaba la respiración. El aire salía de su boca en pequeñas explosiones, abrupto, saltando como palomitas hechas.

Por aquel entonces, ya sabía que Ignacio y Rebeca habían sido novios y se habían acostado juntos. No había vuelto a pensar en ello porque, después del final de las incertidumbres, ya no me parecía tan importante.

–¿Por (hipo) qué... me (hipo) dejaste? –le dijo a Rebeca, ignorándome. El tipo estaba hecho trizas, su cara blanco-amarilla como el azúcar de caña sin refinar.

–Ya hablamos de eso –le dijo Rebeca, sin tocarle–. Y me dijiste que comprendías lo que había pasado. Quc ahora yo estaba con otra persona.

Mi compasión por él se transformó en ganas de aplastarle la cabeza cuando le puso la mano en el brazo a Rebeca.

–(Hipo) ¿Qué he hecho mal? Quie (hipo) ro saberlo... (murmullo). No puedes dejarme así (hipo). Tengo que ha (hipo) blar contigo.

Rebeca me miró, con una cara que no supe identificar. De repente la situación se me antojó intolerablemente estúpida. A mí y al speed loco-loco, a aquel piloto suicida de motocross que circulaba entre mi cabeza y pies levantando rueda, chulesco.

Me acordé de repente de una conversación que tuvimos Rebeca y yo cuando terminaron las incertidumbres, unas semanas antes. Había sido después de un noveno grado casi amoroso. Ella estaba sentada entre mis piernas y yo le pregunté, idiotizadamente:

–¿Te has acostado con Ignacio?

Sí que se había acostado.

–¿Muchas veces?

Eso no importaba ahora.

–¿Tuviste algún orgasmo?

Qué clase de pregunta era ésa. Beso. Fuera lo que fuera, era antes de conocerme. Yo era un tonto.

Sus palabras.

En el balcón, mi mente-ballesta empezó a producir imágenes de Rebeca con Luna. No pude evitarlo. No me dio tiempo a desenchufar la antena de Tele-Celos 2.

–Mira, tío –le dije, y él me miró con los ojos enrojecidos como antorchas, como si no me hubiese visto antes. Recordé que, además, había tomado éxtasis. Sus pupilas eran cabezas de aguja brillantes, azuladas, en una habitación oscura–. Vete a dormir –añadí, aunque sabía que era imposible para él y para todos–, y mañana estarás mejor. –Le cogí el brazo y se lo apreté con fuerza.

Me ignoró y se tiró a los pies de Rebeca, esta vez aullando como un endemoniado. Por entre sus brazos sólo se oían gruñidos y palabras sueltas.

–Ffhghfhj me dejes asdyfgrayg una última vez faigfunuaf sólo sgggnuys última vez BUAGHRFEGH.

¿Una última vez? ¿Estaba hablando de despedirse con sexo? En aquel momento ya empezaba a salir gente al balcón; pensé en pisarle la cabeza antes de que no hubiese marcha atrás, o matarle a puñetazos en la cara.

Miré a Rebeca, pálida como el hueso hervido. Pude notar cómo estaba a punto de ponerse a llorar también. Un nuevo río de odio me inundó, y no pude hacer nada para contenerlo entre diques o paredes.

Muy débilmente me dijo:

–Pànic, tengo que hablar con él. Entiéndelo. –Y me miró a los ojos, suelo, ojos, suelo, ojos y al final ganó el suelo. ¿Por qué las mujeres hacen eso siempre? ¿Por qué siempre se quedan con el que llora?

En lugar de preguntar eso, dije:

–No lo hagas. No seas estúpida; dijiste que no estabas con él.

Noté el sabor a plomo antiguo. El labio volvía a sangrarme.

–No lo estoy. Pero tengo que quedarme. Entiéndelo, es culpa mía. Le dejé por ti.

La razón no me intimidaba.

–Si te quedas, no te volveré a ver. –Toda mi seguridad de hacía unos minutos se había teletransportado al cuerpo de otra persona con más suerte, en otra parte del mundo.

Ignacio, desde el suelo:

–BUAAARGAGHFFSA (murmullo ininteligible). Última vez dfghsjgtsfg yo te (hipo) quiero sdfjasg volvamos a em (hipo) pezar.

Rebeca, a mí:

–Dime que lo entiendes. Que tengo que hacérselo comprender.

Yo, a Rebeca:

–Dime que no te quedas. Dime que nos vamos los dos a la Barceloneta y dejamos aquí a este payaso.

Rebeca, a mí:

–No puedo, ¿no lo ves? ¿Cómo puedes no verlo?

Estaba a punto de gritarle cuando Luna tomó aire para aullar un nuevo BUA. No llegó a la B. No pude controlarme. Levanté la pierna y, al fin, le di una patada en la cara. Nunca había hecho algo así. Luna cayó al suelo, la cabeza entre las manos. Todo quedó paralizado, el planeta jugando al Stop. 1-2-3-pica-pared.

Y, de golpe, Rebeca, agachándose: PERO ¿QUÉ HACES? ¿ESTÁS LO...?

Me volví sin dejarla terminar y me fui a grandes pasos. Antes de salir de la terraza, sin embargo, tiré a dos curiosos al suelo de un empujón, cogí una silla y la lancé contra el ventanal. Oí el cristal desmenuzándose contra la terraza mientras atravesaba el comedor.

Ronroneo de coche. Un zumbido de motor cojo, y algo de olor de skai. Una canción de fondo. Una caricia gustosa en la nuca, con uñas que rascan. Abrí los ojos, y la apertura desencadenó el mecanismo de activado del Gran Dolor Hijodeputa de Cabeza de la Historia Universal.

–Aaaaaaaargh –sólo pude farfullar, muy débilmente. La luz exterior me estaba asando las retinas a la plancha.

Estaba en el asiento de atrás del Ford Fiesta blanco de Johnny Cactus, tumbado en medio; aún llevaba puesto el traje de la noche anterior. A mi lado izquierdo, bajo la gorra de Joe Orton, estaba Elvira. Su mano moteada estaba en mi cabeza, rascándome.

–¿Cómo te encuentras, majo? –En la otra mano llevaba un cigarrillo francés que me revolvió el estómago.

–Aaaaaaaargh –repetí, incorporándome un poco y poniéndome la mano sobre los ojos. En la otra ventanilla, a mi derecha, estaba Arturo Grima. Agitó la cabeza y dijo Buenos días, tronco.

–¿Q-qué hora es? –murmuré, y mi aliento de bodega casi me lanza fuera del coche.

Johnny Cactus, desde el volante, con voz seca de viñedos y tierra cuarteada:

–Las doce de la mañana. Llevas durmiendo desde las siete. –Marco Cara se volvió e hizo hola con la mano. Reconocí la canción que sonaba, era «The creator has a masterplan» de Pharoah Sanders; debía de ser una cinta del Cactus.

Una serie de flashes terribles se agruparon en mi mente, confusos, indecisos, como paracaidistas bebidos en la puerta de un avión sin piloto. Tírate tú. Yeepa. No, tú. Yeepa.

Uno: casa de Rebeca. Cristal hecho trizas. Pero ¿por qué? Oh, no. Nononononononono. No me digas eso, oh, Pànic, idiota entre los idiotas. Emperador del desliz. Nabab de la imbecilidad. No me lo digas. Las formas se empezaban a hacer visibles. Los paracaidistas continuaban lanzándose. Salta el segundo: Ignacio Luna con mocos y aporreando el suelo a mis pies. Salta el tercero: Rebeca, gran puta traicionera. Cuarto: la patada. Oh, no. Sentí unas irresistibles ganas de llorar, pero no iba a hacerlo delante de los vorticistas. Me contuve.

Flashback quinto: el Cactus todavía en la puerta de casa de los padres de Rebeca. Su presencia no me sorprendió; casi nunca me alarmaban sus apariciones súbitas.

–¿Qué haces aquí aún? –le pregunté. Me dijo que estaba matando tiempo y levantó una botella de Tía María y una bolsa de hielo. En su coche, sí lloré; unas lágrimas apretadas y furtivas que salieron disparadas, empujadas al vacío por los restos del speed. Unas lágrimas que dejé caer mirando por la ventanilla, apartando mi cara del ángulo de visión del Cactus tanto como pude, torticulizado.

Johnny Cactus dijo:

–Olvídalo, Pànic. Anda, vámonos de cervezas.

Y luego... ¿Qué pasó luego? No conseguía recordar. Oh, Dios santo, la cabeza. Hundí la frente entre mis rodillas.

–Aaaaaaaaarghhhh –repetí, intentando expulsar la noche anterior de mi cuerpo.

Como si me hubiese leído la mente, Johnny Cactus dijo, ya semiseco como el peor champán:

–¿Recuerdas el final de la noche? ¿Recuerdas algo?

Mi silencio quería decir No.

–Te emborrachaste de forma atroz en La Costa Brava. MUY borracho y escandaloso. A las dos, decidiste coger una grapadora de detrás de la barra y hacer apuestas sobre si te grapabas a ti mismo o no.

Levanté una mano vendada. Miré un segundo aquella mano momificada, desconfiado, como si no fuese mía. Como si fuese un injerto no pedido.

–Ganaste –añadió el Cactus.

–Casi a la hora de cerrar entró la policía –continuó Elvira–. Alguien debió de chivarles que estabais allí. Por suerte, tú estabas vomitando en un árbol de la Plaça Revolució y Johnny había salido para evitar que hicieras otra barbaridad. No os vieron, pero se llevaron al Cansao, desgraciadamente, que estaba dentro vendiendo speed. Fuisteis a avisar a Marco y decidió que teníamos que adelantar la salida. Ir al refugio de Tavascan a primera hora de la mañana, por si acaso. Tú te dormiste en el coche mientras Johnny iba haciendo la ronda de recoger gente.

De entre las rodillas, dije, con voz de tembleque:

–¿Dónde has dicho que vamos?

–A Tavascan, en el Pallars Subirà, Pànic –dijo Elvira, acariciándome la espalda–. Al refugio, ¿te acuerdas que lo dijimos?

Respiré hondo.

–¿Alguien puede abrir una ventanilla? M-me estoy mareando.

–Abrid las ventanillas –dijo Arturo. Un tifón de aire glacial me insertó cutters en las orejas y sienes.

–C-creo que voy a vomitar.

Elvira me pasó una bolsa del Lidl, que me puse con las asas colgando de las orejas.

–¿Puedo preguntar por qué vamos a Tavascan? –murmuré al cabo de unos minutos, sacando una sola asa de una oreja para poder hablar mejor–. Ya sé que me dijisteis que iríamos, pero se os olvidó decirme por qué, joder.

Marco Cara levantó el bloc granate y lo puso delante de mis ojos: *NO.*

–¿Sabéis qué? –Aparté la otra asa–. Iros a la mierda. Iros todos a la mierda. No me importa adónde vamos. No me importa vuestra mierda de refugio ni vuestra mierda de... de...

Empecé a vomitar como si expulsara una tos sólida hecha de ácido sulfúrico y pizzas de todos los sabores. Marco Cara sostenía el bloc, paralizado, frente al chorro.

–... de grupo –dije al fin, limpiándome la boca con la mano vendada.

Ronroneo de coche II. El mismo zumbido de motor y estertores. Abrí los ojos por segunda vez con gran esfuerzo, como una persiana atascada que lleva mucho tiempo sin usarse. Todavía estaba en el coche de Johnny Cactus; aún en la autopista, tráfico y luz. Ya no llevaba la bolsa en las orejas. Asumí que me la habían quitado.

Me encontraba igual de mal, pero un poco menos. Aunque no sentía que iba a morir en aquel mismo momento, las sienes apretaban hacia dentro como un garrote vil oxidado y con astillas. Estaba en el regazo de Elvira, tumbado de lado.

Había estado soñando, como me pasa a menudo, que era Tom Courtenay en *La soledad del corredor de fondo*. Iba vestido de atleta antiguo, y volvía a llevar el cabello caótico de mi adolescencia prevorticista. Todo era igual que en la película; al acercarme a la meta, decidía perder antes que someterme a su autoridad.

Me agachaba para tomar aire, las manos en las rodillas, y era yo. No Tom Courtenay. Era yo el que perdía para luego ganar. Una frase de Oscar Wilde flotaba en el sueño: *«Hay derrotas más grandes que cien victorias.»* Ése era yo, eternamente. Ése era el lugar que me correspondía. Un eterno perder para humillar a los que me apretaban las tuercas. Pasar la vida en ese sueño lleno de gloria.

Oh, Magno Pànic. ¿Qué va a ser de ti? Vas a la deriva, Intrépido Explorador Pànic, sin brújula ni ver el cielo siquiera, ¿no te das cuenta? ¿Adónde narices te diriges? Dinos ya adónde te diriges, pues nos parece que a ninguna parte. O a la peor de todas.

Avisado quedas. No existe derrota más grande que cien victorias, idiota. ¿Quién te ha contado esa estupidez? Una derrota es una derrota. Perder es perder.

–¿Qué hora es? –maullé, desde los muslos.

–La una y media. Llevas un buen rato durmiendo –dijo ella, poniendo una mano en mi frente y moviéndola sobre el cabello corto–. Llegamos dentro de una hora.

De repente, tuve una duda. ¿Dije algo la otra vez que me desperté? ¿Mantuvimos una conversación o lo soñé? ¿Adónde estábamos llegando? Mi cabeza, Dios. Poco a poco recordé el intercambio de palabras de unas horas antes, la explicación de la noche anterior, todo. Nadie me miraba. Elvira era la única que seguía a mi lado. Rebeca se había ido. Los vorticistas también.

A la mierda todos.

Cerré los ojos y noté, ya palpablemente, que la cordura me abandonaba agitando un pañuelo de seda con la mano. De esto era de lo que me estaban previniendo los ratones filósofo-bailarines de sirtaki.

La derrota cavó socavones por todo mi cuerpo. Estaba tan lleno de rabia y tristeza que cerré los puños sobre el muslo de Elvira, temblando de odio y dudas de puzzle.

–Ay –dijo ella–. Para. Me haces daño.

El Cactus se volvió, vio mi mano y me dirigió una mirada de corona de espinas que le mantuve durante unos segundos.

Luego cerré los ojos y volví al sueño de *La soledad del corredor de fondo*. Cuando paré esta vez, al lado de la meta, y levanté la vista ahogándome, mis padres estaban en la tribuna mirándome con una sonrisa triste. Pero, esta vez, a su lado en la tribuna estaba Rebeca, observándome y con los ojos encharcados. Los vorticistas se morían de risa en un extremo de las gradas. Mientras yo jadeaba en pantalón corto, todo lo demás ardía.

No hay nada que contar de Marco Cara.

Nunca me explicaron nada sobre él. No sé qué hacía de niño, ni cuándo dejó de hablar, ni qué camino tortuoso y empinado le llevó a ser el jefe de los vorticistas.

Cada vez que lo pregunté, las bocas se cerraron. Los caracoles se escondieron en sus caparazones. Las avestruces enterraron la cabeza. Y, como tantas otras veces, al final dejé de preguntar.

Podemos imaginar cualquier cosa. Podemos rellenar la línea de puntos con lo primero que se nos ocurra. Esa explicación será tan buena como cualquier otra.

Descendiente de vikingos. Selenita de turismo. Inmortal de paseo. Ángel humanizado. Espíritu solidificado.

Cualquier otra que no sea ninguna de éstas, podemos apuntarla aquí: . . . .

Pasamos tres semanas en Tavascan. Era una pequeña estación de ski con una sola pista que permanecía cerrada al público por reformas. Estaba separada de las rutas convencionales por una hora de camino pedregoso y serpenteante y sin una sola valla y temibles precipicios, por lo que únicamente la usaban los esquiadores hardcore; era poco probable encontrarse a familias con anoraks conjuntados o ministros de vacaciones.

En cualquier caso, cuando nosotros llegamos estaba cerrada y nevaba mucho, y yo tuve un gigantesco ataque de ansiedad al que contribuyeron, sin duda, los tres o cuatro deslices que una rueda del Ford Fiesta había efectuado con rumbo a Nuestra Extremadamente Fría y Dolorosa Muerte Segura. Cuando abrimos la puerta al llegar, me puse inmediatamente de rodillas a hiperventilar y gritar me ahogo y aire, aire, y todos me miraban como si no entendieran la causa de mi alarma.

La estación estaba compuesta por una pista con telesilla y la casa. En la casa vivían una pequeña hippie escaladora de cabello corto, múltiples pendientes y manos nudosas que se llamaba Marina, y también su novio. Tenían licencia para comprar dinamita, que es lo que se utiliza para eliminar acumulaciones de nieve que pueden provocar aludes, y creo que por eso estábamos metiendo las cabezas como rémoras hogareñas en aquel ano del mundo. Marina vino a recibirnos al llegar, nos entregó las llaves, habló con Marco Cara y luego nos dejó en la estación a nuestra suerte.

Tragándome el orgullo, al cabo de unas horas de estar allí decidí hacer una última tentativa y preguntarle a Johnny Cactus qué hacíamos en aquel lugar inhóspito. Me acerqué y, erguido ante él, se lo dije.

–Tranquilo, Pànic –me contestó.

–No estoy nervioso. Sólo harto.

–Mira, tenemos que practicar el manipulado de explosivos. Y tenemos que concretar detalles de la acción. Lo primero es peligroso para ti, y lo segundo también. Pero tu papel en esto será vital. Será...

Me di la vuelta y me largué a mirar por la ventana, sin dejarle acabar. Sentí su vista clavada entre mis omoplatos. Como un buitre colgado en mi clavícula.

A partir de entonces, cada mañana, todos se iban (equipados con los trajes de nieve que había dejado Marina) a hacer explotar cosas por los bosques; durante las siguientes horas todos mis pensamientos y acciones venían puntuados por lejanos BUM. Al principio me hacían levantar la cabeza y jurar; al cabo de un tiempo dejé de oírlos, como al reloj de pared de un comedor.

Por la tarde se encerraban en una habitación con un mapa y hablaban en voz baja. Cuando salían de allí, por haber estado a oscuras y por la seriedad, sus ceños se fruncían, graves. Andaban tiesos y susurraban palabras que tampoco entendía.

Y, en cualquier caso, me daba igual. Desde el primer día contestaba a sus pocas preguntas con gruñidos. Aguanté un par de días más sentado a la mesa sin hablar, congelando el ambiente, encerrándonos a todos en un adoquín de hielo clásico. Cuando me harté también de eso, empecé a comer solo, al lado de una de las ventanas. Mirando una y otra vez el telesilla quieto. Quieto como el armazón descarnado de un dinosaurio que hubiese muerto en Tavascan.

También me dediqué a pasear. Nunca había estado en el monte, y pensé que aquélla era una oportunidad única. Sólo había un inconveniente: al recoger la ropa en mi casa, la noche de la borrachera, el maldito Cactus se fio de mi criterio –el muy idiota– y me dejó a solas un momento mientras yo metía en la bolsa cosas al azar de la pila «acabado de lavar». Cuando abrí la bolsa, ya en el refugio, saqué vestidos indios de Lola, bragas sexys y varios leotardos. Eso me dejaba sólo con el traje que llevaba puesto, y además se había acabado la ropa de nieve. Para colmo, al salir a toda prisa de la fiesta de Rebeca, me dejé el abrigo negro allí. Muy bien, imbécil.

El primer día que salí a pasear, en traje de tres botones con leotardos debajo y gorro de lana, vi una señal que decía: «No pisar la nieve sin raquetas de nieve». Ese clasismo me molestó. Pisaré la nieve si me sale de las narices. Estoy hasta los huevos de que todo el mundo me tome por idiota.

Cuando llegaron Elvira y el Cactus llevaba veinte angustiosos minutos hundido hasta el cuello, atrancado, gritando Dios mío, Dios mío, ayuda. Cuando me sacaron tenía la nariz y los dedos púrpura.

–Ay, madre –dijo Elvira, y me dio un beso en la punta de Colajet de mi nariz, frotándome a la vez las mejillas. Cuando me hubieron dejado cerca del fuego, el Cactus agarró del brazo a Elvira y la llevó a un rincón, donde empezaron a discutir en exasperada voz baja. Temblando, distinguí cómo Elvira decía: No me toques.

Finalmente decidí no salir a pasear. Decidí no meterme en lo que no me incumbía y quedarme en el interior leyendo hasta que llegara la hora de marcharse de aquel horrible sitio. Por desgracia, no había llevado libros y en el refugio no había discos, así que mi única salvación era la única cinta que Johnny Cactus tenía en el coche. En ella el Cactus había grabado «The creator has a masterplan» de Pharoah Sanders.

Y nada más.

Eso no significa que al terminar la canción había que rebobinar la cinta. Era mucho peor. Johnny Cactus había grabado noventa minutos de «The creator has a masterplan» de Pharoah Sanders, su canción favorita, una y otra vez. Terminaba y volvía a empezar. Eternamente.

The creator has a masterplan
Peace and happiness for every man.

Y otra vez:

The creator has a masterplan
Peace and happiness for every man.

A los dos días de escucharla diez mil millones de veces empecé a comprender a los buscadores de oro del Klondike que sufrían ataques de fiebre de las nieves y descuartizaban con un hacha a toda su familia, arrastrados hacia la locura por el ruido del viento entre los árboles, o el hu-hu constante de un búho.

A los seis días, dejé de poner la cinta y me concentré en lo único que me quedaba: pensar en Rebeca y odiarla más aún.

Sentado al lado de un gran ventanal, solo en el refugio un día más, miraba la nieve acumulándose en el exterior. Llevábamos seis o siete días allí, y yo era ya El Loco; llevaba el traje verde, el gorro de lana roja con borla y las orejas por fuera, los leotardos debajo del pantalón. Elvira decía que parecía que me hubiese escapado del manicomio de Sant Boi.

Yo la ignoraba, como a los otros. Lo único que me importaba era regresar a la ciudad. Empecé a marcar, como los reos de las películas, los días en grupos de cuatro arañazos en la pared de mi habitación. Cada quinto día era un arañazo diagonal que tachaba a los demás. Cada quinto día era un alivio arrancado al yeso de la pared.

Aquella mañana comencé una lista en un trozo de servilleta con un lápiz gastado. La lista se llamaba *Soluciones para el Caso Rebeca*. Eran las cuatro siguientes:

1. *Un clavo saca otro clavo*
2. *Venganza*

3. *Perdón*
4. *No sé a qué te refieres.*

De ellas, la última había sido descartada rápidamente. Después de haber destrozado su puerta de cristal y pateado a Luna, pretender que no recordaba nada sólo hubiese servido para que Rebeca me arrancara la cabeza de un manotazo. La segunda opción fue desechada también, después de decidir que valía más no echar leña al fuego; en el fondo, estábamos medio empatados. Ese pensamiento me hizo partir el lápiz en dos.

¿Empatados? Apreté las mandíbulas hasta que me hicieron ñec. Yo provoqué daños, eso era cierto, pero Rebeca me había dejado de lado para quedarse (para tirarse, sé honesto), para tirarse a su antiguo novio. Daños morales. Mucho peores. Traiciones sin nombre, dagas traseras, venenos a escondidas. Ay, Pànic, cómo te has de ver. Conspirado, flagelado, calumniado, cuando desde el principio tú eras el único que tenía el corazón puro como la nieve de Tavascan. Ay, Pànic.

Cuando la traición entra por la puerta, la razón salta por la ventana.

Lo malo era que, por mucho que me esforzaba por que triunfara el odio, la pena pura siempre volvía a ganar. Pensaba en ella, en sus labios-futones y en el día en que me llamó «guapo», como un conjuro para que yo dejara de ser un perro abandonado, y pensaba en sus pies autónomos y en sus pechos antigravitatorios, y luego... Sólo una pena de dolor en el pecho y cuello, la pena que trae la mentira y la decepción.

El sonido de la decepción es un ruido sordo, como una botella acabando de vaciarse. Si se presta atención, puede oírse el sonido de la decepción. Es como escuchar una alma yéndose por el desagüe.

Sentado en el ventanal, mi cuerpo era un caparazón, un receptáculo vacío de cristal del que se había ido escapando todo el fluido vital por el agujero de la decepción. Rompí la mitad del lápiz en dos trozos más, y luego en dos más. Y con el centímetro de lápiz que me quedaba, puse un círculo en la primera opción y taché el *Perdón* con rabia rasrasrasrás hasta que agujereé el papel y el trozo de mina de la punta se partió y salió disparado, directo a mi ojo.

Auch.

Se abrió la puerta y entró Elvira. Llevaba un traje de nieve entero de color azul eléctrico, y enormes botas de esquiar amarillas, fosforescentes. Parecía un astronauta celebrando el carnaval en la luna.

–Joder, qué frío.

Se sacó el gorro de lana y una cascada de cabello rojizo desestructurado y punzante, oxidado, le apareció en la cabeza. La agitó para soltárselo, y todo aquel hilo de cobre se esparció por la habitación.

–¿Qué miras, Pànic?

–¿Pànic? ¿Me oyes?

–Tienes un ojo muy irritado. ¿Te pasa algo?

–¿Cómo está tu mano? Tiene mejor pinta, ¿no?

–¿Qué pasa, te has quedado sin habla?

–Bueno, no hables si no quieres. Por cierto, no sé si te has dado cuenta, pero llevas un look de oligofrénico que es para verlo.

–Pànic...

–Deja de poner esa cara.

–¿Hola? ¿Don Loco?

–Bah, vete a la mierda. Me voy a duchar.

Recordando esto me he dado cuenta de que de las cosas que sucedieron en aquellas dos semanas, sólo he contado un par y creo que la tercera no voy a contarla, porque me da vergüenza.

–Eres el detonador.

Me lo dijo Johnny Cactus una mañana. Esperó un rato para

ver si me enorgullecía del hecho, o manifestaba gozo, o decía cuánto honor.

Le miré desde mi ventanal. Sacándome de la oreja el lápiz Staedler amarillo con el que había estado hurgándome, dije:

–¿Qué?

Me puso ante la cara un artefacto que parecía un motor de Scalextric.

–Eres el detonador. A ti te corresponde activar los explosivos. Los temporizadores son poco fiables, y nosotros no podemos esperarnos a detonar las cargas. Tú eres el elegido.

–¿Eso no es un vino? –dije, y empecé a reírme de mí.

El Cactus respiró hondo y me explicó el funcionamiento. La hora exacta te la diremos ya allí, dijo. Al terminar se marchó y vi cómo sus labios le decían a Marco Cara: Ahora es demasiado tarde para buscar a otro.

Continué riendo conmigo.

El elegido. Un vino.

Me matas, Pànic.

Me matas.

Está bien. He decidido que sí voy a contar la tercera cosa. Fue aquella misma noche. Yo estaba aún despierto, tumbado en mi cama casi a oscuras, la única luz la que daba una vela raquítica, y acariciaba con los dedos la borla de mi gorro de lana. Como si fuese una pequeña mascota condenada a sufrir el mismo encierro que su dueño. Mi mente, mientras, planeaba en ala delta por toda la habitación.

De repente, sonaron un par de golpecitos en la puerta de mi habitación.

–¿Loco? –Era Elvira, en susurros.

–*El* Loco.

–Vale, El Loco. ¿Puedo pasar?

–Depende. ¿Te reirás?

–¿Cómo? Yo qué sé. Depende de si es gracioso o no.

–Tienes que prometer que no te reirás o no entras. –Esto debí de heredarlo de Àngels.

–No puedo prometer eso.

–Pues no entras. A la mierda.

–Lo prometo, imbécil.

–Pasa.

Un segundo después, Elvira estaba en el suelo con las dos manos en la boca haciendo MFFFFPF. Sabía que iba a pasar eso. Yo llevaba puestos los leotardos, el gorro con las orejas por fuera aún (me entraba claustrofobia de orejas si las dejaba dentro), un vestido sioux de Lola por encima del conjunto, guantes de esquiar (los únicos que sobraban) en las manos.

–¿Qué pasa? Hace frío, ¿vale? Esta mierda de saco no abriga nada.

Le llevó unos minutos dejar de reírse. Al final, se sentó a mi lado con su pijama azul de lunas crecientes. Sacó una bolsa de joyero aterciopelada. De ella extrajo dos trocitos de cartón. LSD. La miré, dudando. Ella asintió y me guiñó un ojo.

–Bueno, va –dije, extendiendo la palma de la mano como una bandeja de piel. Nos los metimos en la boca.

Durante las siguientes horas anduvimos por entre flashbacks y risas camufladas, dificultades de habla, transformaciones en animales pequeños, anguilas y escarabajos. Los ratones no aparecieron por ninguna parte. Cuando Elvira creía que desaparecía, yo la cogía del brazo y le decía que estaba aún allí; otras veces me costaba encontrarla, porque desaparecía de veras.

Y luego, en un flashback fulgurante, en un cambio de secuencia que nadie espera, después de un fundido en negro incongruente, Elvira estaba de golpe sobre mí, sin ropa, sentada encima y golpeando muy fuerte con sus nalgas arriba y abajo, los ojos entornados, el cabello de mandarinas electrizado, las motas de su piel multiplicándose, uniéndose, creando manchas Rorscharch, continentes, países.

No sé cómo llegó allí encima. No recuerdo haber comenzado nada.

Quizás tropezó y se quedó ensartada.

En un nuevo flashback la estaba cogiendo por la espalda, y ella me clavaba las uñas en el cráneo y me mordía transformada en un leopardo, luego volvía a su forma habitual, con sus pechos sorbidos, lunares y motas. Yo estaba entre sus piernas. Ella estaba entre las mías, agarrándome firmemente, queriendo morder pero sin poder morder porque entonces se terminaba la diversión. Yo estaba detrás de ella y era como el noveno grado con una antorcha humana, flaca y enloquecida. Sus dedos, sus dientes, su cuerpo diminuto, firme y seco, tan distinto al de Rebeca, sus jadeos semitonales, sus lágrimas de placer.

De repente, paré en seco, interrumpido por un súbito latigazo de estúpida lealtad, y embadurné con palabras lo que había estado sospechando desde el primer día.

–Oye, creía que estabas con el Cactus. –La tenía cogida por la cintura, a su espalda, y ella estaba ante mí como una mesita de noche.

Elvira se volvió.

–Te equivocabas. –Y me guiñó el ojo otra vez–. No te pares.

Eso sucedió cada noche, a partir de aquélla. Elvira entraba en mi habitación y hacíamos el noveno grado durante horas. Dos lágrimas que eran como pecas cristalinas de su piel se quedaban en la esquina de sus ojos sin decidirse a caer. Cuando parábamos, yo miraba al techo de vigas de madera y pensaba si aquello era un clavo sacando otro clavo o qué era.

Aquello me tomó por sorpresa. Elvira siempre me había intrigado, y ahora la intriga salía de mí en forma de ángeles en llamas. Cada vez que estaba a punto de encontrar la respuesta a la pregunta del clavo, Elvira se subía sobre mí a jadear y jurar y llorar. No había manera de concentrarse.

Cuando ella se dormía, yo fantaseaba. Rebeca se había terminado, ahora era Elvira. Por la mañana, todo volvía a la normalidad y yo me sentaba en el ventanal a odiar a Rebeca. Por la noche, Elvira entraba en mi habitación y reía y lloraba y me sorbía el sexo como si le fuera la vida.

Pensé una y otra vez, de nuevo, en aquel verso de Breton que me encantaba en mi adolescencia. Pensé en él como si aquel verso fuera una nueva carta premonitoria con remitente de mi niñez dirigida a mi yo de hoy.

Mi mujer de cabellera de fuego de madera.

–¿Es verdad que envenenaste a tu familia? –le pregunté una noche, a mitad de un noveno grado de acróbatas.

–No tengo familia –sólo dijo–. Ahí, pon el dedo ahí y no hables. Ahora, métemela ahí, por el otro. ¿Te gusta así?

–Dios santo –sólo pude decir, los ojos en blanco una vez más.

Durante el día yo había dejado de llevar el traje y ahora iba siempre con el vestido de mi tía, gorro y leotardos; era mucho más cómodo. El Cactus me miraba con una hostilidad que había dejado de disimular; por nuestro mal fin, por Elvira, por su decepción, por todo. Supongo que yo no era precisamente lo que había imaginado. Arturo Grima sonreía embarazosamente todo el rato. Marco Cara se paseaba por ahí con su estúpido bloc, lamentándose por su mala elección del Elegido. Todos eran extraños. Extraños todos.

A veces el Cactus ponía Pharoah Sanders, «The creator has a masterplan».

The creator has a masterplan
Peace and happiness for every man.

Yo me iba a una esquina, me tapaba las orejas y gritaba UAUAUAUAUAUAUÁ para no oír.

Cuando hacía eso, todos me miraban y Marco Cara apuntaba cosas mentalmente. No dejar que se acerque a los explosivos, posiblemente. O quizás: Matarle pronto.

Mientras tanto, yo contaba los minutos para que llegara la noche y poder hacerle algo más a Elvira; tan estrecha, sus entrañas me apretaban tan fuertemente que a veces me parecía que nunca podría salir de su interior. Encerrado dentro de ella para siempre, perdido como un náufrago de úteros.

Los ingleses tienen una palabra para mi situación: *drifting.*

O quizás: *trapped.*

Me daba vergüenza contar todo esto, porque parecerá que Rebeca me daba igual. No me daba igual; no sé qué me daba. Mi alma se había esfumado por el agujero de la decepción y todo estaba muy confuso por las traiciones de Rebeca y los vorticistas, por las amistades desvanecidas, anémicas, ansiosas de unas vitaminas a las que se les ha pasado la fecha ya.

Y, en medio de esa confusión, tenía encima a una pelirroja minúscula pidiendo que le hiciese cosas con órganos en sitios nuevos. Todo el mundo estaría confuso, ¿no?

Aunque quizás no tanto como yo.

–Creo que te quiero –les dije una noche a sus orejas élficas.

–Estás loco –dijo, muy seria.

La miré.

–*El* Loco. Te lo he dicho mil veces. Soy El Loco, joder.

El 25 de febrero nos fuimos de Tavascan, al fin. Eran las nueve de la mañana, hacía un frío mortal, la nieve parecía estar desapareciendo, todo olía a resina y rocío. Los demás esperaban dentro del coche cuando llegué yo con mi bolsa. La puerta del acompañante se abrió y salió Johnny Cactus.

–¿Dónde te crees que vas así? –me dijo, en jarras. Una gran arteria de sangre se hinchaba y deshinchaba en su frente, al lado de su flequillo lacio, como transportando líquido vital a sus ojos felinos. Su paciencia, como la mía, acababa de agotarse. Acababa de darle la última cucharada al bote de su aguante.

–A la guerra –dije, divertido. Miré al coche, y todos miraban hacia otros sitios. Marco Cara apuntaba algo, que imaginé bien y que no era bonito de decir.

–Quítate toda esa ropa, lávate la cara y ponte el traje. Tienes cinco minutos.

Obedecí, no sé por qué. Volví a la casa y me quité el vestido sioux, pero conservé los leotardos y el gorro. Borré con jabón las rayas de guerra indias que me había pintado en las mejillas y la frente con un pedazo de carbón. Me puse el jersey de cuello alto y el traje, otra vez. Olía a sudor, pólvora y carbón, comida y semen. Cambié de idea; dejé el gorro de lana y me puse mi gorra de Joe Orton. Seguía apestando, pero mejor.

Subí al coche. El interior olía a colonia Nenuco y a camisas limpias y desodorante bueno. El brillo de los cuatro me sorprendió; llevaba tanto tiempo viéndolos en ropa de nieve y detestando todo lo que hacían que ya casi no recordaba su dandismo.

Nos marchamos sin que nadie dijera nada, la tensión comprimida dentro del vehículo como un gran pastel de gelatina, contenido sólo por las ventanas y el parabrisas. El Ford Fiesta volvió a enfrentarse penosamente a los precipicios y las curvas cerradas, al firme de tierra y las vallas inexistentes. Llevábamos casi media hora de camino, habiendo ya dejado atrás la peor parte, cuando Johnny Cactus sacó una cinta de su bolsillo y la puso en el radiocassette. Empezó con el estribillo.

The Creator...

Pero no tuvo tiempo de decir nada más, porque me incorporé de un salto –golpeándome la cabeza con el techo–, pulsé el botón de Eject y saqué la cinta en un golpe seco. En el coche quedó únicamente el silencio que permanece cuando alguien interrumpe música que está sonando; un silencio espacioso, preludio de nuevas y terribles acciones.

Abrí la ventanilla, tiré la cinta y me quedé mirando al frente, inmóvil, mientras el Cactus frenaba bruscamente en un arcén.

–¿Se puede saber qué coño estás haciendo? –me dijo, volviéndose poco a poco hacia mí. Se quitó el cinturón de seguridad con un clac. Dejó las gafas en el salpicadero.

–Tranquilo, Johnny –dijo Arturo Grima.

–Recoge la cinta –me dijo el Cactus. Le miré en silencio, los ojos fijos en los suyos.

–¿Qué haces, Pànic? –dijo Arturo Grima con tono de súplica–. Recoge la cinta y vámonos ya, por Dios.

–Me cago en la puta, niñato de mierda –dijo mi amigo Johnny Cactus, el que nunca decía palabrotas–. ¿A qué viene esto? Recoge la cinta. Estás empezando ya a cansarme con tus tonterías.

–No puedo oír esa canción ni una sola vez más –dije con una voz que salía de catacumbas y minas viejas y pueblos sumergidos–. Ah –añadí, apuntando a mi frente como si acabara de recordarlo–. Y, además, eres un imbécil.

–¿Cómo? ¿Pero cómo te atreves...? –Se interrumpió dos veces, sin saber qué hacer. Al final lo decidió. Un brazo suyo salió disparado y su garra me cogió por el cuello. El otro puño se dirigía a mi ojo, pero lo paró Marco Cara a mitad de camino, con decisión.

–Estaros quietos –dijo Elvira, poniéndome una mano en el pecho a mí, agarrando también el brazo del Cactus.

Johnny Cactus me miraba enrojecido de rabia, los músculos tensados de perro cazador, el puño enfocado a mi ojo, parado en el aire por Marco Cara.

–No me das miedo –le dije a Johnny Cactus, que tenía la mano en mi tráquea, ahogándome cantidad–. Lo que te jode es que Elvira está conmigo ahora. Reconócelo, cabrón.

–Cállate, Pànic –suplicó otra vez Arturo Grima.

–Sal del coche y recoge la cinta, Pànic –escribió Marco Cara, muy ridículamente, a toda prisa, y puso el bloc ante nosotros–. *Y aquí no ha pasado nada. Tengas las razones que tengas, ahora no es el momento.*

La situación se interrumpió mientras leíamos. Era todo tan absurdo, que me reí un poco hasta que el Cactus apretó más fuerte y me asfixió la carcajada.

–Suéltame. Quiero hablar con Elvira. ¿Puedo hablar con Elvira?

Ella miró al suelo del coche. Vi caras de ¿Qué? Alguien, al final, lo verbalizó.

–¿Qué?

–Quiero hablar con Elvira un momento. –Marco Cara soltó el puño de Johnny Cactus, que volvió a su lugar de origen. La garra del cuello se destensó primero, luego abandonó también. Su mirada de gárgola se quedó allí, entre los dos.

Abrí la puerta del coche y salí. Frío otra vez. Me subí el cuello de la americana. Todo a mi alrededor era el paisaje abrumador del Pallars, desmesurado y marrón de invierno. Al cabo de un minuto, la puerta de Elvira se abrió y ella salió también. Llevaba una gran bufanda verde de lana, doblemente enroscada en el cuello como una culebra de agua; el color verde resaltaba el zanahoria brillante de su cabeza. Llegó a mi lado y se quedó frente a mí, y tuve que bajar la cabeza porque, aunque moteada de dálmata, Elvira era menuda como un caniche.

–Creo que te quiero.

–Y yo creo que no sabes lo que estás diciendo. –Su voz era dulce pero a la vez firme, una estaca de regaliz clavada a mazazos.

–He dicho lo que pienso. –Luego toqué sus orejas élficas.

–C-creo que me están creciendo –flotaron sus palabras, como globos de fiesta de cumpleaños. Y sonrió, mirando al valle.

–Te quiero, Elvira.

–No sabes lo que quieres, Pànic. Estás... Estás confuso, eso es lo que te pasa. ¿No te das cuenta?

–Estaré confuso, pero te quiero. –Me crucé de brazos, y también de ideas.

–¿Cómo vas a...? Te ha gustado lo que hemos hecho, y eso te hace pensar que me quieres. Además, creía que tenías novia. Por eso pensé que no pasaba nada si hacíamos lo que hicimos cada noche; porque al final nos habríamos divertido y cada uno volvería a lo suyo. ¿No tienes novia, entonces?

–Ya no. –De repente tenía ocho años y mis padres acababan de morir, y estaba otra vez con el señor de la embajada, confundido y sin saber qué decir–. Ahora te quiero a ti. ¿Tú no me quieres a mí?

–Sí. Pero no de la manera que estás diciendo tú.

–Entonces, ¿quieres al Cactus?

–Tampoco le quiero de esa manera.

–Pero yo *quiero* que estés enamorada de mí. –Dije esto con tal desvalimiento, que sólo recordarlo se me llenan los ojos de lágrimas. Lo dije como un animal flaco y solo bajo la lluvia, suplicando ante la escopeta que le apunta. Como un niño perdido en el supermercado, buscando entre las piernas unas que se parezcan a las de su madre.

–Eso no puedes decidirlo tú. Ni yo. Eso pasa cuando pasa; no se trata de decidirlo.

Miré al suelo, lleno de miedo. Me sentí como un juguete en manos de alguien mayor, superior, que controlaba mi destino. Como un balón que se van prestando los niños del barrio hasta que nadie sabe ya de quién era en un principio.

–Cálmate, ¿vale? Vamos a hacer primero lo que tenemos que hacer, y luego ya hablaremos. Yo no puedo salir con nadie, Pànic. No es lo mío. Quizás deberías llamar a esa novia que tenías, ¿no? –Cogiéndome de la barbilla, me dio un beso en la mejilla y olí con claridad un aroma a cocos, a islas desiertas, a playas lejanas–. Intentar arreglarlo. Ya verás como todo saldrá bien.

–No sé qué me pasa –dije, frotándome los ojos–. Estoy un poco extraño últimamente. –Miré hacia las montañas para ocultar mi humedad ocular–. Espera... –añadí, recordando algo de repente. Retrocedí cuatro pasos y recogí la cinta de Pharoah Sanders. Le di un par de golpes contra la palma de la mano, para quitarle la nieve.

–Venga, vamos. –Elvira me cogió del brazo y me condujo hacia el coche. Entré yo primero, por el lado izquierdo.

–Lo siento –dije, la voz hecha fideos chinos–. Estoy un poco nervioso por el...

Le alcancé la cinta al Cactus. La cogió, con el ceño fruncido, y murmuró:

–Gracias. –Y lo que quiso decir era: Voy a matarte, hijo de puta. Arturo Grima me puso una mano en la rodilla y susurró:

–Todo saldrá bien.

Igual que Elvira. Yo era el único que no parecía contagiado de ese optimismo general. Yo era el único que no sabía adónde íbamos. Yo era El Único. Sin propiedad. Solo, como en mi infancia.

Me noté separándome, abandonando, en otra parte, volviendo al interior de mi cabeza ricamente amueblada con cosas.

Al cabo de unos minutos, Marco Cara apuntó:

–*Vamos a ir directamente hacia la zona que hemos estudiado, vamos a esperar en el punto que acordamos a que se haga de noche, y entonces lo haremos.*

–He de pedir un favor –contesté, mirando hacia fuera. Hacía demasiado tiempo que no me importaba nada de lo que los demás dijeran o hiciesen–. Tengo que hacer una llamada e ir a ver a alguien. Será sólo un momento, es alguien que no tiene conexión con nosotros. Pero es algo que tengo que hacer hoy, antes de la... acción, o lo que sea.. –Me saqué el gorro y me rasqué la cabeza; el cabello me estaba creciendo, pensé–. ¿Podemos hacer eso? Una vez hecho, detonaré lo que sea –añadí, por si no había quedado claro.

–*Supongo que sí* –apuntó Marco Cara.

–¿Johnny? –pregunté.

–Qué.

–Siento haber tirado la cinta por la ventana. ¿Puedes volver a ponerla?

–Claro. –La cinta entró con un chasquido, la canción continuó donde se había quedado.

... has a masterplan

La acción transcurre en la Piscina Municipal de Gràcia, el mismo día a las seis de la tarde. A un lado del cristal, unos cuantos nadadores con gorros multicolor hacen piscinas; sus gorros son como fichas de parchís moviéndose sobre el azul blanquecino del agua. Un intenso olor a cloro flota en el aire, omnipresente sobre el vapor y el vaho. El sonido de los nadadores está amortiguado por el cristal; sólo chapoteos sordos y gritos entre almohadas puntúan el silencio continuamente.

Sentado en una grada, solo, está Pànic Orfila, su mirada fija en los nadadores. Lleva un traje verde, arrugado y con manchas, un jersey de cuello alto negro, zapatos llenos de barro y una gorra militar. De vez en cuando se rasca la cabeza por debajo de la gorra; la última vez que lo hace, ésta se queda ladeada, como la de un soldado borracho que regresa al cuartel de madrugada, y él la deja así.

PÀNIC *(cantando para sí, ausente, en inglés):* Bernadette, In your arms I find the peace of mind the world is searching for...

Una puerta se abre con ruido de botella de gaseosa y aparece Rebeca. Lleva un abrigo rojo largo y boina roja a juego, y una bufanda blanca, y falda larga negra y jersey de cuello alto negro y zapatos blancos. Su cara, incluso de lejos, se antoja exhausta y nerviosa. Pànic se vuelve y la mira acercarse mientras se pone bien la gorra militar. Cuando ella está a su lado, él se levanta.

PÀNIC: Hola, Rebeca...

REBECA: Tienes mucho rostro llamándome y haciéndome venir aquí.

PÀNIC: No, escúchame, por favor. He estado pensando...

REBECA *(chillando):* Me importa una mierda lo que pienses. ¿Cómo te atreves...?

PÀNIC *(mirándola con ojos asustados):* Déjame hablar... Espera...

REBECA *(con desconfianza):* ¿Qué puedes decir, Pànic? Sólo la curiosidad por tu demencia hace que me quede aquí.

Hay un silencio, sólo espolvoreado con brazadas y gritos mojados. Rebeca se lleva las manos a la cara y se la frota; cuando las aparta, respira hondo y luego habla.

REBECA: No puedes imaginar las dos semanas que he pasado. ¿Por qué no me has llamado? ¿Dónde te habías metido?

PÀNIC *(encogiéndose de hombros):* Es muy largo de explicar.

REBECA *(gritando otra vez):* Joder, Pànic *(intentando calmarse),* siempre dices lo mismo, y yo estoy aquí sin entender nada. ¿Qué clase de persona hace lo que hiciste tú y luego no llama para disculparse? ¿Qué esperas que haga yo?

PÀNIC: Estaba enfadado, ¿vale? Estaba enfadado porque te quedaste con *ése* y me dejaste a mí. *(De golpe se interrumpe y habla con un enfado creciente.)* Además, no sé qué estamos haciendo aquí hablando. ¿Te has decidido o no? Porque si estás con el otro no tiene sentido seguir esta conversación.

REBECA *(atónita):* Dios mío, estás loco de verdad. ¿Cómo puedes estar preguntándome eso? ¿Estás preguntándome eso de verdad?

PÀNIC *(firme):* Pues claro. ¿A ti qué te parece? Te quedas con un antiguo novio, ¿qué esperas que crea? Pues que te lo has follado, eso es lo que creo.

Rebeca se lo queda mirando un momento sin habla. Al final, abre la boca y pronuncia palabras que se deslizan sobre el vapor de cloro.

REBECA: Ahora lo entiendo. Esto no es para pedir perdón, ¿verdad? Es para que *yo* pida perdón. Por quedarme con aquel para... Pero qué estoy diciendo, no puedes entenderlo... *(Pierde los nervios y grita de nuevo.)* Tienes razón. Me quedé con él para follármelo. Eso es lo que dices tú, ¿no? Para follármelo por todas partes.

Ella se sienta, mirando al suelo con la cara hundida en las manos otra vez.

PÀNIC *(aún de pie):* No lo sé. Eso me lo tienes que decir tú. Hasta que no me lo digas no puedo estar seguro de que...

REBECA *(mirándole con completa desesperación):* Te dije que estábamos juntos. Te dije que no iba a estar con nadie más. En esta misma piscina, te dije que...

PÀNIC: Pues mentiste, claramente.

REBECA: Dios mío. Estás loco. Está bien: me follé a Ignacio y a todos los tíos de la fiesta, y cuando volvió mi padre, me lo follé también mientras mi madre miraba.

PÀNIC: ¿Por qué tuviste que quedarte con él? Estos días he estado tan triste que... *(Interrumpiéndose:)* Tengo que decirte una cosa.

REBECA *(no sale de su asombro. Le mira como si tuviera seis brazos):* ¿Qué puedes decirme ahora? Destrozaste el cristal, pegaste a Ignacio, me insultaste, no me has llamado durante dos semanas en las que no he dormido ni comido casi... *(Rebeca rompe a llorar, sin poder controlarse, aún sentada.)* ¿Qué más puedes decirme? ¿Qué podría ser peor que toda esta mierda?

PÀNIC *(le pone una mano en el hombro desde arriba):* Bueno, mientras estaba fuera vi a una chica. Alguien que ya conocía, pero coincidió que nos quedamos solos y... Yo creía que tú ibas a dejarme y...

Rebeca le aparta la mano y se lo queda mirando con la cara descompuesta. Se seca las lágrimas con el dorso de la mano derecha y se pone en pie.

PÀNIC: Ahora ya se ha terminado. No fue importante. Cada

uno ha hecho... *(Decide no seguir y al final cambia de tono.)* Ahora podemos volver a empezar.

REBECA *(glacialmente seria, ya):* Necesitas ayuda, Pànic. No sé si siempre la has necesitado o es una cuestión de tu situación actual, pero está claro que necesitas ayuda. No sabes lo que estás diciendo... *(Traga saliva con dificultad.)* Me estás diciendo que encima te has tirado a alguien. ¿Es eso lo que me estás diciendo?

PÀNIC *(en el fondo de su mente, una alarma le señala que algo ha ido horriblemente mal):* No fue importante... Tú habías...

REBECA: Yo no *había* nada. Era *tan* obvio, que no creí que fuera necesario explicarlo. Pero intenté llamarte y buscarte. Pensé que valía la pena al menos enseñarte que yo no hago esas cosas, que te dije que tú y yo estábamos juntos y que no iba a mentirte.

PÀNIC *(de nuevo convertido en un niño de ocho años):* Yo no sabía... Pensaba...

Una nueva lágrima, solitaria y digna, le cae a Rebeca por la mejilla izquierda. Pànic ve la lágrima y sabe que le pertenece. Es la lágrima que se derrama por la imbecilidad, por el desastre ajeno. Por la vida extraña que va a acabar mal.

REBECA: Eres un cobarde, además. Un niño caprichoso y egoísta. Te crees que has hecho lo correcto al decirme la verdad, pero lo único que has hecho ha sido quitarte la culpa de encima y descargarla en mí. Ahora soy yo la que... *(Se interrumpe de nuevo.)* Pero eso no pasará.

Rebeca vuelve a secarse la lágrima con la mano y se queda en silencio ante él.

PÀNIC: ¿Y ahora qué?

REBECA: Me das miedo. Cuando entré aquí sabía que estabas raro, y estaba dispuesta a intentar ayudarte. Cuando empecé a conocerte sabía que *eras* raro. Pero no imaginaba que sería así. No podía saber que todo acabaría así, tan pronto.

PÀNIC *(alargando el cuello):* ¿Qué estás intentando decirme?

REBECA *(respirando muy hondo):* Tienes potencial para ser una gran persona, Pànic. Pero hay una tragedia en ti, en ese personaje que te has creado y que controla todos tus actos, y que hará que nunca puedas estar contento con nada. *(Se da cuenta de que es inútil. Aun así, insiste.)* ¿Entiendes lo que te estoy diciendo?

PÀNIC: Sólo dime una cosa. ¿Estás conmigo o con él?

REBECA *(casi sonriendo, si no fuese por sus ojos ardiendo y los labios temblorosos):* Eres la peor relación que he tenido en la vida. Déjame en paz y no vuelvas a llamarme nunca más.

Rebeca se vuelve y camina, con pasos largos y firmes, hacia la puerta de entrada. Ésta se abre otra vez como una gaseosa, y Rebeca desaparece por ella. Pànic se sienta y observa la piscina, que ha quedado desierta. Todos los nadadores se han ido, y a través del agua quieta pueden distinguirse las líneas azules pintadas en el fondo, ligeramente ondulantes, parpadeando.

PÀNIC *(canta, con un susurro):* Some other men, they long to control you. But how can they control you, Bernadette, when they can not control themselves... *(Se interrumpe, se toca la visera de la gorra, y repite, muy flojo:)* When they cannot control themselves.

TELÓN

Volvía a estar en el coche con los vorticistas, y era como si siempre hubiese estado en el coche con los vorticistas.

Llevábamos allí una hora, pero el tiempo, que siempre había sido tan importante para mí en mis épocas surrealista y situacionista –siempre hablando de exprimirlo, de sacarle la médula al tiempo, de beber de cada uno de sus segundos fugaces–, había dejado de tener valor.

Eran las diez de la noche del mismo día, y estábamos en un recoveco de la carretera, cubiertos por arbustos. Estaba oscuro, yo olía a semen y polvo y pólvora y humo, y para no llorar dejé de pensar. A veces, es lo mejor.

Eso, y tomar un montón de drogas.

–¿Vamos a tomar anfetamina o no? O speed, me da igual el formato. Nariz o boca me es indiferente. Culo también. Puedo drogarme vía rectal si sólo hay supositorios. –Me reí en solitario, dándole una palmada a la pierna de Arturo Grima.

–No sé si deberías tomar, Pànic –dijo. Estaba tan oscuro que no se distinguía nada–. ¿No crees que ya estás suficientemente nervioso?

–¡Mecagoenlaputa, tíos! ¿Quién cojones soy? ¿Obélix? ¿Me he caído en la marmita y por eso no puedo tomar más Mágica Poción?

–Te aviso: no grites –dijo Johnny Cactus, atrincherado. Y no me importó una mierda. Ni una sola.

–SPEEEEEED –grité. Y luego más flojo, medio cantando, con un dedo en la nariz–: Quiero speed, buen speed, speed para mi naricita, la-li-la-lo.

Los niños y los locos siempre consiguen lo que quieren, y yo era una mezcla de las dos cosas. Al final, aspiré tapando un orificio nasal una enorme línea granulosa que Arturo Grima había fabricado sobre la caja del cassette. Los demás hicieron lo mismo mientras uno mantenía un mechero encendido para alumbrar. Bajo aquella luz fantasmal y aspirando el polvo amarillento, parecíamos seres de *El almuerzo desnudo* alimentándonos de alguna sustancia viscosa.

Cuando terminamos, Elvira sacó una petaca de whisky barato y todos bebimos. Pero, pese a la visita de unas cuantas rutinas, las cosas no volvían a la normalidad. Las rutinas sólo pusieron un espejo delante de nuestra basura. De repente, todos pudimos verla. Estaba allí, pudriéndose a ojos vista.

Y yo, atado a un columpio que cada vez iba más rápido, pero que seguía sin moverse. Un falso impulso, un movimiento que no va a ningún lado, el fin perpetuamente aplazado.

El Loco.

Marco Cara puso en marcha el coche y entramos en la carretera. Al poco, el coche se detuvo.

Collserola.

Estábamos en la cima, justo al lado de la torre de telecomunicaciones, que se erguía ante nosotros como el gigante de *Jack y las habichuelas*. Estábamos a unos cincuenta metros, las luces apagadas. Yo seguí bebiendo de la botella, que por suerte se había quedado en mi regazo. Si mirabas hacia delante podías ver la base de la torre, que se elevaba hacia el cielo de Barcelona. Con lucecitas intermitentes para las avionetas, como un árbol de Navidad ya adornado; como un mariachi colosal.

Esta vez no pregunté qué hacíamos allí.

Estábamos protegidos por la vegetación, así que Marco Cara encendió la luz pequeña del techo. Con la cabeza le hizo una señal a Elvira. Ella respondió Ah sí, y sacó unos pedazos de lana de su bolsa y los repartió. Eran pasamontañas.

Infantiles.

Llevaban una viserita de lana y eran rojos con arbolitos verdes.

–Son los únicos que había. No les quedaba nada en negro –susurró Elvira.

–Magnífico –dijo El Loco. Y me puse el pasamontañas, y me miré en el espejo retrovisor, y me dio un ataque de risa.

Todos me miraron, pero yo seguí riendo, en solitario. La línea de sus bocas estaba petrificada en una recta inmaculada. Me reí un rato más hasta que paré.

Como pasó aquel día en el patio de la facultad, todo a partir de ahí sucedió a doble velocidad. Tal vez era porque el coche se acercó hacia la entrada al ralentí, y el guardia jurado salió a cámara lenta, y cuando dijo Buenas Noches hacia la ventanilla de Marco Cara su voz sonó deforme, como un disco a la velocidad equivocada.

–Buuuuuueeeeeeennnnaaaassss nnnnoooocccheeeessssss. –Un círculo de vaho surgió de su boca y se deshizo en el aire.

Ya no importaba. Marco Cara sacó a mil kilómetros por

hora uno de aquellos noqueadores eléctricos que parecen artilugios de pelar patatas, se lo puso en el cuello con un przzz y en nada el cuerpo del agente se desplomó como una mochila pesada.

Tampoco pregunté por qué le habíamos noqueado.

Lo observé como sentado en la fila cinco de un cine. Como si todo fuera ficción.

Marco Cara manipuló la puerta de entrada al complejo de la torre y la puerta se abrió. Yo volví a atizarle al whisky. Salimos del coche, y Johnny lo aparcó en un lugar discreto. Una vez estuvimos todos dentro del recinto, el grupo se dividió. Elvira y Marco Cara, con sus bolsas de deporte llenas, se dirigieron primero a los vientos gigantes. Johnny Cactus y Arturo Grima se dirigieron hacia la torre.

Y yo, yo me quedé allí con el detonador.

Miré hacia arriba, y el enorme chupa-chups que era la torre parecía ocupar el mundo, con sus luces que eran países, y sus promontorios que eran montañas, y lo insignificante que le hacía parecer a uno. Me sentí un astronauta flotando en el espacio, viendo la Tierra a lo lejos, sin gravedad, sin asideros. Buzz Aldrin. Yuri Gagarin.

Bebí de la botella otra vez, levantando el pasamontañas para dejar la boca fuera, como una especie de Batman agreste, perdido y sucio, maloliente.

Miré hacia arriba durante lo que parecieron días, pero fueron sólo minutos. Delante de mí estaba Marco Cara. Sus ojos soltaban un fulgor azulado dentro del pasamontañas rojo con visera. Parecía un basurero de *La guerra de las galaxias*.

Extendió su bloc, en el que ponía la hora exacta de la explosión. Me dio un reloj.

–A sus órdenes –le dijo El Loco, y me toqué la visera pequeñita a lo militar.

Marco Cara me miró, negó con la cabeza para sí mismo y luego se dio la vuelta.

Le observé marchar hasta que desapareció en la oscuridad. Cuando ya no estaba, me di la vuelta con la espalda hacia la torre, ignorándola por completo, fui a un extremo del complejo, me senté en el suelo y me puse a mirar Barcelona como si no la hubiese visto nunca antes. Como sorprendido de que estuviera allí.

BUM

Una explosión así no puede contarse. Una explosión así uno tiene que oírla. O no oírla, porque, de hecho, todo es la explosión y, de repente, tú estás viviendo en ella, y lo irreal es el silencio. Y luego, la luz, y el fuego, y los artefactos voladores. Los oídos tapiados por cemento sónico. Fuego y cometas a mis espaldas, y cosas volantes, y relámpagos de luz. Mente en blanco. Nada de pensar.

Y entonces pensar: Me muero.

El aire entraba con cada vez más dificultad a mis pulmones. En círculo a mi alrededor, sólo ruido, más ruido, trozos saltadores.

Y entonces abrí los ojos.

Para mi sorpresa, no me estaba muriendo.

Ante mí estaba todavía Barcelona, viva y pulsante. Me di la vuelta. Delante de mí ahora la torre de telecomunicaciones de Collserola como un gigante de mimbre ardiendo, sus luces apagadas y nuevas luces prestadas encendiéndose con extraños códigos morse. Rodeada por un halo de llamas. Temblando. La columna de soporte ondulándose, serpenteando, dudando sobre qué camino tomar, bailando danzas exóticas con las caderas de ladrillos.

Y empezó a caer. Casi delicadamente, como si se agachara. En silencio, porque mis oídos sangraban.

Vi al Golem tumbarse, como un hombre alcanzado por una bala en la sien. Observé la nueva montaña de piedras rotas, coronada por inmensas llamaradas, nuevas explosiones mudas.

Dejé caer el detonador. Me quité el pasamontañas y lo lancé, sin mirar dónde caía. Me di la vuelta y volví a mirar hacia Barcelona: todas las farolas y casas de la ciudad guiñaban sus ojos, vi Les Glòries, las torres Mapfre, vi la Sagrada Familia, el teleférico y, al fondo de todo, vi la Barceloneta y el mar; casi olí su sal y su pescado fresco. Casi pude alargar la mano y notar el agua fría, espumosa como cerveza, acariciándome las muñecas. Saqué mi gorra del bolsillo y me la puse de medio lado. Bebí el último trago de whisky que quedaba y lancé la botella, que se rompió cerca del pasamontañas.

El viento había aumentado, levantando nuevos incendios por todo el recinto, y yo no tenía frío. Mi cuerpo había dejado de notar aquel tipo de señales: sueño, frío, hambre. Eran todas lo mismo para mí, y ya no las necesitaba.

Fue en una noche como aquélla cuando, sentados al lado de una Vespa amarilla, el Cactus y yo hablamos. Era también en Collserola, en el mirador. Noviembre. Habían pasado cuatro meses que parecían una vida.

De repente, entre las llamas que quemaban mi espalda, pensé: Quizás éste es el Gran Gesto. Aquel Gesto inútil y majestuoso con el que soñé en mi adolescencia, quizás es éste. La obsesión irreparable que defenestra y fulmina. Quizás he llegado a ella, al fin. Como Edmund Hillary, conseguí tocar la cima del Everest, pero por el camino tuve que dejar todo el peso, todos los animales que había ido arrastrando en mis redes y bolsillos, todas las lágrimas ajenas hechas de plomo pesado.

Todo estaba iluminado; era hermoso. Empecé a ahogarme

de forma angustiosa. Me llevé las manos al cuello. Me quité la chaqueta y la gorra y el jersey y me quedé con el pecho descubierto.

Empezó a llover, una lluvia fina que eran agujas de coser.

¿Qué hay tras la cima? ¿Adónde vas una vez has culminado el gran momento? Estoy en la cima y toco, si estiro el brazo, la grandeza y el fin de la obsesión.

Me quité los zapatos y los pantalones y los calzoncillos y los calcetines, y noté cómo las agujas de la lluvia no me dolían y resbalaban sobre mi vello, y mis pies tocaban el suelo frío, blando, briznas de hierba me acariciaban entre los dedos. ¿Qué pasa luego, una vez estás en la cima? Dios mío, no puedo respirar. Caí de rodillas, desnudo. Por entre el agua de mis pestañas vi Barcelona, abriéndose y cerrándose como miles de berberechos luminosos, borrosa, como sumergida.

Grité por encima del estruendo silencioso.

Y al fondo de todo, como si surgiese del esqueleto de la torre caída, escuché a los Temptations cantar «Since I lost my baby» en sus trajes inmaculados, y todo estaba iluminado, y vi que la Gran Idea estaba allí, a un centímetro, y todo a mi alrededor era música hermosa, ruido, fuego, y noté de verdad una pasión imparable, que aparecía después de dejar caer todo el peso de las espaldas, y me puse en pie, y estaba en la cima, la cima, en el vórtice exacto, todo pasando a gran velocidad, el Gran Gesto, ardiendo, ardiendo.

Y entonces, de repente, vi con terror el futuro, desde allí, mojado y temblando, vi en un relámpago de iluminación final los días que habían de venir, y supe de inmediato que una vez has tocado la cima, todo lo que queda es descenso.

Todo lo que queda es caída.

LIBRO SEIS
CAÍDA

–¿Su nombre?

–Pànic Orfila.

–¿Perdón?

Repito mi nombre, sonámbulo, andando por el aire. Hace tiempo que han dejado de importarme esas cosas. La enfermera, una chica con dientes equinos de joven Pynchon, me dice que espere allí, por favor, que me llamarán. Bien. Llámenme. Ni siquiera sé bien qué hago en la consulta del médico; no es que me preocupe realmente mi salud. Creo que he venido por pura inercia, como lo hago todo estos días, como un muñeco roto y pasado de moda al que aún le funciona una parte del mecanismo. Como una muñeca que aún dice, con voz desbaratada, «Mami».

Han pasado casi treinta días desde el BUM. Es el día 28 de marzo, lunes.

Estos días después del BUM han sido como las luces que empiezan a encenderse al final de una fiesta, después de pasarlo en grande, cuando de golpe todo el mundo se ve las caras de nuevo y al mirar al suelo, que en la oscuridad parecía impoluto, se da uno cuenta de que está lleno de cáscaras y basura y cosas derramadas, y bajo la luz todo es peor, y deseas no haber entrado a la fiesta para empezar, todo el mundo se levanta y te das cuenta de que entonces, de veras, la fiesta ha terminado.

Me siento al lado de un señor anciano, que me mira, aparta el *Lecturas* y dice la frase que todo el mundo dice desde hace días, como el gran mantra popular. Como para asegurarse de que no es un espejismo o esquizofrenia, para reafirmar que está pasando de veras, como palpando una aparición.

–Qué cosa lo de Collserola, ¿verdad? Que la torre cayera así, de pronto. Y ahora sin televisión por la noche. Todo ha cambiado, ¿eh?

Le miro. Me meto un dedo en la nariz, casi hasta la mitad, hurgo en el túnel, y al final saco una plancha de moco seco y gris, que se queda pegado bajo mi uña. Mientras le sigo mirando, lo pego bajo mi asiento con un par de ágiles movimientos. Hace tiempo que han dejado de importarme esas cosas. Cuando termino, le sonrío; con una sonrisa de psiquiátrico, enseñando las encías, maníaca.

El señor carraspea, mira a su alrededor para asegurarse de que nadie ha visto lo sucedido y vuelve a su *Lecturas* sin poder concentrarse, ya nervioso por si lo próximo que hago es escupirle en la cara, cagarme en el suelo o morderle las pelotas.

Sí, la fiesta ha terminado para mí. Quizás para los demás empieza, cómo puedo yo saber, pero para mí se han encendido las luces y lo único que queda es la basura.

No consigo recordar si pulsé el detonador. Y si lo hice, ¿miré el reloj antes?

No consigo entender cómo llegué a mi casa la mañana después de la explosión.

Conservo destellos de mí mismo corriendo desnudo por la maleza, sin sentir los golpes de las ramas ni las caídas. No sé el tiempo que me llevó bajar la ladera. No recuerdo tampoco si alguien me vio o no. Debía de tener una pinta espeluznante, con la sangre y el barro, sin ropa. Sé que estaba solo, no esperé ni miré atrás.

Con los oídos ciegos, llegué al final de la ladera y rompí el seguro de la primera Vespa que vi. Subí en ella y recorrí el trayecto hasta casa completamente desnudo, con pedazos de barro que se iban secando y se desprendían de mi piel como escamas. Había dejado de llover, y yo era una serpiente motorizada cambiando de piel.

Conservo aún otras lagunas, lagos de Banyoles con corrientes subterráneas donde no hay explicaciones. ¿Cómo puede ser que no me parara nadie? Yo era el hombre de Cromagnon en motocicleta; tuvo que haber algún avistamiento de aquel ser primitivo que regresaba de sus cuevas en Vespa. Pero nadie me vio. Pura suerte, imagino.

Y, luego, ¿cómo entré en mi casa? No llevaba llave. No llevaba ropa, por el amor de Dios. ¿Escondí la llave en el recto, como un prisionero de *Lager?* Lo dudo.

Y sin embargo abrí la puerta. Quizás había una llave bajo el felpudo, no puedo imaginar. Sé que nadie me abrió, porque Lola no estaba. Lo descubrí a la mañana siguiente. No recuerdo meterme en la cama, y sin embargo a la mañana siguiente...

–¿Pànic Orfila?

Uy. La enfermera me está llamando. Tengo que entrar a ver al médico. En un momento sigo contándolo.

Mi canción preferida de soul, estos días, es «It's an uphill climb to the bottom» de Walter Jackson, del sello Okeh. Es una canción tan hermosa, que a veces la pongo tres o cuatro veces seguidas para asegurarme de que la canción realmente existe, que no está sólo en mi cabeza.

«It's an uphill climb to the bottom». El protagonista de la canción ha sido dejado por su amante y se lamenta de que la caída, el dolor, no sea algo donde puedes ir resbalando, sin esfuerzo, hasta llegar al fondo. No. *Para llegar al fondo, el camino es cuesta arriba.* No queda ni la satisfacción de dejarse caer, de soltarse en el tobogán, en una pena resbaladiza que viene natural y automática. No. Para terminar la caída, uno tiene que escalar. Y cada nuevo golpe de piolet, cada clavo en la pared lisa del monte, cada uno de ellos es un nuevo zarpazo en el alma.

Hasta la caída tiene que doler en este mundo. Hasta la caída es un esfuerzo.

Quizás por las veces que he escuchado la canción, y por todas las cosas que me han pasado desde la noche del BUM, no me inmuto cuando el médico, después de oír los síntomas que le cuento con voz robotizada, abre la boca y de ella salen estas palabras:

–Bien. Bájese los pantalones y póngase en esa camilla a cuatro patas.

No hay pánico en mis movimientos cuando lo hago. No hay sorpresa. El camino hacia el final del agujero es cuesta arriba; saberlo, ser consciente, es un consuelo. Esto es sólo un nuevo saliente, una nueva piedra en la cabeza, una nueva vía difícil.

Vine al médico, por cierto, porque hace una semana que meo naranja. Sí, fue hace exactamente una semana cuando el chorro de orina salió anaranjado. E incluso así, no tuve miedo. Estos días soy un zombi, un no-muerto que anda por la vida sin vivir. Y, sin embargo, fui al médico. Por hacer algo. Y el médico me dijo que podía ser una infección de próstata. Y me mandó al especialista de la próstata, un órgano que ni siquiera sabía que existía. ¿Puede doler lo que no conoces? Aparentemente sí.

Me pongo a cuatro patas en la camilla, un momento, así. Estupendo. Colocado así, ante la ventana, casi puedo ver el Arc del Triomf. ¿Dónde estábamos? La mañana siguiente del BUM, sí.

Cuando me levanté, la sábana estaba salpicada de multitud de puntos rojos, como un milagro. Me miré al espejo y no reconocí la imagen. El barro seco, las heridas en las mejillas; puse mis dedos sobre ellas y examiné ambos lados de mi cara.

Me metí en la bañera, y estuve allí hasta que los dedos de pies y manos parecieron ciruelas en conserva. Me bañé con los brazos cogiendo las rodillas, un silbido perpetuo alojado entre mis oídos.

En la cocina, en la puerta del frigorífico, había una nota de Lola. Con la toalla en la cintura aún, la leí.

Pànic:

Lo confieso: estoy harta de la vida diaria, de filmar cerdos, Operación Pantalones Secos y cosas peores.

¿Ha llegado mi desesperación hasta tal punto? ¿Necesito tanto el dinero? La respuesta a ambas cosas era sí, pero ahora es no. He decidido tomarme unas vacaciones, dejar de ver hombres elefante, clínicas de acné y tiendas de ortopedia.

No, mi amigo el actor cataléptico que te teme y que nunca en la vida quiere entrar en casa por culpa de tus borracheras nudistas me ha invitado a ir a Sicilia con él.

O sea, que me voy de vacaciones y no sé cuándo volveré. No sé por dónde andas (últimamente nunca sé por dónde andas), pero espero que te estés comportando. No te emborraches mucho. No dejes que las cosas de la nevera se vuelvan pequeños increíbles Hulk, verdes y con vida y olor sobrenatural. Tira la basura. Molesta a los mexicanos. Lo de siempre.

Por mi parte, yo me marcho. No me esperes en un mes, mínimo.

Lola

PS. Como te conozco, te dejo una llave extra debajo del felpudo de la puerta.

Bueno, murmuré, al menos sé cómo entré en casa. Se me torció la sonrisa. Necesitaba algo de calor humano a mi alrededor y Lola no estaba. Decidí que haría una serie de llamadas lo antes posible; llamaría a Rebeca, primero. Luego a Elvira. Luego a Àngels y luego a nadie más; había decidido no volver a pensar en los vorticistas. Luego me pondría unas tiritas y saldría a la calle a emborracharme con normalidad, tratando de obviar que empezaba la cuesta de la caída.

Empecé mi ronda de llamadas. Primero, Rebeca.

–¿Dígame? –Su madre otra vez. La imaginé con su cara de Rebeca liofilizada.

–Soy Pànic, el amigo de su hija. ¿Puede decirle que se ponga?

Silencio defensivo. Voces de muralla, inidentificables. ¿Era Rebeca?

–Rebeca no está. Se ha ido de viaje.

–¿Cuándo vuelve?

–No lo sabemos.

–¿Adónde ha ido?

Voces de fondo.

–De viaje.

–Oiga, vieja, que estoy oyendo a alguien hablar. Dígale a quien sea que sólo quiero hablar con Rebeca. Que se ponga y ya está, joder.

–Habrase visto semejante lenguaje. Rebeca no está. Y para ti, no estará nunca.

Colgó el teléfono.

Ya no pude llamar a nadie más, porque me sorprendí machacando el teléfono contra el canto de la mesa de mármol de la entrada. Crunk crunk crunk CRUNK. Más calmado, miré el micrófono y los cables que salían de él e imaginé qué le diría a Lola («Se me cayó al suelo») y cómo ella me diría que el aparato estaba partido en mil partes y que se lo pagara, loco de mierda.

Sudando, recordé algo. Tiré el teléfono al suelo y corrí hacia la televisión. Por el camino se me cayó la toalla. La pantalla se iluminó: interferencias. Sólo interferencias en todos los canales.

–A la mierda –dije, a nadie en particular. Al sistema, tal vez.

–Relájese.

De vuelta al médico, en la consulta. Me vuelvo y se acerca hacia mí con unos guantes de látex. Se pone en los dedos una gelatina que saca de un tubo. Me pone algo de gelatina en el culo (¡Eh, un momento!), y dice Veamos, veamos, y luego continúa con un par de hmmmms y hummms, y al final saca su incómodo dedo de mi ano y dice: «Como creía, es una infección de próstata» como si eso explicara lo que ha estado haciendo dentro de mi cuerpo.

Miro hacia el Arc del Triomf y todo me da igual. El camino de bajada es cuesta arriba, hace días que lo sé. Cada suceso, un nuevo rasguño en el alma. He aceptado que nada bueno va a pasar en mi vida después del BUM.

Mientras me subo los pantalones, el médico me dice, echando los guantes usados a la papelera:

–Me temo que a usted se le ha acabado el beber durante una temporada. –Me pongo a reír delante de él, a REÍR en mayúsculas y a gritos, ¡JAJAJAJÁ!, sin poder contenerme, como si hubiese dicho la cosa más graciosa de la Tierra.

Cuando la risa se seca en mi boca, salgo de la consulta, me meto en el primer bar que veo y me tomo dos pacharanes y un ponche Caballero y vuelvo a pensar en todas las canciones de los discos más tristes.

–El camino de bajada es cuesta arriba, hijos de puta –murmuro en la barra, a nadie en particular.

Hace quince días que no me corto las uñas ni me afeito. Estoy experimentando con el crecimiento de mis partes vivas, y vuelvo a estar en casa de Lola, treinta días después del BUM. Me miro las uñas y no son muy impresionantes aún. La barba, me digo delante del espejo, está algo mejor, pero me temo que no soy muy hirsuto. En realidad, parezco un melocotón podrido.

Me hago un dry martini. Después de un par de tragos, vuelvo a mis rutinas. Primero, pongo a Walter Jackson, que vuelve a decirme lo mismo que me dice mil veces al día: «It's an uphill climb to the bottom.» Hay días en que me siento al lado de mi tocadiscos y espero que el bueno de Walter me diga algo nuevo. Que al terminar la canción continúe con una segunda parte, al estilo «... y al final todo salió bien». Pero eso nunca pasa.

Mi segunda rutina es llamar a Rebeca, a Elvira y a Àngels

desde el segundo teléfono. El día después del BUM al fin las llamé pero no pude hablar con nadie. Empecé a pensar que nunca habría *nadie*. Me resigné a ello, pero no dejé de llamar.

Aquel día me vestí con cuello alto y trenka y gorra Joe Orton, me puse un par de tiritas en la cara, y fui al único sitio donde podía ir.

–Tú vuelves aquí si tienes cojonos.

Era el criado ruso de casa de Rebeca. Cuando llamé a la puerta y salió a recibirme me preguntó el nombre; le dije que era Juan Tirado, y él me hizo esperar. Mientras llamaba a la madre de Rebeca, subí corriendo a rebuscar por la casa y casi me mato en las escaleras. Abrí varias habitaciones hasta que me encontré con la que debía de ser de Rebeca. Olía a ella. La cama estaba hecha, no había zapatos en el suelo. Abrí su armario y era como si faltara ropa. Quizás era cierto quegghkkkkkkkkkkk.

El criado me había cogido por el cuello y me agitaba en el aire como a un muñeco de trapo. Detrás estaba la madre, que por un momento dejó su porte aristocrático para decir:

–A la puta calle con él. –Siempre cogido por el ruso, descendí los escalones sin tocarlos con los pies. En la puerta, me echaron al asfalto.

–Y tú no vuelves por aquí –dijo el ruso agitando su dedo en el aire–. Si vuelvo a ver a tú por aquí, yo te machaco el cabeza.

–*La* cabeza –le contesté, desde el suelo–. Es femenino.

Umpf.

Su bota se incrustó en mi barriga.

–ME LAS PAGARÉIS, CABRONES –grité cuando hubieron cerrado la puerta, poniéndome en pie con una mano en el vientre. Y luego, para demostrar que lo decía en serio, cogí un ladrillo y lo lancé con todas mis fuerzas a una de sus ventanas. Se hizo trizas. Mi segundo cristal roto en aquella casa.

La puerta se volvió a abrir y salió el ruso, invitándome a volver allá si yo tenía cojonos. No los tenía. Me fui, aún cogiéndome la barriga y murmurando para mí.

El resto de aquel día lo empleé en seguir llamando. Nadie contestó. En la calle se oía jolgorio, el sonido de la agitación creciente. Sin televisión, la gente había dejado de mirar pantallas iluminadas en habitaciones a oscuras para hacer lo que a cada uno le apetecía hacer. Por el ruido de cristales rotos, lo que a algunos les apetecía hacer era asaltar tiendas y romper semáforos.

Pasaron diez o doce días hasta que me di cuenta de que nadie iba a contestar al teléfono. Hasta que vi que todo el mundo se había ido, que todo había desaparecido. Mi gang, mis Mujeres Escarlata, mi sangre de mi sangre, todos esfumados.

Aún me quedaban horas y horas que emplear. Llené esas horas con alcohol y llamadas telefónicas sin respuesta durante un mes entero. En el exterior, coches patrulla, cristales rotos, gritos y mucha música: tambores, guitarras, trompetas.

Finalmente, llama alguien. Esta vez sí lo cojo.

–¿Pànic?

Digo sí.

–Soy Luisa, ¿te acuerdas de mí?

Digo sí otra vez. La lugarteniente del Instituto de Vandalismo Público.

–Tengo muy malas noticias. Hace días que intento localizarte. Tu tía empezó a encontrarse mal hace una semana, y la ingresaron, y al final era una angina de pecho y... –Se pone a sollozar–. No sufrió nada, nos dijeron. Como si se hubiese quedado dormida.

Digo sí.

–Lo siento mucho.

Digo adiós.

Cuelgo el teléfono, me acabo el dry martini, lo dejo en la mesa y voy a mear. Naranja claro con toques pastel. Me vuelvo a mirar en el espejo del lavabo para asegurarme de que la barba me sigue creciendo. Me miro en el espejo y no soy feliz. Luego escucho cintas que he grabado con mi voz.

Escucho la voz y no es la mía. Me cuesta reconocerme en las inflexiones del gusano llorica que repite palabras sobre el crujido de la TDK. Sin embargo, vuelvo a escucharla, fascinado: el verdadero sonido de la caída, por primera vez en cassette.

A las cuatro de la mañana, el ruido en el exterior cesa. Si tuviese speed tomaría, pero se terminó. Los demás medicamentos de la casa también; me divertía comprobar los efectos secundarios que, tras la ingestión, aparecían a veces simultáneos a la lectura del prospecto.

–El abuso de este medicamento puede brovogar obsdrugción de las fosas dasales. –Me río solo. Ésta es mi idea de diversión estos días. También tomo laxantes, a puñados. Quiero comprobar cuánto puedo adelgazar.

A las cuatro y media me quedo dormido en el suelo, al lado del teléfono. Sueño con Àngels y sueño que lo he soñado. Cuando despierto, media hora después, veo que no, y de repente sé que debo hacer algo urgente. Voy al armario de las herramientas y saco un martillo. Con él en la mano, me dirijo hacia «Pànic #2». Es obvio que ha quedado obsoleto. Lo levanto y miro sus compartimentos, en cada uno de ellos un objeto importante. Puntos estratégicos en un mapa de vuelo inservible.

–Adiós, hijo –digo, y mi voz vuelve a sonar ajena en la casa vacía.

El martillo cae una vez y otra CRAK CRAK CRAK piezas vuelan por todos lados, saltando hacia mi cara. Miles de trozos se esparcen por el comedor CRAK CRAK CRAK llaman a la puerta POM POM POM debo de haber despertado a los mexicanos, qué más da, CRAK CRAK CRAK y ellos POM POM POM. Sigo machacando «Pànic #2» hasta que no queda de él más que un montículo de piezas sin forma.

En silencio ya, cojo entre los dedos el anillo de Àngels. Desde la puerta gritan PAREN YA DE HASER RUIDO y me lo pongo. Me va grande. Quiero llorar y no puedo; en la cara sólo me quedan surcos, marcados por el arado de las lágrimas de estos días. Noto una pelota de ping-pong en el cuello, otra en el intestino. Cuando los laxantes hacen efecto de repente, suelto el anillo, corro hacia el lavabo y dejo caer en el interior de la taza doscientos gramos de mi cuerpo inservible, doscientos gramos que no voy a necesitar más.

Polifemo regresa el 6 de abril, miércoles, TNDDB. Treinta y Nueve Días Después del BUM. Es una mañana de sol no muy caliente, y yo ando, como últimamente siempre ando, desnudo por la casa con la gorra puesta, tirando de mi barba con las uñas para que siga creciendo. Estoy bebiendo un vaso de ponche con hielo, escuchando a Walter Jackson, intentando descifrar las otras estrofas.

También estoy esperando algo. Pero qué.

Lola está de vacaciones. Àngels ha muerto. Elvira, siempre desaparecida; no consigo recordar si pulsé el detonador. Y si lo hice, ¿miré el reloj antes?

Rebeca secuestrada por su familia, o tal vez se fue a Londres. Eso no debería extrañarme. Me siento en el sofá, bebo un trago y observo mis genitales mullidos, cansados, esparciéndose sobre el cuero. No pienso en masturbarme y, además, aunque tuviese ganas no sabría hacer una pirámide de papiroflexia. Creo que lo olvidé.

No quiero pensar dónde están los demás vorticistas. Me convenzo de que regresaron al monte, a Tavascan. Escucho a Walter Jackson y busco pistas sobre el futuro, pero lo que oigo y veo es gris oscuro, amenazador.

Estoy esperando algo, y no recuerdo qué es.

Sé que fui una pieza del engranaje. Como el Cansao, soy un

destornillador barato. Algo desechable, que nadie añora si se pierde, que cumple su función hasta determinado punto y luego... Luego, nada.

O eso o sí pulsé el detonador. Ninguna de las opciones me complace.

RI-I-I-I-NG.

Hum. Llaman a la puerta.

RI-I-I-I-NG.

Será mejor que vaya.

Le doy un gran trago al ponche y ando descalzo entre los restos de «Pànic #2» que nunca barrí. Me gusta tenerlos por la casa, como un recordatorio de las cosas que se han hecho pedazos y ya no existen, como una exposición permanente de las expectativas marchitas.

Abro la puerta y es un mexicano, vestido de calle; sin sombrero ni decoraciones. No se está riendo, y trato de recordar qué habré hecho esta vez. Ya me disculpé hace un par de días por los martillazos y «Pànic #2».

–Nos está inundando, güey. –Mientras habla trata de no mirar mi pene fláccido, la cara medio vuelta.

–¿Cómo? –le digo, rascándome la barba. No entiendo.

–Está cayendo agua a destajo, güey. Corra a cerrarla. Nos está inundando –contesta, más agitado.

¿Agua? La bañera. Eso es lo que estaba esperando. Que se llenara la bañera.

–La bañera. Mierda.

Salgo corriendo hacia el lavabo, abro la puerta, entro al lavabo, resbalo en las baldosas, slip-BANG. Cuando reacciono estoy en el suelo, levantándome con ambas manos, y de un lado de mi cara cae un pequeño chorro de sangre, como una columna encarnada. Con una mano alcanzo una toalla y la presiono contra mi ceja, me pongo en pie, con la otra mano cierro los grifos de agua.

Pasa un rato hasta que me doy cuenta de que me he vuelto

a abrir la ceja. La sangre, cuando aparto la toalla, resbala sobre la pestaña y me ciega el ojo. Polifemo otra vez.

El mexicano asoma la cabeza por el lavabo.

–¿Está bien?

De algún modo, esa frase es tan estúpida, tan bienintencionada, que me hace reír. Me río un rato hasta que pierdo el fuelle. Tomando aire al final, le digo:

–Ahora lo friego. Lo siento.

–No creo que esté bien, amigo. Usted necesita ayuda.

–Tienes razón, tío. –Pongo una mano ensangrentada en su hombro–. ¿Quieres ayudarme? Tómate algo conmigo, cuate. –Aún estoy desnudo.

–Son las diez y media de la mañana.

–¿Sí? –le pregunto, intrigado de veras–. ¿Y qué?

–Muy temprano para beber.

–¿Cómo? Fuera de mi casa. Nadie te ha dado vela en este entierro. Fuera, venga, fuera, FUERA, mexicano de los cojones.

–Sólo quería echarle una mano –murmura mientras le empujo hacia la puerta–. Si esto sigue así nos va a obligar a que llamemos a la policía.

–Bah. A la mierda.

Doy un portazo que hace temblar las paredes. Sé que va a llamar a la policía a la menor ocasión, y sé lo que tengo que hacer. Pero antes, una copita.

Son las dos de la mañana y tengo un auricular en la mano y no sé a quién estoy llamando, ni cuánto rato hace que lo estoy intentando. Sé que me estoy balanceando. Sé que me estoy balanceando de esa manera ridícula que tienen los borrachos terminales de balancearse cuando intentan simular que están sobrios.

Dos pasos adelante, dos atrás, piernas separadas, rodillas flexibles, tronco abajo, cabeza atrás, recuperación de la erguidez, doble traspié y vuelta a empezar. Ponche en una mano y cigarro en la otra. No, un momento. No fumo. Es un teléfono. Por última vez: ¿a quién estoy llamando a las dos de la mañana?

–Sí, ¿diga? –Voz de madre. Madre dormida. Madre ajena. ¿Por qué estoy haciendo esto?–. Sí, ¿quién es? –Segunda llamada para comer. Se están acabando las alubias. Date prisa, date prisa. *A la taula i al llit al primer crit.*

El flash de reconocimiento aparece de repente como una luz estroboscópica, confundiéndolo todo al principio, aclarándolo todo al final. Una gota cálida se desliza por la ceja, que me estoy rascando. La toco y me miro los dedos: sangre. No quiero pensar qué he hecho las últimas doce horas. Y aunque quisiera, no podría. El cerebro se me ha fundido como una fondue, una fondue muy profunda en la que he perdido el pan de mi dignidad.

–¿Rebeca? –farfullo, con cemento fresco en la lengua–. Necesito hablar con Rebeca inmediatamente. –Practico un poco más de baile mientras me devuelven la contestación. Dos pasos adelante, dos hacia atrás...

–Soy su madre, ¿quién es? ¿Eres tú, Pànic? –Desde mis brumas alcohólicas, noto que su odio se está transformando en genuina pena por la caída de alguien. Por todo ese caer y no saber parar que ella está escuchando privilegiadamente desde su confortable, limpio y millonario lado del auricular.

–Sí, señora, soy yo. –Cambio de pareja, un dos, tres–. ¿Está Rebeca? Dígale que se ponga, por favor, tengo que hablar con ella. Es urgente. Mi tía... Àngels... está...

–No puedes seguir llamando aquí, Pànic. No estás bien. Necesitas ayuda. ¿No te está ayudando tu familia? Llama a tus amigos.

–¿Rebeca? –pregunto, sin escucharla–. Ella puede ayudarme.

Pequeño silencio.

–Ya no vive en casa. Y dio instrucciones explícitas para que nunca te diésemos el teléfono de contacto. No quiere volver a verte nunca más.

No digo nada.

–Lo siento. No vamos a denunciarte por el cristal, y Mijaíl dice que lamenta haberte pegado una patada. Pero tienes que dejar de llamar a esta casa, hijo.

Cambio de pareja, un, dos, tres. ¿Por qué estoy haciendo esto? La sangre de la ceja me resbala dentro del ojo, cegándome de nuevo. Con el ojo libre me pongo a llorar de repente, un llorar lejano, ahogado, como si fuese el llorar de otro.

Sabía lo que tenía que hacer, pero se me olvidó. Ahora lo he recordado, y lo estoy haciendo en este momento. Es el día cuarenta después del BUM, 7 de abril, jueves; me he levantado del suelo, donde dormí ayer una vez más, rodeado por un par de botellas vacías y pedazos eternos de «Pànic #2» y me he ido a duchar. Cuando he terminado, me he cortado las uñas (empezaban a estar bastante largas) y me he afeitado. Luego he ido a buscar algo.

Me ha llevado un buen rato encontrarlo, porque estaba en el fondo de mi armario. Al fin, lo he visto: mi camiseta de Disneylandia, mis bambas de baloncesto negras, mis pantalones tejanos rotos, negros. Gracias a Dios que no tiré todo esto.

Me lo pongo todo, y es la primera vez que me visto en días. La sensación de la ropa, una ropa usada y que se dobla en mis esquinas como una segunda dermis, es curiosa. Me froto con las manos por encima. Me gusta la sensación.

Cojo el disco de Walter Jackson y lo meto en una bolsa de plástico. Lo que tengo que hacer está claro, ahora: vuelvo a Sant Boi, con mi ropa antigua, y estoy andando hacia atrás como los cangrejos. Sé que lo que hago tiene un sentido, pero aún no puedo darle uno. De repente era obvio que debía ir a Sant Boi, volver a mi infancia, y eso es lo que estoy haciendo. Piloto automático.

Abro una bolsa de deporte y meto dentro unas cuantas cosas que voy a necesitar. Miro los dientes de la cremallera encajar limpiamente al cerrarse, sin discusiones, en el orden más perfecto. Siento una chispa de envidia hacia esa cremallera que, como los seres que iban a mi clase, nunca conocerá el extremo sufrimiento de la obsesión.

Andando hacia la estación de Fontana, decido parar en La Costa Brava y tomar un par de cervezas. Aún recuerdo cuando Lola me recibió, el día que realicé el viaje en sentido contrario. Ahora he cerrado su casa, después de barrerlo todo y deshacerme de la basura, y desando mis pasos hacia el septiembre en que llegué aquí.

En el bar, me siento delante del espejo, y la imagen que me mira es el Pànic actual. He perdido casi diez kilos, y el cabello negro vuelve a dispararse en todas direcciones cuando me quito la gorra Joe Orton, el único gadget de estos días que voy a conservar. Los ojos verdes, sin embargo, permanecen igual de atentos, subidos como faros halógenos sobre mis pómulos escarpados.

El camarero, sin reconocerme, me pone una mediana sin decir mi nombre. No importa. Bebo un trago y recuerdo cuando pensé que el espejo de La Costa Brava, inmutable desde hacía ochenta años, permanecería igual y sería la brújula que me recordaría los cambios. Bien. Me miro y no sé decir los cambios; quizás por eso necesito ir hacia atrás, tratar de entender, mirar en retrospectiva.

Me acabo la mediana, pido otra. Cuando me la sirven, me doy cuenta de que en un lado de la barra están Julián y su amigo Kiko Amat, fingiendo no verme. Me dirijo hacia ellos, y les saludo con un Hola que se filtra entre mis dientes. Ambos se vuelven. Julián lleva una camisa de bolos roja con un logotipo en la pechera; su amigo un polo verde manzana de nailon, brillante e impoluto. Los dos miran mi ceja hinchada y la costra que la cubre.

–¿Sabéis qué dan por la tele esta noche? –les digo, y medio sonrío–. Nada. La revolución no va a ser televisada, después de todo.

–Has adelgazado mucho, tío –comenta Julián, sin entender lo que acabo de decirle–. ¿Te encuentras bien?

–No lo sé –digo, con ojos ausentes–. No lo sé.

Nos quedamos los tres en silencio unos segundos. Sé que ellos van a preguntarlo, así que me adelanto y lo pregunto yo:

–No sabréis nada de los vorticistas, supongo.

–¿De quién? –pregunta Kiko Amat. Olvidaba que soy el único que les llama así.

–Johnny Cactus, Arturo, ya sabes.

–Pensaba que lo sabrías tú –dice. De golpe ya no quiero saberlo. Me rasco la mejilla y es obvio que no tengo nada más que decir. Entre sus dos caras, veo mi calavera en el espejo de la barra abriendo la boca y preguntando:

–¿Y Elvira?

Nadie contesta, así que me digo que no lo pregunté, después de todo. Quizás lo imaginé. Pero al final, Kiko Amat dice:

–Ni idea, tío.

–Da igual –digo en voz alta, y no sé cuál de las frases estoy contestando, si a mí o a ellos. Quisiera decirles que tenían razón, la última vez que hablamos. Quisiera decirles que nadie conocía a Johnny Cactus. Y que, efectivamente, escogí una mentira. Pero no sé cómo expresar ninguna de estas cosas.

Me doy la vuelta para irme, y de golpe necesito decir algo más, y me paro en seco.

Vuelvo la cabeza hacia ellos:

–¿Conocéis «It's an uphill climb to the bottom» de Walter Jackson? –Los dos asienten.

–Una gran balada soul –dice Kiko Amat–. Siempre ha sido una de mis favoritas.

–No, no. ¿Sabéis lo que quiere decir? A eso me refería.

–Supongo que sí –dice Julián–. El sufrimiento como nuevo sufrimiento. El hundirse como algo difícil, no como un punto adonde se llega sin esfuerzo.

–La caída es subida –añado–. El camino de bajada es cuesta arriba.

–Eso mismo –dice Kiko Amat.

–Y además es verdad –digo, antes de irme definitivamente.

Estoy sentado en un vagón de los Ferrocarrils Catalans, en Plaça Espanya. Estoy sentado en los asientos de tela naranja, mirando a mi alrededor, todo mi pensamiento focalizado en la Nueva Obsesión. Lo que debo hacer, en Sant Boi, y luego ya nada importará. Es una última cosa que necesito hacer. Lo más importante que poseo, en estos momentos en que ya no sé lo que poseo.

El tren se pone en marcha. La luz triste de las estaciones subterráneas me ilumina las rodillas, agotada.

Tengo una Gran Idea, quizás la última. Es el Gran Gesto, de verdad. No uno exultante, catártico, sino un legado, algo que quiero dejar tras de mí. Desde pequeño, siempre me ha obsesionado la posteridad; hice biografías desde que tenía ocho o nueve años, deben de estar aún en casa de Àngels, por algún lado. Imagino que, inconsciente, quise dejar guijarros por el camino, deshacer un ovillo de lana en el laberinto para luego entender qué esquinas giré, qué bifurcaciones escogí, qué opciones desperdicié.

El tren abandona el túnel y un sol simpático, contagioso, entra en el vagón como la risa de un adolescente. Miro los campos, el río Llobregat. La silueta de la iglesia en la distancia, unidimensional, de papel. Estoy en el Túnel de la Bruja. En el Túnel de la Risa de un parque abandonado, pasado de moda.

Cuando el tren llega a la estación de Sant Boi, aún estoy en la cuesta. Pero sé que no queda tanto y que, cuando termine la Gran Idea, no habrá más cuesta que subir.

Dos metros de ancho por dos metros de largo.

Lo he llamado «Pànic #1». Nunca hubo un número uno.

Llevo quince días en casa de Àngels fabricándolo. Tuve que entrar por la ventana. Fue fácil, porque todas las ventanas tenían cierres antiguos que cedían al más leve empujón. A Àngels nunca le preocupó la inseguridad ciudadana. *Ella* era la inseguridad ciudadana.

Mi barba ha crecido un poco y ahora parece una pelota de tenis desmadejada. Los pelos que, flacos y débiles, caen hacia el suelo hacen que mi cabeza parezca un meteorito negro lanzado al espacio.

He dejado de tomar laxantes y de llamar a gente. Su existencia no es importante, ahora. Su aparición no iba a cambiar nada.

Llevo quince días fabricando mi Gran Idea. Mi último mapa. Dos metros por dos metros es una cosa muy grande. Desde luego más grande de lo que yo he hecho nunca; ni el propio Joseph Cornell fabricó nunca una caja tan grande.

Mi Gran Idea tiene múltiples pequeños compartimentos, y en cada uno de ellos estoy colocando las cosas que importan de veras.

En «Pànic #1» he intentado colocar todo lo relevante en mi vida. No creo haberme dejado nada. He puesto pirámides, la foto de mis padres en Crouch End, Alesteir Crowley, el disco de Walter Jackson, el anillo de Àngels, anfetaminas, unos calcetines amarillos que compré junto a Johnny Cactus y la única foto que permanece de los vorticistas juntos. También está una serie de cuatro fotos que nos hicimos Rebeca y yo en un fotomatón, y también está el poema de Breton sobre Elvira, y más fragmentos de otras cosas, como si yo fuera Humpty Dumpty acabado de caer de la pared y todos mis pedazos estuviesen esparcidos por el comedor de Àngels.

Sólo que ya no están esparcidos. Están en perfecto orden, cada uno en su pequeña casa particular de *13 Rue del Percebe*.

Es el día 22 de abril, viernes por la noche. Durante estos días he comido latas de conserva y no he bebido alcohol, y he ganado un par de kilos. Nada remarcable, pero mis pómulos ya no parecen a punto de huir de mi cara en cualquier momento.

Miro mi pieza. No voy a destruir «Pànic #1».

Esta vez no es para mí. No quiero comprender lo que soy o lo que he hecho; sé lo que he hecho. No, esto es mi Caja Negra. La que encontrarán una vez el avión se haya precipitado contra el suelo, y piezas indistinguibles de su fuselaje y equipaje yazcan esparcidas por los campos. La que les dirá cómo fue el viaje, cuáles fueron sus contratiempos, cuál fue el error fatal.

No dejaré notas ni cartas. Si lo he hecho bien, esto debería explicarse por sí mismo.

Es viernes, y son las doce de la noche. Estoy sentado en las escaleras que llevan al piso de arriba de la casa, y mi cabeza está apoyada en mis manos. Terminé. Miro al Hombre de Paja que es una representación de mí mismo, sus dos metros por dos metros inmóviles en medio del comedor.

Los ingleses tendrían un nombre para él: *the wicker man*.

Estoy satisfecho. Mirando las anfetaminas que quedan sueltas sobre la mesa del comedor, recuerdo que ahora sí queda una sola cosa que hacer.

El Último Vals, el último baile que nadie me podrá quitar, el Último Vals Salvaje.

Por favor, uniros a mí en este Último Vals Salvaje.

–No quiero meterme donde no me llaman, pero estás meando de color verde, tío.

Vaya, tiene razón. Miro el líquido que sale de mí y es de un verde anaranjado.

Estoy hablando con un señor anónimo en el lavabo de un bar de Sant Boi. Son las diez de la mañana, y llevo toda la noche bebiendo y andando de un sitio a otro, y en cada uno de ellos he tomado algo, en cada uno he dejado fluir el rugido nocturno de las anfetaminas.

Andando por las calles desiertas, he notado esa humedad característica que ya no recordaba, esa humedad que hace caldo de tus huesos, que se mete en la ropa y ya nunca vuelve a secarse. He andado arriba y abajo del pueblo y la primera noche ha pasado. Ahora son las diez, y en el lavabo un río manzana surge de mi cuerpo, como si el musgo y la humedad de la noche se hubiesen quedado incrustados en mis riñones. El camino que hay que recorrer es largo, pero ya estoy en marcha. Me seco las últimas gotas, pago en la barra y salgo a la calle. Es sábado. Se huele en el aire, se siente.

La luz llena todas las entradas a mi cuerpo, y por un momento estoy ciego. Me llevo las manos a la cara y empiezo a andar; no me importa andar.

Una brisa fresca recorre la calle. Me meto en una gasolinera y me compro unas gafas de sol de plástico y una cerveza de lata. Abro el envoltorio y me pongo inmediatamente las gafas, una horrible imitación de Vuarnet. Luego bebo un trago helado a pleno sol. No me siento agotado, pero sé que lo estoy. Sé que el agotamiento me espera tras las esquinas de la química.

Decido guardarme las anfetaminas para la noche; iré a Castelldefels y veré el mar. Me envuelve la confusión de no haber dormido y esa sensación gratificante de estar en una longitud de onda completamente distinta de todo el mundo con quien me cruzo. Ellos van, yo vuelvo; hasta que llegue el último baile, el Último Vals que aún no sé dónde estará.

La búsqueda es parte de la intensidad, la mitad de la obsesión, hay que completarlo todo y llegar al fin de las cosas.

Ando bajo el sol angulado como una escuadra nueva, la lata de cerveza en la mano. Subo por la calle Jaume I, una avenida en forma de embudo que recibe todo el sol y el aire de las partes nuevas del pueblo. En cinco minutos he llegado a las puertas de mi antiguo instituto, que hoy está cerrado.

A la sombra del portal de una tienda de ultramarinos observo los contornos horribles del edificio, y recuerdo la época en que me aposté aquí para demostrarle a Eleonor, lleno de despecho, que nada me importaba. Debí ser tan obvio, tan triste, apoyado en la pared con mis libros raros, levantando medio labio en una teatral mueca de repugnancia. Debí de ser tan obvio como lo soy ahora. Pobre perro vagabundo que quiso aullar: que alguien me ayude.

Entro en el colmado a pedir una Xibeca sacándome las gafas. No debo dejarme vencer por la autocompasión; eso nunca. La autocompasión es la más baja de las cobardías. Son huesos de mantequilla, pulmones de yeso, cola entre las piernas.

Y, sin embargo, me siento abandonado. ¿Es esto todo lo que queda? ¿Es mi vida una constante búsqueda del Gran Gesto, llena de caídas posteriores? ¿No sería más lógico llegar a la calma, adaptarse a la normalidad, dejar de ser aquel niño que hablaba solo por los pasillos?

Pero sé que es imposible. Sé que estoy condenado a vivir en una constante infancia de búsqueda de cúspides, de pasiones ígneas, fulgurantes como bengalas señalizadoras. De repente, me siento cansado. Y, aun así, no olvido lo que tengo que hacer.

–¿Sabe qué? –le digo al tendero–. Olvide la Xibeca. ¿Tiene orujo de hierbas?

El hombre me mira como si estuviese loco, y no se equivoca tanto.

–No –dice, y yo veo la botella detrás de su hombro.

–Claro que tiene, la estoy viendo ahí mismo.

–Eso no es orujo –dice, sin volverse, y la etiqueta dice: «Orujo de hierbas».

Durante un instante me pregunto qué he hecho para enemistarme con él, pero no tengo tiempo para esos pensamientos. Tengo prisa, y cosas que hacer.

–¿Y ahora? –le digo, después de que mi puño atraviese el cristal del mostrador de los embutidos con un crak seco–. Ahora tiene la botella de orujo, ¿o no?

El tendero me mira y yo estoy inmóvil, con el puño sangrante dentro de su nevera de embutidos, un agujero limpio casi del mismo tamaño que mi brazo. Sus ojos me recuerdan a los porches de baldosas donde jugué de niño, al lado de casa de mi abuela. Caen gotas de sangre sobre la mortadela con aceitunas.

Saco el puño, extiendo la mano roja y vuelvo a decir:

–La botella.

El hombre me la da, boquiabierto, sin pronunciar palabra. Mis ojos están fijos en sus porches encerados.

Sé que nunca podré vivir para ese constante caer después de cada nueva obsesión, cada nueva traición. Es demasiado doloroso y hace días que he decidido esto. He decidido que, puesto que soy incapaz de enfrentarme a cada nueva caída, a los estertores que conlleva cada nuevo Gran Gesto, a la pérdida de intensidad que el resto de los hombres acepta como normal, lo mejor es terminarlo todo, conservar aquella cima como la última que visité, Rebeca como la última mujer a la que fallé, los vorticistas como la última daga en mi espalda, Elvira mi último rechazo.

Doy un trago al orujo. Está asqueroso, pero eso ya lo sabía. Nada me sorprende.

El Último Vals Salvaje se acerca cada vez más, puedo sentirlo, y será el vals que acabará con todos los demás valses.

Antes de salir por la puerta le doy una patada al cristal de la entrada, que se derrumba como un millón de canicas. No sé por qué lo hice. ¿La costumbre? Me echo a reír, mirando al hombrecillo que nunca habrá tocado una obsesión como las mías.

Un-dos-tres, un-dos-tres. El último gran vals se acerca cada vez más. Un-dos-tres, un-dos-tres.

La acción transcurre en la pequeña ladera que deforma uno de los costados de Sant Boi. Es aún el mismo día, a media tarde, y en el terraplén sin árboles el sol cae con vagancia. En otras partes de la muntanyeta *se distinguen perros corriendo, con sus dueños siguiéndoles sin muchas ganas. Unos niños juegan a fútbol en la parte más baja de la colina.*

Sentado en el suelo, solo, está Pànic Orfila. Lleva aún su camiseta de Disneylandia, barba de días, bambas de baloncesto viejas y tejanos rotos, gorra de Joe Orton de lado, gafas de baratillo puestas. Está completamente borracho, y una botella de orujo de hierbas a medias descansa torcida a su lado, como una torre de pisa de cristal. La mano ha dejado de sangrarle, pero trozos de piel levantada y costras resecas decoran sus nudillos, que él mira con dificultad de vez en cuando.

PÀNIC *(cantando para sí, ausente otra vez, mirándose la mano):* Since you left me, it's an uphill climb to the bottom...

Pànic levanta la mirada, y en la distancia ve acercarse a Consol. Su madre. Lleva un largo vestido de noche verde, con la espalda descubierta, y el pelo corto tras las orejas como una actriz de Hollywood de los años treinta.

PÀNIC *(entusiasmado de golpe):* Hey, mamá. «A veces, cuando pierdes ganas», ¿te acuerdas? Bueno, no era verdad. Cuando pierdes, pierdes. A joderse.

ELEONOR *(boquiabierta):* ¿Pànic?

PÀNIC *(bebe del orujo y pone cara de asco):* Sí, soy yo. Tu hijo.

ELEONOR *(aún perpleja):* Dios mío, ¿qué te ha pasado, Pànic? Soy yo, Eleonor. ¿Te acuerdas de mí?

Pànic la mira, levantándose la visera. Al final se quita las gafas y empieza a reconocerla. Ante él está una chica guapa, con cara de Veronica Lake y el pelo negro largo, rizado como tornillos de plomo. Tiene una peca al lado del labio y una mirada sincera, pestañuda, que deja ir algún destello de gran carácter. En su muñeca reposa la correa desatada de un perro que corretea por la zona. El perro se acerca hacia Pànic y le lame la mano herida y juguetea ante él.

PÀNIC *(dándose cuenta de repente y sonriendo con desprecio, borrachísimo):* Eleonor. Sabía que estarías aquí aún, con tu familia, tu madre y el perro. Atrapada en el rebaño de los cuadrados, con tu rebeldía de media jornada...

ELEONOR *(poniéndose en cuclillas con cara de preocupación):* ¿De qué hablas? Mira cómo tienes la mano. Dios mío, ¿qué ha pasado?

Pànic la mira, y cierra los ojos.

ELEONOR *(con pesar):* Veo que sigues con tus locuras de siempre.

PÀNIC *(cayéndose hacia un lado):* Qué sabrás tú. Nunca has experimentado la menor obsesión. N-no tienes ni idea.

ELEONOR: ¿Cómo? Yo he sentido muy intensamente. Seguro que igual que tú. Y me he enamorado mucho, y he pensado mucho en mi vida. Y he pisado por ella con cuidado, porque...

PÀNIC *(desde el suelo, ahuyentándola con la mano):* No me sermonees. No sabes lo que es la pasión. Nunca lo supiste.

Pànic se incorpora con dificultad. Eleonor intenta echarle una mano pero él la rechaza y casi vuelve a caerse. Al final quedan los dos de pie, uno delante del otro.

PÀNIC: S-soy el único. Nada hay por encima de mí. Todo debe encajar.

ELEONOR: No eres *el único.* Eres como mucha otra gente, Pànic. Quizás más egoísta, pero por lo demás como muchos otros.

PÀNIC *(humilde por primera vez):* No. Yo no puedo sentarme como todos a esperar un día en que todo se haya calmado, relajarme y ser feliz. Y ahora, ahora estoy cansado de todo esto.

ELEONOR *(poniéndole una mano en el hombro):* Tranquilo, Pànic. Sólo tienes veinte años. Te queda mucho por vivir. Piensa en todas las posibilidades.

PÀNIC *(coge la botella de orujo del suelo y pega un trago antes de hablar):* Yo no funciono así. A la mierda las posibilidades. Ya he tenido mi Gran Gesto, un gesto que tú nunca podrás calibrar.

ELEONOR *(tocándole la mejilla):* Ay, Pànic. Te has creído un personaje, y el personaje te ha matado. ¿No lo ves?

PÀNIC *(susurrando):* Mi brillo ha sido intenso. Mi obsesión se recordará.

ELEONOR *(levantando la voz):* ¡Deja de decir eso! ¿No ves cómo has terminado? ¿Vale la pena brillar para esto?

Pànic bebe de la botella. El perro corretea a su alrededor meneando la cola y mirándole; al final, se le mea en una pierna. Pànic lo ignora y empieza a marcharse.

PÀNIC: Soy lo que soy. Soy la obsesión, y la obsesión rompe y quema. Nadie puede entenderlo.

ELEONOR *(le mira alejarse):* Pobre Pànic. ¿Qué has hecho?

PÀNIC *(sin volverse, cada vez más lejos):* A la mierda.

TELÓN

Dos segundos más tarde. Estoy alejándome de Eleonor, arrastrando los pies, dibujando eses y zetas en el suelo de polvo de la ladera.

Mi vida ha hecho: pof.

Cayó desde lo alto, aniquilada por mi pequeño personaje de novela. Sabía esto antes, Eleonor sólo me ha enseñado una última prueba de mi maldición. Me enfrento al final que predije, aunque con más daño del que creí. Soy un meteorito que ha brillado alto, y que ahora se estrella envuelto en humo contra el planeta Tierra.

–Te dejas esto –me dice Eleonor a lo lejos, abriendo su mano en la distancia.

Yo giro la cabeza un momento.

Es mi vida, hecha añicos. En la palma de su mano. Con sus cimas soleadas y sus valles oscuros llenos de mierda y dolor. Todo se antoja inútil, de repente.

–Ya no la necesito –le digo, sorbiéndome los mocos–. Quédatela.

De repente, estoy en el Gran Vals. Es un vals de pies ajenos, que danzan con compases enfundados en camperas y botas militares. En el riñón, en el hígado, en la cabeza y la espalda; me cubro la cara de puro reflejo, aunque me da bastante igual. El vals se desarrolla sobre mí, todos bailan en mi cabeza, gruñen y juran, se dan codazos. Ruedo en el suelo, caen un par de taburetes. Hay gritos y confusión. ¿Es esto un vals? Es el vals hardcore del *armageddon*, el que acaba con todos. Cada uno tiene lo que quiere, y yo sólo quería redención para mis obsesiones.

Cinco minutos antes entro en un bar junto a la playa, en Castelldefels. Las anfetaminas han chocado con el orujo, y mi cuerpo se consume en un miasma de desconcierto: el corazón me late a cien por hora, pero mis movimientos son lentos, la mandíbula me bate pero mis pensamientos se arrastran, confundidos los unos con los otros, como reptiles de desierto.

Ando en espiral hacia la barra, pido una cerveza, miro a mi alrededor. Punkis locos, heavys de ciudad residencial, dealers de cocaína cortada con yeso de paredes, tías feas y góticas. Un sitio tan bueno como cualquier otro para empezar el gran vals.

Me vuelvo hacia el heavy que está a mi lado y le rompo la botella (vacía, me la he bebido en dos tragos) en la cabeza. El tipo no se desploma, eso sólo sucede en las películas, pero sus ojos se inundan de confusión y dolor mientras se lleva las manos a la cabeza y se dobla hacia abajo. Caos. Todo el mundo trata de comprender lo que ha sucedido, y yo estoy en la barra con una botella rota en la mano.

Moviendo un dedo y tambaleándome, digo:

–Venid, cagados.

Sorprendentemente, todos vienen. De repente, me siento como el señor de las bestias. Soy Moisés, el pastor que conduce a su rebaño, y el matojo de bayas está ardiendo. Uno de los que vienen se lleva una patada en los huevos. Me quitan la botella, pero una nariz que no es la mía se rompe de un codazo que sacudo con una fuerza que desconozco.

Al fin. El vals. Caen los golpes, caigo al suelo y ésa es la última cosa que hay que hacer en una pelea. Pero ésta no es una pelea normal. Es un sacrificio ritual. Es la redención. Es la búsqueda del fin de las obsesiones, que ya no puedo contener.

Ahí viene el palo de billar, que se parte en mi espalda y me rompe una costilla. Lo noto, pero casi no duele. Orujo de hierbas, increíble licor maligno y anestésico.

–¡Dejadlo ya! –dice un imbécil. Noto cómo las patadas disminuyen y, al final, paran del todo. Me agarran por los sobacos entre dos, uno me levanta la cabeza para asegurarse de que no me conoce de nada, me echan a la calle.

Malditos amateurs. Me siento en el suelo, registro muy de lejos los desperfectos, como si los viera en un telescopio: costilla rota casi seguro (no puedo respirar), nariz partida, la vieja ceja que ha vuelto a abrirse –Polifemo por última vez–, un dedo que se hincha lentamente y en posición extraña, ¿un diente? Lo escupo. Sí, es un diente, que sostengo en la palma de mi mano como si fuera una perla encontrada. También he perdido la gorra de Joe Orton; eso me apena durante unos segundos.

Noto gente que anda a mi alrededor, voces lejanas que preguntan si necesito ayuda, y a los que contesto con el dedo corazón levantado.

Me levanto, con gran esfuerzo, y concentro todo mi intelecto y todas mis células en no desmayarme. El Gran Vals Salvaje tendrá que ser sobre ruedas, al fin y al cabo.

Me acerco a una Vespa 160 de los años setenta, roja, roída, llena de óxido, pero con cierta dignidad encima. En un segundo estoy yendo por la autovía de Castelldefels a la máxima velocidad que alcanza. Con las gafas Vuarnet falsas puestas, con un solo vidrio, viendo las farolas pasar a mi lado como breves salpicaduras de luz rothkoanas, cuchilladas de fuego que me rozan los hombros. Todo el viento, toda la noche, mi cabello hacia atrás y los ojos irritados, y no veo nada.

Las líneas del asfalto se desdibujan y doblan, el abdomen de la Vespa se tambalea de un lado a otro. Pienso en Rebeca, mi dulce Rebeca china de labios-futones y pies independientes, en cómo quiso quererme y no la dejé; y pienso en Elvira la loca, la calabaza escuálida y opiácea que no quiso enamorarse de mí, y me río por haberlo pedido, pobre perro vagabundo; y pienso en los vorticistas, en el Cactus y en Arturo Grima y Marco Cara, todos sus zapatos relucientes.

Ah, el Gran Vals. ¿Quién dijo que sus pasos serían fáciles? En Collserola vi que el camino de bajada era cuesta arriba. Ahora se acaba la cuesta, al fin, la cuesta que acaba con todas las cuestas. Hasta en los últimos segundos tuve que tener una obsesión. Porque ¿qué es esto sino una nueva obsesión, una nueva romantización de mi personaje inventado, un nuevo Gran Gesto inútil y estúpido? La única diferencia estriba en que, esta vez, no habrá cima de la que descender. El Último Vals será el napalm que freirá la cima, serán minas de fragmentación, será dinamita. El Último Vals de dinamita.

Las lágrimas de los ojos se escapan de mi cuerpo a toda velocidad hacia el lugar de donde vengo. Hacia el pasado. La sangre brota de todas mis heridas.

Pienso en Àngels y en Lola, pero sobre todo pienso en mí.

Ay, El Loco. El Loco al que nadie pudo ayudar, el niño enfermo que no pudisteis curar, la pieza que no encajó en el engranaje.

Pero el Gran Vals sí encajará en mi vida. Todo debe encajar, al final. El Gran Vals es la última pieza que deposito encima de «Pànic #1». El último compartimento que faltaba por rellenar. Adiós Stirner, adiós Walter Jackson. *It's an uphill climb to the bottom*, no digas más. Lo entendí, lo entendí bien.

Levanto los dos brazos al cielo, ya no veo, mis ojos son ciénagas, y cuento: un-dos-tres, un-dos-tres. Mis últimos pasos de baile, que nadie me pudo quitar.

Una carcajada partida brota de mi garganta, como lija, una risa de coyote al cielo, una risa que es como un dolor que explotase, como un daño de goma 2. Éstas son las cosas que hacen BUM, esto fue el último estoque, el último baile. ¿Me lo concedéis? Cuando la Vespa se desliza hacia el arcén, aún estoy riendo. Un golpe así, casi nunca lo sientes. Un golpe así, es sordo y fantasmal; no lo sientes. Éste es el BUM final de las cosas que hacen BUM. El BUM final de Pànic Orfila, la única manera posible de terminar con las cimas y las cuestas.

Todo se vuelve oscuro, la música termina, los discos se rompen, acaban los Grandes Gestos, que nadie pregunte nada. Todo está claro. Todo está contado. Todos los guijarros están desperdigados por el camino, la obsesión me ha matado, no fui yo. No tengo la culpa, ahora lo veo.

Porque soy lo que soy. Soy la obsesión, y la obsesión rompe y quema. Nadie puede entenderlo.

Nadie puede entenderlo, y ahora ya no importa.

Estoy volando a 111 km por hora en dirección a un árbol del camping La Ballena Alegre, en la autovía de Castelldefels. Cuando impacte contra él, mi cuello se partirá como un barquillo mojado en champán.

Pero de momento aún estoy paralizado en el aire. El tiempo se hizo barro, y el aire, membrillo. Lo conté al principio, hace 280 páginas. Congelado en el aire.

La expresión inglesa era: *in mid-air*.

Veo una de mis lágrimas estática cerca de mi cara, como un diamante volador, y me doy cuenta de que queda poco tiempo para que esta parálisis pasajera termine abruptamente. Ya conté mi historia; en un instante, el membrillo se fundirá y yo continuaré mi breve periplo hacia la fractura cervical.

Supongo que esto, ahora sí, se acaba. Estoy contento de haber podido contar lo que conté. Yo sólo quería hablar de la obsesión y, mientras lo hacía, me he dado cuenta de lo que soy.

–A la mierda –murmuro cuando desaparece la parálisis, a nadie en concreto, al árbol que me espera. Y esbozo media sonrisa de huevos estrellados.

Huevos estrellados.

Me matas, Pànic. Me matas.

EPÍLOGO

–Les juro que no morí.

En 1966, durante una rueda de prensa que trataba de desmentir los rumores de su fallecimiento en un accidente de motocicleta y su sustitución por un doble, Paul McCartney tuvo que jurar que estaba vivo. Jesús, alias Cristo, en su aparición *stadium rock* ante los apóstoles, hizo algo parecido. Lo había ensayado antes con Lázaro, que interrumpió su sueño eterno y salió a pasear para demostrar su recién adquirida situación de respirador. Como si lo viera:

–Y ahora levanta una pata, Lázaro.

¿Y yo? *Les juro que no morí.*

En casos así, no queda más remedio que jurar; de otro modo nadie iba a creerlo. El médico que se ocupaba de mí, en el hospital donde desperté unos días después de mi abrazo al árbol, tampoco parecía verlo con gran claridad. Deberías estar muerto, me decía. Tu columna vertebral debería haber hecho snap, crac y choc en diversos sectores, y tú deberías estar ahora confinado en un sofá paseante.

Como dicen los ingleses: *kind words.*

Nunca me ha gustado decepcionar a la gente, pero lo cierto es que no morí. Cuando se lo dije a mi médico (un chico joven con cara de cualquier otra persona, un señor al que confundirías en un instante con el resto del mundo), moviendo todas mis extremidades a la vez para clarificar lo que quería decir con «Estoy vivo», él me miró con cara de chasco; como lamentando mi estado de no-defunción. Estuve a punto de pedir perdón por vivir, al ver su cara. Luego, por el relámpago de intensísimo dolor que siguió a mi Baile de la Vida, noté que tenía rotos los dos brazos y una costilla. Eso pareció animarle un poco.

¡Ah, afortunado Pànic Orfila!, me grité a mí mismo igualmente cuando el tipo abandonó mi habitación. Regenerado, resucitado, renacido, desafiando una vez más a la ciencia, la naturaleza, la ley. ¿Puede pararte un choque? ¿Un tornado? ¿Un rayo? Superheroico Pànic. Hay algo de majestuoso en esta inmortalidad. Quizás sí eras, después de todo, el Elegido. El Poeta Guerrero del Mundo Moderno. El Detonador.

Uno se siente mejor inmediatamente después de no morir. Lo recomiendo.

Hoy se cumplen diez años desde que intenté ser uno con un pino, después de mi Gran Batacazo Zen, mi Gran Momento Fracturado. Es 22 de abril del año 2006, víspera de Sant Jordi. Trabajo en una biblioteca pública del Besós Mar (aprobé las oposiciones ampliamente; de algo tuvieron que servir todos los libros y la prematura riqueza mental) y estoy bien; en estos momentos, preparando las mesas expositoras para el día siguiente. No niego que algo descoyuntado, algo desencajado sí terminé; hay un deje Pinochesco en mi cuerpo reparado. Un mes y medio de hospital, soldando costilla y brazos, alineando nariz.

Pero no me puedo quejar. Estoy solo y, como en mi adolescencia, estoy bien.

Lo importante, me dije nada más salir del hospital, es no recordar, Pànic. Vaciar las redes del recuerdo, amigo. Desgrabar esas cintas de ridículo y humillación y dolor, como si fuesen vídeos de bodas llenas de malos peinados y adulterios en segundo plano. Hacer lo necesario y luego olvidarlo todo.

Así, primero fui al cementerio de Sant Boi a dejar flores en la tumba de Àngels. Hubiese apostado a que el Instituto de Vandalismo Público jamás enterraba a sus héroes, decantándose más por el naval cuerpo al agua o la pira vikinga. Me equivocaba; en esto, hicieron lo convencional. Lo único que destacaba en el nicho era un contador de parquímetro, colocado allí para que pareciera que el estacionamiento del cadáver era algo temporal. Dejé los lirios de agua conteniendo la risa.

Busqué también a Rebeca, por supuesto. Su madre se alegró de que yo estuviera bien, me dijo, pero por su mirada deduje que no pensaba cambiar mi ficha personal del archivador de «Loco» al normal. Rebeca vivía aún en otro país, afirmó al despedirme, y seguía sin querer verme nunca más. Iba a preguntar si *nunca* quería decir *nunca* o *sólo por un tiempo*, o *durante unos meses,* pero apareció el criado ruso. Su cara tártara me desafió a lanzar un tercer ladrillo, cosa que no hice. Me despedí, abatido pero intacto.

¿Y los vorticistas? Sí busqué, durante un tiempo, sí busqué. Sin razón, sin saber qué haría si les encontraba. Partirles la crisma era una opción. Alegrarme por que estuvieran vivos y yo hubiese pulsado el detonador a tiempo era otra. Dejar de buscar de una vez, rezar por no volver a toparme con ellos, era la más sensata de todas.

Y *eso* –no buscar, hacer exactamente lo contrario de buscar; o sea, olvidar plácidamente– era precisamente lo que estaba haciendo esta mañana de abril cuando un socio de la biblioteca ha pedido prestado un ejemplar del libro de Stirner. No sabía que teníamos *El único y su propiedad;* de haberlo sabido me hubiese deshecho de él con fuego y rasgaduras.

Pero ahora es tarde. Mi no-recordar se ha interrumpido sin solución, por culpa del pusilánime Stirner. En mi mano está ya su libro, que devuelvo hacia el mostrador con la cabeza baja. Pero cuando llego allí, el socio que lo quería se ha desvanecido. Miro a ambos lados, y no hay nadie. En una película de terror, ésta es la parte en que alguien me pone la mano en el hombro y todo el mundo salta de la silla.

–¿Puedo ver ese libro? –me dice una voz desde un extremo de mi oreja. *Esa* voz.

Me vuelvo sabiendo que voy a ver lo que voy a ver. Como ojos acostumbrados a la oscuridad, necesito unos segundos para readaptar mi mirada. Su cara. La piel se ha curtido, los ojos se han secado ligeramente, pero la mirada es la misma. Un soplo ladeado devuelve su flequillo de telón al lugar donde estaba.

Johnny Cactus.

Sonriendo como un niño en pleno escondite. Apareciendo como un UH inesperado en mitad de un juego de patio.

Les juro que no morí.

La biblioteca está silenciosa, y los pocos lectores continúan enfrascados en sus páginas; nadie nos observa, como si no existiéramos. Me rasco el cogote, mirando al Cactus, y mientras lo hago noto el inicio de la obsesión, como las primeras gotas de un chubasco. Es una fiebre imparable, no hay silicona, ni cemento, ni candados que puedan contenerla.

Ninguno de los dos abre la boca, y eso me recuerda mis primeros instantes de mutismo salvaje con los vorticistas. De repente, sus pupilas se van, gemelas y sincronizadas, a un lado de sus ojos. Muevo la cabeza en esa dirección, y ahí están, en la puerta. Arturo Grima y Marco Cara, brillando. Y Elvira –como un fuego, como un incendio de agosto– que me saluda, su mano un limpiaparabrisas. Todos se acercan a mí, como Los 4 Fantásticos al final de una aventura.

La mano de Elvira se posa en mi hombro. La forma en que su mano se posa en mi hombro habla de afectos y dolores y grandes melancolías anaranjadas.

–Venga, vamos –me susurra, y las dos palabras son besos aéreos.

–*¿Vamos?* –repito, y ya no sé qué estoy haciendo. La obsesión es una fiebre, ya dije, una rabia loca que lleva a un solo lugar, un delirio atropellado. Todo lo demás se difumina: la biblioteca, los diez años de lenta descomposición. Sé que no debería permitirlo, pero es inútil: mi vida actual empieza a desvanecerse ante mis ojos, como un gas. Por primera vez en mucho tiempo, vuelvo a pensar en Rebeca. Realmente la jodiste, Pànic de mierda.

En ese momento, como fantasmas, como los espíritus de cuatro dandis catalanes atrapados en el tiempo, espectros del *gang* y la automitología, todos empiezan a marcharse. Los espíritus del amor al Gran Gesto y al propio amor loco. Amor al propio amor. Las cosas por sí mismas.

Elvira se vuelve y su boca repite: Vamos, Pànic. Todos cruzan la puerta y desaparecen lentamente.

En una película de cowboys, ésta es la parte en que yo también salgo, monto en mi caballo y les acompaño en dirección al horizonte.

–A la mierda –digo por última vez en voz alta, y todos dejan de leer, y ni tú ni yo sabemos si voy a marcharme con ellos.

Since you left me, it's an uphill climb to the bottom.

AGRADECIMIENTOS

AGRADECIMIENTOS SONOROS
Algunos discos y canciones y grupos que ayudaron a crear esta novela:

DEXY'S MIDNIGHT RUNNERS *Too-Rye-Ay* y *Don't Stand me down* (LPs); ARTHUR RUSSELL *World of echo* y *Calling out of context* (LPs); HURRAH! *Boxed* y *Tell god I'm here* y *The beautiful* (LPs); TOWNES VAN ZANDT; THE STYLE COUNCIL «It didn't matter»; THE CLIENTELE *Strange geometry* (LP); THE BEAT *Wha'ppen* y *Special beat service* (LPs), pero muy especialmente «End of the party»; CURTIS MAYFIELD / THE IMPRESSIONS *This is my country, The young mods forgotten story, Roots* y *Curtis*, especialmente; LAMBCHOP *Awcmon / Noyoucmon* (LP); ASTRUD; THE GO-BETWEENS *Spring hill fair* (LP) y, bueno, todo; ORANGE JUICE *You can't hide your love forever* (LP) especialmente, y cualquier cosa de EDWYN COLLINS, muy concretamente *I'm not following you* (LP) y *Gorgeous George* (LP); RED STARS THEORY *But sleep came slowly* y *Life in a bubble can be beautiful* (LPs); LANDING *Sphere* (LP); JOYCE; McCARTHY *I am a wallet* (LP) y «Saint Francis amongst the mortals»; JUDEE SILL *S/t* (LP); THE JASMINE MINKS; LITTLE WINGS *Magic Wand* (LP); THE WHO *A quick one* y *The Who sell out* (LPs) y «Circles»; THE MAGNETIC FIELDS *69 love songs* y *I* (LPs); ZUMPANO *Goin' through changes* (LP); THE PASTELS *Illumination* (LP); SMOKEY ROBINSON & THE MIRACLES «The tracks of my tears»; THE SEA & CAKE, especialmente *Oui* (LP); THE WILD SWANS «Revolutionary spirit»; BROADCAST *Tender buttons* (LP); WALTER JACKSON «It's an uphill climb to the bottom»; THE LUCKSMITHS *Warmer corners* (LP); COLLEEN *The golden morning breaks* y *Everyone alive wants answers* (LPs); BIFF BANG POW! «There must be a better life»; RED HOUSE PAINTERS *Old Ramon* y *Ocean Beach* (LPs); PHAROAH SANDERS *Karma* (LP) y su «The creator has a masterplan»; AMERICAN SPRING *S/t* (LP); THE WILLARD GRANT CONSPIRACY *There for the grace of god* (LP); TV PERSONALITIES *Privilege* (LP) y «A sense of belonging»; THE LILAC TIME y STEPHEN DUFFY; JIMMY WEBB *El Mirage* (LP), especialmente «The highwayman»; ROGUE WAVE *Out of the shadow* y *Descended like vultures* (LPs); ALEXANDER SPENCE *Oar* (LP); TUXEDOMOON y *Searching for contact* (LP) de STEVEN BROWN; BART DAVENPORT; DAMIEN JURADO *Rehearsals for departure* y *Ghost of David* (LPs) y «Like Titanic»; CHUCK AND MARY PERRIN *The last word* y *Life is a stream* (LPs).

AGRADECIMIENTOS HUMANOS

Algunas personas que ayudaron a crear esta novela:

Eugènia, por todas las ediciones e ideas e insomnios. Miqui Samaranch, Maria Amat y Manolo Martínez, por las lecturas y apuntes. Mi hermano Oriol, por la ayuda informática en ilustración y portada y otras cosas tecnológicas. Jim Dodge, Kurt Vonnegut, Richard Brautigan, Nik Cohn, Edward Limonov, S. E. Hinton y Arthur Nersesian por sus libros, sin los que seguro que no existiría éste. Jorge Herralde, por editarme y por nuestras comunes y malsanas anglofilia y situ-filia. Lolita Bosch, por el robo anarquista. A todos mis gangs pasados y presentes, por la inspiración.

Este libro se empezó el 17 de noviembre del año 2004 en el Passatge Marimon, Barcelona, y se terminó el 27 de abril del año 2006 en la calle Alcalde de Móstoles, Barcelona.

ÍNDICE